D1374285

AUTRES
CHRONIQUES
DE SAN FRANCISCO

PAR

ARMISTEAD MAUPIN

Traduit de l'américain
par Pascal LOUBET

1018

« Domaine étranger »
dirigé par Jean-Claude Zylberstein

LES ÉDITIONS PASSAGE DU MARAIS

Titre original :
Further Tales of the City

Note de l'éditeur

Ce roman contient, naturellement, une multiplicité de références — pour la plupart intraduisibles — propres à la culture américaine et à l'époque des années quatre-vingt. Nous en avons volontairement gardé beaucoup — en anglais — dans l'espoir qu'une telle démarche favorise le dépaysement du lecteur et son immersion dans l'univers de San Francisco. Notre souci constant a néanmoins été de bien veiller à ce qu'elles ne constituent en aucun cas un obstacle au plaisir de la lecture.

Dans le même esprit, nous avons tenu à garder sous sa forme originale l'épigraphe choisie par l'auteur, laquelle se révèle difficilement traduisible de façon satisfaisante.

Enfin, nous remercions Colette Carrière et Tristan Duverne pour leur contribution à l'édition de cet ouvrage.

Pour Steve Beery

Surely there are in everyone's life certain connec-tions, twists and turns which pass awhile under the category of Chance, but at the last, well examined, prove to be the very Hand of God.

Sir Thomas Browne,
Religio Medici.

Home, sweet home

Évidemment, il y avait bien des étrangers pour continuer à prétendre que San Francisco était une ville qui ne connaissait pas de saisons, mais Mme Madrigal ne s'en souciait guère.

Enfin quand même, les premiers signes du printemps se voyaient partout!

Ces écoliers chinois, par exemple, qui dévalaient Russian Hill sur leurs skate-boards en arborant des casquettes de base-ball vertes et jaunes toutes neuves.

Et le vieux M. Citarelli? Il n'y avait qu'un San-Franciscain de souche pour savoir que c'était *exactement* le moment de l'année où sortir son fauteuil du garage et ouvrir sa porte aux rayons du soleil. M. Citarelli était infiniment plus digne de confiance que toutes les marmottes du monde!

Et là, à Barbary Lane, l'équinoxe de printemps était annoncé par la vieille azalée écarlate qui flamboyait comme un feu de joie près des poubelles.

— Mon Dieu! fit Mme Madrigal en s'arrêtant pour rééquilibrer son sac de provisions. Alors te revoilà déjà, toi?

L'arbuste fleurissait également en août et en décembre, mais on pardonne toujours à la nature d'offrir les bonnes choses en abondance.

Quand Mme Madrigal atteignit le porche du 28, elle

s'arrêta sous le petit auvent pour contempler son domaine : le pavage de briques moussues de la cour, la luxuriance illicite de son « jardin d'herbe » et la façade de bois couverte de lierre de sa chère maison adorée. C'était un spectacle qui ne manquait jamais de la mettre en joie.

Elle déposa ses courses dans la cuisine — trois nouveaux fromages de chez Molinari, des ampoules électriques, un pain italien, des croquettes Tender Vittles pour Boris — et se précipita dans le salon afin d'y allumer un feu. Mais oui, pourquoi pas ? A San Francisco, un feu de cheminée, c'était agréable en toute saison.

Le bois — un énorme stock — lui avait été offert pour Noël par ses locataires et Mme Madrigal maniait les bûches comme s'il s'était agi de lingots d'or à Fort Knox. Elle avait trop longtemps subi les ignobles briques de sciure reconstituées qu'on vendait au Searchlight Market. Maintenant, grâce à ses enfants, elle avait un feu qui *crépitait*.

Ce n'étaient pas vraiment ses enfants, bien sûr, mais elle les traitait comme tels. Et ils semblaient l'accepter comme une sorte de mère. Sa propre fille, Mona, avait vécu avec elle pendant un certain temps à la fin des années soixante-dix, mais elle avait déménagé à Seattle l'an dernier. Et elle lui avait donné une raison tout à fait obscure, comme d'habitude :

— Parce que... eh bien, parce que nous sommes dans les années quatre-vingt, voilà.

Pauvre Mona ! Comme bien des gens de son époque, elle avait fondé toutes ses espérances sur les années quatre-vingt, elle avait idéalisé cette nouvelle décennie dans l'espoir qu'elle lui apporterait en quelque sorte le salut et la délivrerait de la morne vision qu'elle avait de l'existence ; mais les années quatre-vingt seraient pour Mona pareilles à Seattle qu'à San Francisco... ou à Sheboygan, pour le coup. Personne, hélas, ne pouvait le lui dire. Elle ne s'était jamais remise des années soixante.

Mme Madrigal se rendait cependant compte que ses substituts d'enfants — Mary Ann, Michael et Brian — avaient, eux, conservé une sorte d'innocence.

Et elle les adorait pour cela.

Quelques minutes plus tard, Michael apparut sur le seuil avec le chèque du loyer, portant Boris dans les bras.

— Je l'ai trouvé sur la corniche, dit-il. On aurait dit qu'il avait des envies de suicide.

Mme Madrigal regarda le chat de gouttière en fronçant les sourcils.

— Plutôt des envies de meurtre ! Il s'est remis à courir les oiseaux. Pose-le, chéri, tu veux ? Il a mauvaise haleine, quand il a mangé du geai, et je ne supporte pas ça.

Michael se débarrassa du chat et tendit son chèque à Mme Madrigal :

— Je suis désolé, je suis très en retard. Encore une fois.

Elle balaya ses scrupules d'un geste de la main tout en glissant rapidement le chèque entre les pages d'un livre d'Eudora Welty. Elle trouvait cela affreux, de parler d'argent avec ses enfants.

— Eh bien, demanda-t-elle, qu'allons-nous faire pour l'anniversaire de Mary Ann ?

— Zut ! sursauta Michael. C'est bientôt ? Déjà ?

— Mardi prochain, d'après mes calculs, répondit Mme Madrigal en souriant.

— Elle va avoir trente ans, c'est ça ? ajouta Michael, un pétillement diabolique dans le regard.

— Je ne crois pas que ce soit sur cet aspect-là que nous devrions insister, mon garçon.

— Eh bien, n'attendez pas de pitié de ma part, ironisa Michael. Elle m'en a fait voir de toutes les couleurs l'année dernière quand j'ai eu *mes* trente ans. En plus, c'est la dernière de la maison à faire le Grand Saut. Ce n'est que justice, de fêter l'événement.

15

Mme Madrigal lui décocha un regard qui signifiait « Vilain garçon ! » et se laissa tomber dans le fauteuil près de la cheminée. Voyant là une occasion de faire tableau, Boris bondit sur ses genoux et contempla le feu en clignant languissamment des yeux.

— Ça te dirait, un petit joint ? demanda la logeuse.

Michael secoua la tête en souriant.

— Merci, je suis déjà assez en retard comme ça pour aller bosser.

— Embrasse Ned pour moi, alors, dit-elle en lui rendant son sourire. Au fait, ta nouvelle coupe est sensationnelle.

— Merci, murmura Michael en rougissant de plaisir.

— J'aime bien voir tes oreilles, en fait. Cela te donne des airs de petit garçon. Pas du tout comme si tu avais déjà fait le Grand Saut.

Michael montra qu'il appréciait le compliment en lui faisant une petite courbette gracieuse.

— Allez, file, maintenant, lança Mme Madrigal. Va faire pousser les petites plantes.

Une fois qu'il fut parti, elle s'autorisa un sourire narquois en repensant à cette histoire de Grand Saut. Elle avait à présent soixante ans, nom d'un chien ! Est-ce que cela voulait dire qu'elle l'avait fait deux fois ?

Soixante ans. De près, le chiffre n'était pas aussi intimidant qu'il l'avait été de loin. Il avait une espèce de symétrie rondelette, en fait, comme un gouda affiné ou un vieux pouf douillet.

Les métaphores auxquelles elle avait pensé la firent glousser. Alors c'était cela, qu'elle était devenue ? Un vieux fromage ? Un meuble ?

Elle s'en fichait, finalement. Elle était Anna Madrigal, une femme qui s'était faite toute seule. Il n'y avait personne au monde qui lui ressemblât absolument.

Et, tandis que cette réconfortante pensée dansait dans son esprit, elle se roula un joint de sa meilleure herbe et s'installa de nouveau avec Boris pour savourer son feu.

Michael

Cela faisait maintenant presque trois ans que Michael Tolliver était le gérant d'une jardinerie du Richmond District qui s'appelait *Les Verts Pâturages*. Le propriétaire de cette entreprise était le meilleur ami de Michael, Ned Lockwood, un type de quarante-deux ans tout en muscles qui était presque l'archétype du « pédé Grands-Espaces ».

L'expression « pédé Grands-Espaces », dans le jargon personnel de Michael, s'appliquait à tous ceux qui s'occupent d'une manière virile des belles choses de la nature : pépiniéristes, jardiniers, forestiers, bûcherons — et quelques paysagistes. (Les fleuristes, évidemment, étaient exclus de cette catégorie.)

Michael adorait travailler la terre. Les fruits de son labeur étaient esthétiques, spirituels, physiques et même sexuels — étant donné que bon nombre d'hommes de San Francisco trouvaient qu'il n'y avait rien de plus érotique que le prénom d'un homme grossièrement brodé sur le devant d'une salopette verte et délavée.

Tout comme Michael, Ned n'avait pas toujours été un « pédé Grands-Espaces ». Au début des années soixante, alors qu'il n'était encore qu'étudiant à l'UCLA, il avait payé ses études en faisant le pompiste dans une station-service de Beverly Hills. Et un beau jour, un célèbre acteur de cinéma, de quinze ans son aîné, s'était arrêté pour la vidange d'huile et s'était amouraché de cette jeunesse musclée.

Du coup, la vie de Ned avait radicalement changé. En moins de temps qu'il n'en faut pour le dire, l'acteur avait installé son nouveau protégé chez lui. Il avait payé les études de Ned et — dans les limites de ce que son agent et la décence lui permettaient — l'avait fait entrer dans sa vie à Hollywood.

Ned avait plutôt bien mené la sienne. Doué d'une

aura sensuelle qui confinait au surnaturel, il avait le pouvoir de séduire tout être qui croisait son chemin — homme, femme ou animal. Ce n'était pas tant sa beauté, qui les captivait, que le don inné et presque enfantin qu'il avait de leur consacrer toute son attention. Dans une ville où personne n'écoutait jamais, il prêtait à chacun une oreille attentive.

Leur liaison dura presque cinq ans. Quand elle fut terminée, les deux hommes se séparèrent bons amis. L'acteur alla même jusqu'à aider Ned financièrement quand il déménagea à San Francisco.

A présent, la quarantaine passée, Ned Lockwood était plus beau que jamais, mais il commençait à se dégarnir. Enfin bref, il était chauve. Le peu qu'il lui restait de cheveux, il le coupait ras, exhibant fièrement son crâne lisse comme les routiers des pornos Wakefield Poole.

— Si jamais je commence à me laisser pousser les cheveux qui me restent sur les côtés et à les peigner sur le dessus pour faire du camouflage, avait-il gravement déclaré à Michael un beau jour, descends-moi sur-le-champ.

Ned et Michael avaient couché ensemble deux fois — en 77. Depuis, ils étaient amis, complices et frères. Michael aimait Ned : comme un chiot qui rapporte une proie morte et la dépose avec adoration sur le seuil de son maître, il racontait ses exploits romantiques à son aîné.

Et Ned l'écoutait toujours.

— Tu veux aller au *Devil's Herd,* demain soir? demanda Ned. Il y aura un groupe.

Michael leva le nez. Il était en train d'empaqueter des primevères pour un agent immobilier de Pacific Heights qui avait mis des heures à se décider entre la variété rose et la jaune. Le client regarda Ned d'un œil méprisant, puis reprit ses jérémiades.

— Évidemment, sur la terrasse il y a des fuchsias et

ils tirent sur le violet. Mais le violet ne va peut-être pas avec le jaune, qu'en pensez-vous?

Michael lança un regard excédé à Ned et tenta de garder son calme.

— Toutes les fleurs vont ensemble, dit-il posément. Dieu n'est pas décorateur.

Le client fronça un instant les sourcils, se demandant si cette remarque se voulait une insolence. Puis il eut un petit rire narquois.

— Mais certains décorateurs se prennent pour Lui, non?

— Peut-être, mais pas chez nous, répliqua Michael.

Le client se pencha vers lui.

— Vous connaissiez Jon Fielding, si je ne m'abuse?

Michael tapa la commande sur la caisse enregistreuse.

— On peut le dire comme ça, répliqua-t-il.

— Oh... Si j'ai touché un point sensible, excusez-moi.

— Pas du tout.

Michael sourit nonchalamment, espérant que l'autre ne se rendrait pas compte qu'il était furieux.

— Ça fait longtemps, c'est tout.

Il fit glisser le carton de primevères sur le comptoir en direction de l'inquisiteur.

— Et vous, vous le connaissez?

— Nous nous sommes déjà croisés à des soirées *très* privées, répondit le client en hochant la tête d'un air entendu. Au *Gamma Mu*.

« Il a lâché le nom comme un appât, remarqua Michael, comme si tout le monde connaissait ce club de milliardaires homosexuels. »

Michael ne mordit pas :

— Dites-lui bonjour de ma part quand vous le verrez.

— D'accord.

Le client le fixa un instant, puis il tendit la main et

fourra sa carte de visite dans la poche de la salopette de Michael.

— Comme ça vous saurez qui je suis, dit-il à mi-voix. Vous devriez passer chez moi, un de ces jours. J'ai une vidéo Betamax.

Et il partit sans même attendre de réponse, croisant Ned sur le seuil.

— Alors, qu'est-ce que tu décides? demanda Ned.

Michael regarda la carte de l'agent immobilier, le temps de lire le nom — Archibald Anson Gidde .—, puis il la jeta dans la corbeille.

— Excuse-moi, Ned. Tu disais?

— Le *Devil's Herd*. Demain soir.

— Ah... Bien sûr, avec plaisir.

Ned le considéra un instant, puis il lui ébouriffa les cheveux.

— Ça va, Bubba?

— Oui, oui, fit Michael.

— Est-ce que ce mec...?

— Il connaissait Jon, l'interrompit Michael. C'est tout.

Rassemblement des A-Gays [1]

Arch Gidde était sur les nerfs. Vingt minutes avant que ses invités n'arrivent pour le dîner, les primevères jaunes étaient toujours dans leurs affreux petits pots en plastique. Et Cleavon — cette feignasse — était encore à la cuisine en train de se bagarrer avec les sushis.

— Cleavon... *Cleavon!* beugla Arch depuis la chambre.

1. Une des quatre classes (A, B, A-Gay, B-Gay) définissant les invités de Gidde : des gays faisant partie du « gratin », sachant se conduire et parler, etc. *(N.d.T.)*

— *Ouais,* fit Cleavon.

L'agent immobilier frémit et leva les yeux au ciel devant son miroir. *Ouais,* nom d'un chien ! Harold, lui, ne disait jamais « ouais ». Harold était un peu folle, c'était sûr, mais jamais irrespectueux. Cependant, Arch avait perdu Harold dans le divorce et Rick était trop égoïste (et trop malin) pour se séparer d'un domestique compétent qui était à la fois noir *et* homo.

— Cleavon ! hurla Arch. Je m'en voudrais d'insister, mais je tiens *absolument* à ce que les primevères soient rempotées avant que les invités arrivent. J'en veux quatre dans l'éléphant et quatre dans la jardinière au bout de la terrasse.

Un silence... puis un autre *ouais.*

Arch Gidde poussa un grognement et retroussa sur ses bras les manches du pull Kansai Yamamoto qu'il venait de s'acheter chez Wilkes. Le pull était brodé d'une hyène multicolore qui s'enroulait autour de l'épaule gauche. « N'est-ce pas un peu excessif ? » se demanda-t-il.

Non, décida-t-il. Pas avec les sushis.

Les invités arrivèrent presque tous ensemble, venant d'un cocktail chez Vita Keating, l'épouse de l'héritier des Puddings Presto.

C'étaient Edward Paxton Stoker Jr et Charles Hillary Lord (les Stoker-Lord), William Devereux Hill III et Anthony Ball Hughes (les Hill-Hughes), John Morrison Stonecypher (qu'on surnommait parfois le Prince Pruneau) et Peter Prescott Cipriani.

L'absence de l'ex d'Arch Gidde, Richard Evan Hampton, se faisait cruellement remarquer : les Hampton-Gidde n'étaient plus.

— Eh bien, roucoula Chuck Lord en entrant d'un pas glissant dans le salon, je dois dire que je trouve le petit personnel très bien.

— Je ne sais pas pourquoi, mais je m'en doutais un peu, répliqua Arch avec un sourire pincé.

— Il n'est pas d'Oakland, si? demanda Ed Stoker, la moitié de Chuck.

— De San Bruno, dit Arch.

— Quel dommage! Chuckie n'aime que ceux d'Oakland.

Chuck Lord lança un regard glacial à son amant, puis il se retourna vers son hôte.

— Ne fais pas attention à *elle,* dit-il. Elle a eu des bouffées de chaleur toute la semaine.

Arch fit de son mieux pour ne pas sourire. L'amour que vouait Chuck Lord aux Noirs d'East Bay était proverbial chez tous les A-Gays de San Francisco. Pendant qu'Ed Stoker restait à la maison à s'enfiler des Valium tout en lisant *Allure* de Diana Vreeland, son multimilliardaire de mari écumait les rues d'Oakland en quête de mécanos noirs.

Et chaque fois qu'Ed demandait le divorce à Chuck (c'était en tout cas la version officielle), Chuck s'offusquait avec un effroi sincère.

— Mais, chéri, hoquetait-il, tu ne penses pas au bébé?

Le bébé en question était un huit-pièces que les deux hommes avaient acheté en commun dans le Haight.

— Devinez qui j'ai vu à la jardinerie, aujourd'hui, dit Arch au moment du dessert.

— Qui? demanda le Prince Pruneau.

— Michael Tolliver.

— Qui?

— Mais tu sais bien : le minou qui était l'amant de Fielding.

— Le handicapé?

— Mais non, c'est terminé, ça! Mon Dieu, mais *d'où* sors-tu?

— Oh, là là! Excuse-moi, Liz Smith!

— Il m'a pratiquement mis la main au panier dans la serre.

— Où est Fielding, au fait?

— Sur un bateau, quelque chose comme ça... Il administre de la Dramamine. C'est innommable.

Peter Cipriani passa à côté d'eux et laissa tomber un magazine sur les genoux d'Arch.

— Puisqu'on en est au chapitre des choses innommables, as-tu lu Mme Giroux, ce mois-ci?

Le magazine était *Western Gentry* et l'objet du dédain de Peter une certaine Prue Giroux, chargée de la chronique mondaine. Arch l'ouvrit à la bonne page et commença la lecture à voix haute :

— « Ce matin, alors que je parlais au délicieux et charmant voiturier noir de *L'Étoile,* je me suis brusquement rendu compte que nous avions la chance inouïe d'habiter dans une ville qui regorge littéralement de races, de couleurs et de coutumes fascinantes. »

Tony Hughes se lamenta en levant les yeux au ciel :

— Cette crétine se prend pour Eleanor Roosevelt!

Arch reprit sa lecture :

— « Moi qui ne suis qu'une simple fille de la campagne... »

(Gémissement général.)

— « Moi qui ne suis qu'une simple fille de la campagne, j'éprouve une joie et un plaisir immenses à me compter parmi les amis de célébrités noires comme Kathleen Cleaver, épouse du militant très connu, et de personnalités juives aussi distinguées que le docteur Heinrich Viertel (auteur de l'ouvrage *Dans les profondeurs du Ça*) et d'Ethel Merman, que j'ai pu rencontrer lorsqu'elle est venue en ville présenter son fabuleux album disco... »

Cette fois, ce furent des piaillements. Tony arracha le magazine des mains d'Arch.

— Elle n'a pas écrit ça! C'est toi qui viens de l'inventer.

Arch céda devant Tony, qui voulait manifestement poursuivre la lecture.

Presque sans se faire remarquer, Arch quitta subrepticement la table pour aller gérer une situation qui risquait de prendre les proportions d'une crise : Cleavon n'avait pas encore servi le café. *Et Chuck Lord n'était pas revenu des toilettes.*

Rouge de fureur, Arch écouta à la porte des W-C, puis il l'ouvrit honteusement.

Cleavon était assis sur le lavabo en onyx noir, se bouchant une narine d'un doigt, tandis que Chuck Lord lui fourrait de la cocaïne dans l'autre. Sans montrer le moindre signe de remords, Chuck, en souriant, fourra son attirail dans une poche de sa veste Alexander Julian.

Arch lui lança un regard assassin.

— 'Etou'ne au 'adeau, mon petit ché'i. Tu es attendu.

Chuck parti, Cleavon descendit du lavabo et renifla bruyamment la poudre. Bien que livide de rage, son employeur garda son sang-froid :

— Nous attendons le café, Cleavon.

— Ouais, dit le domestique.

Dans la salle à manger, Peter Cipriani brailla une devinette à l'adresse de Chuck Lord qui revenait :

— Hé, Chuckie! Tu sais ce qui est blanc et qui mesure vingt-cinq centimètres?

— Non, de quoi s'agit-il? répondit prudemment l'autre.

— La réponse est : rien, hurla Peter d'une voix stridente. Absolument rien!

Arch Gidde faillit faire une crise.

La vraie Prue

Les gens racontaient les choses les plus méchantes sur Prue Giroux.

Sa silhouette de liane lui avait permis d'obtenir tout ce qu'elle voulait — sauf le respect. Lorsque les gens parlaient de son divorce d'avec Reg Giroux, c'était toujours pour donner le « beau rôle » à Reg. C'était d'ailleurs lui aussi, par la plus étrange des coïncidences, qui avait les quarante millions de dollars.

Prue en avait eu une partie, Dieu merci. Sans compter la maison somptueuse de Nob Hill. Ainsi que suffisamment de robes de chez Galanos pour tenir jusqu'à la fin de l'administration Nancy Reagan, même si — touchons du bois — elle devait durer huit ans.

Le véritable secret de son pouvoir, cependant, provenait de sa rubrique mondaine dans le magazine *Western Gentry*. Il importe peu, avait découvert Prue, que votre sang ne soit pas bleu et que votre fortune provienne d'une pension alimentaire. Peu importe également que vous ne sachiez pas ce que c'est que *Thaïs,* que vous applaudissiez à la fin du premier mouvement ou que vous portiez une robe longue en plein après-midi : si vous écrivez la chronique mondaine, ces salauds vous laissent toujours entrer.

Pas tous, évidemment. Certaines des vieilles familles de San Mateo (elle se faisait un devoir de ne jamais dire « Hillsborough ») demeuraient toujours un peu froides et distantes à son égard. Cependant, les jeunes lionnes semblaient se rendre compte avec tristesse que leurs positions ne seraient jamais totalement acquises si la presse mondaine ne citait pas au moins leurs noms.

Et c'est pourquoi elles l'invitaient à déjeuner.

Généralement, pas à dîner : juste à déjeuner. Par exemple, quand Ann Getty avait donné sa soirée de février au *Bali's* en l'honneur de Barychnikov, il n'avait pas été nécessaire d'inclure Prue dans la liste : les invités l'avaient appelée dès le lendemain matin pour lui raconter tous les détails croustillants.

Vraiment, Prue ne s'en souciait guère. Elle avait fait du chemin pour en arriver là, et elle le savait. Son penchant pour se décrire comme « une simple fille de la campagne » n'était pas une affectation. Elle était *réellement* une simple fille de la campagne — comme ses six frères et sœurs élevés par un vendeur de tracteurs de Grass Valley et son Adventiste du Septième Jour d'épouse.

Lorsqu'elle avait rencontré Reg Giroux, alors président d'une société d'ingénierie aéronautique de taille moyenne, Prue était encore une assistante dentaire toute fraîche émoulue de l'école : d'ailleurs, c'était elle qui lui nettoyait les dents à l'époque. Les amis de Reg avaient été horrifiés en apprenant durant le camp d'été au *Bohemian Grove* la nouvelle de leurs fiançailles.

Pendant un certain temps le mariage sembla marcher. Prue et Reg firent construire dans la région de Mother Lode une immense résidence d'été qui devint le lieu d'innombrables et luxueuses soirées costumées à thème. A sa Fête Rose et Vert, Prue reçut Erica Jong, Tony Orlando et Joan Baez, tout cela le même après-midi. Elle put à peine tenir en place.

C'est ce qui finit par devenir le problème. Aristocrate et content de l'être, Reg Giroux ne partageait ni ne comprenait l'appétit apparemment insatiable de sa femme pour les célébrités. Le déjeuner hebdomadaire de Prue à Nob Hill, qui réunissait des stars et qu'elle avait pompeusement baptisé le « Forum », était si universellement méprisé des vieilles familles que même son mari finit par en ressentir le contrecoup.

Aussi avait-il acheté son départ.

Pour Prue, par bonheur, le divorce avait eu lieu, par une heureuse coïncidence, au moment où Carson Callas, chargé de la rubrique mondaine de *Western Gentry,* avait été arrêté — pour attentat à la pudeur. Prue invita donc le directeur du magazine à déjeuner et fit sa publicité. Le directeur, qui était également de la campagne, prit l'élégance étudiée de Prue pour de la grâce patricienne et l'engagea sur-le-champ.

Désormais, elle était seule à la barre.

Le chien de Prue, un barzoï de trois ans nommé Vuitton, avait disparu depuis presque une semaine. Prue était au bord de l'hystérie. Pour ne rien arranger, le type de la police des parcs et jardins restait désagréablement vague devant son désespoir.

— Oui, madame, je crois que je me rappelle votre plainte. Où dites-vous l'avoir perdu, déjà?

Prue poussa un soupir exaspéré :

— Dans les fougères géantes. En face de la serre. Il était avec moi et l'instant d'après, il avait...

— La semaine dernière?

— Oui. Samedi.

— Un instant, s'il vous plaît.

Elle l'entendit fouiller dans les dossiers. Ce crétin était en train de fredonner : *C'est la mère Michel qui a perdu son chat*... Plusieurs minutes s'écoulèrent avant qu'il ne reprît le téléphone.

— Non, madame. Rien de rien. J'ai regardé deux fois. Personne n'a signalé avoir aperçu un barzoï au cours des derniers...

— Vous n'avez pas remarqué de Cambodgiens suspects?

— Pardon?

— Des Cambodgiens. Des réfugiés, vous savez bien?

— Si, madame, mais je ne vois pas ce que...

— Est-ce qu'il faut que je vous fasse un dessin? Ils mangent les chiens, figurez-vous! *Ils mangent les chiens des gens!*

Silence.

— Je l'ai lu dans le *Chronicle*, ajouta Prue.

Un autre silence, puis :

— Écoutez, madame. Je vais demander à la police montée d'ouvrir l'œil, d'accord ? Avec un chien comme ça, les risques d'enlèvement sont très élevés. J'aurais bien aimé vous aider davantage, mais je ne peux pas.

Prue le remercia et raccrocha. Pauvre Vuitton ! Son sort était entre les mains d'incompétents. Quelque part dans le Tenderloin, les boat-people mangeaient peut-être un barzoï à la sauce aigre-douce et Prue restait impuissante. Impuissante !

Elle fit une petite promenade de dix minutes dans Huntington Park pour se calmer les nerfs avant de rédiger sa chronique. Quand elle revint, sa secrétaire lui apprit que Frannie Halcyon avait téléphoné pour l'inviter à déjeuner le lendemain afin de « discuter d'une affaire de la plus haute importance ».

Frannie Halcyon était la Grande Dame régnante d'Hillsborough. Elle ne communiquait jamais avec les gens de l'espèce de Prue Giroux et les convoquait encore moins à déjeuner.

« Une affaire de la plus haute importance. »

Mais qu'est-ce que cela pouvait bien être ?

Madame mère

Parfois, Frannie ne pouvait s'empêcher de se demander s'il n'y avait pas une malédiction sur Halcyon Hill.

Cela n'était pas plus stupide qu'autre chose, si l'on pensait aux horribles coups du sort qui avaient décimé sa famille. A soixante-quatre ans, elle était la seule Halcyon survivante, la dernière rescapée déplumée d'une dynastie qui avait entièrement capitulé devant la mort, la maladie et les catastrophes.

Edgar, son mari, avait (selon ses propres termes) succombé à « une saloperie aux reins » le soir de Noël 1976.

Beauchamp, son gendre, avait péri l'année suivante dans un accident de voiture spectaculaire au milieu du tunnel de Broadway.

Faust, son danois adoré, était mort peu de temps après.

DeDe, sa fille, séparée de Beauchamp, avait donné naissance à deux bébés eurasiens fin 77 et s'était enfuie au Guyana avec une amie aux origines douteuses.

Le Massacre de Jonestown [1]. Même maintenant, trois ans après, ces mots, en fondant sur Frannie au détour d'un article de journal, la blessaient, aussi acérés et venimeux que les crocs d'une vipère.

Edgar, Beauchamp, Faust et DeDe : infortune sur infortune, horreur sur horreur.

Et à présent l'humiliation suprême : elle avait finalement été forcée d'inviter Prue Giroux à déjeuner.

Emma fit son apparition dans le patio avec un plateau de cocktails Mai Tai.

— Un petit rafraîchissement ? demanda Frannie à Prue.

La journaliste lui décocha son plus étincelant et sirupeux sourire de gamine :

— Il est encore un tout petit peu trop tôt pour moi, merci.

Frannie lui aurait fichu des coups de pied. Mais elle se retint et prit un verre en faisant un signe de tête gracieux à Emma, en but délicatement une gorgée et rendit son sourire à cette femme incroyablement commune.

— Au fait, dit-elle, je trouve votre rubrique... tout à fait amusante.

---

1. C'est au Guyana, en 1978, qu'eut lieu le suicide collectif d'une secte américaine ; Jim Jones, son chef, fut ainsi responsable de 931 morts. *(N.d.T.)*

Prue rayonna :

— Cela me fait tellement plaisir, Frannie ! Je fais de mon mieux pour qu'elle reste légère.

— Oui. C'est très léger, en effet.

Au fond d'elle-même, Frannie bouillait. Comment cette créature osait-elle l'appeler par son prénom ?

— Pour moi, poursuivit Prue, développant manifestement un thème familier, il y a trop de laideur dans ce monde et si chacun de nous pouvait allumer rien qu'une petite bougie... Enfin, vous comprenez !

Frannie vit là l'ouverture qu'elle attendait :

— Je suppose que vous êtes au courant, pour ma fille ?

— Oui, dit la journaliste en prenant une expression de tragédienne. Cela a dû être affreux pour vous.

— En effet. Et ça l'est toujours.

— Je n'imagine pas comment...

— La plupart des gens en sont incapables, interrompit Frannie avant de reprendre une gorgée de son Mai Tai. Sauf peut-être Catherine Hearst. Elle vient me voir, parfois. Elle est tellement charmante ! Euh... Cela vous ennuierait-il que je vous montre quelque chose ?

— Bien sûr que non.

La matriarche s'excusa et revint un moment plus tard avec *la* preuve — désormais tellement dépenaillée qu'on avait du mal à l'identifier.

— Ils appartenaient à DeDe, fit-elle.

— Des *pompoms*. J'ai été *pompom girl* aussi, vous savez.

— DeDe m'avait demandé de les lui envoyer, continua Frannie, quand elle était à Jonestown. Elle s'en servait quand elle était au Sacré-Cœur, et elle s'était dit que ce serait mignon de les avoir au Guyana pour les matches de basket.

Elle tripota son sous-verre.

— On les a retrouvés avec ses affaires... après.

— Elle... euh... elle était *pompom girl* au Guyana ?

Frannie hocha la tête.

— Juste pour rire. Ils avaient une équipe de basket, vous savez.

— Non, répondit prudemment Prue. En fait, je l'ignorais.

— DeDe était une femme *d'action,* Prue. Elle aimait la vie plus que tout. J'ai fait vérifier qu'elle et ses enfants n'étaient pas parmi les morts de Jonestown... Et au fond de mon cœur, mes instincts les plus primaires me disent qu'ils ont réussi à s'enfuir et qu'ils sont encore en vie.

— Quand se seraient-ils enfuis ?

— Je ne sais pas. Avant. Peu importe.

— Mais les autorités n'ont-elles pas présumé que... ?

— Ils ont présumé des tas de choses, ces imbéciles ! Ils m'ont dit qu'elle était morte avant même de vérifier si son cadavre se trouvait là-bas.

Frannie se pencha vers Prue et la regarda d'un air implorant.

— Je sais que ce n'est pas la première fois que vous entendez cela. Mais je vous ai fait venir pour que vous m'aidiez à rendre publics des faits nouveaux.

— Je vous en prie, dit la journaliste. Continuez.

— J'ai vu une voyante cette semaine. Tout à fait digne de confiance. Elle m'a affirmé que DeDe, son amie et les enfants sont en vie, quelque part dans un petit village d'Amérique du Sud.

Silence.

— Je ne suis pas une pauvre hystérique, Prue. Généralement, je ne souscris pas à ces histoires. Mais cette femme était tellement formelle ! Elle a tout vu : la cabane, les nattes sur lesquelles elles dormaient, les villageois sur la place du marché, ces délicieux petits enfants qui couraient tout nus dans le...

La voix de Frannie se brisa. Elle sentit que son sang-froid l'abandonnait.

— Je vous en prie, aidez-moi, supplia-t-elle. Je ne sais pas à qui d'autre m'adresser.

Prue se pencha en avant et lui prit la main.

— Vous savez que je vous aiderais, Frannie, s'il y avait le moindre moyen de... Mais les journaux et les stations de télé sont sûrement mieux à même de s'occuper de ce genre de choses, non?

Son interlocutrice se raidit.

— Je les ai *déjà* contactés. Vous ne pensiez tout de même pas que je m'adresserais à vous en premier?

Mais à quoi cela servait-il? Cette femme ridicule était comme les autres, elle l'écoutait gentiment comme si elle avait été une vieille gâteuse. Frannie laissa tomber complètement le sujet et expédia le déjeuner avant de reconduire au plus vite son invitée jusqu'à la porte, sans plus de cérémonie.

A trois heures, elle était repartie se coucher et buvait des Mai Tai en regardant la petite télévision portable ronde que lui avaient offerte DeDe et Beauchamp après la mort d'Edgar. Le film qui passait ce jour-là était *Vacances à Venise,* avec Katherine Hepburn, l'un des préférés de Frannie.

Entre les annonces publicitaires, une jolie jeune fille signalait les bonnes affaires : par exemple, où trouver dans le quartier de Walnut Creek-Lafayette des produits soldés parce qu'ils avaient simplement un léger défaut. Frannie coupa le son et se servit un autre Mai Tai.

Quand elle se retourna vers la télévision, elle faillit renverser son verre.

Ce visage! Mais oui, c'était l'ancienne secrétaire d'Edgar! Frannie ne l'avait pas vue depuis au moins quatre ans. Depuis les obsèques de Beauchamp, probablement.

Comment s'appelait-elle, d'ailleurs? Mary Jane quelque chose. Non... Mary Lou?

Frannie remonta le son.

— C'était Mary Ann Singleton, gazouillait la jeune fille. Je vous souhaite de bonnes affaires!

Mary Ann Singleton.

« Peut-être, songea Frannie. Pourquoi pas... ? »

Jouer les utilités

Après presque deux années passées comme figurante dans le milieu de la télévision, Mary Ann Singleton était enfin devenue une *femme* de télévision.

Son émission, *Bonnes Affaires,* tentait de pimenter le film de l'après-midi en donnant aux téléspectateurs de la Baie des idées de shopping. Après tout, c'étaient les années quatre-vingt.

En revanche, les films restaient solidement ancrés dans les années cinquante-soixante : c'étaient de bons vieux classiques de l'écran comme *La Fièvre dans le sang* ou *Le Secret de Santa Vittoria* ou celui d'aujourd'hui, *Vacances à Venise.* Des films qu'on appelait « films pour femmes » avant l'âge d'or du féminisme.

Le moment de gloire de Mary Ann se réduisait à un spot de cinq minutes au milieu du film.

La formule était relativement monotone : produits à l'emballage abîmé, produits soldés, parapluies chinois qui faisaient de pimpants abat-jour, parfums à fabriquer soi-même, magasins qui vendaient des pâtes fraîches, astuces pour réutiliser de vieilles boîtes à café. Bref, des choses que Michael persistait à appeler « des trucs de grand-mère ».

Mary Ann était légèrement gênée de cette image de ménagère que l'émission la contraignait à offrir d'elle, mais elle ne pouvait nier la délicieuse exaltation que cette célébrité lui procurait : des inconnus la dévisageaient dans la rue, des voisins lui demandaient même d'autographier leurs sacs de provisions au supermarché !

Pourtant, quelque chose clochait, quelque chose qu'elle n'avait pas réussi à guérir en devenant une Femme de Télévision.

Une vraie Femme de Télévision, se disait Mary Ann, ne pouvait être qu'une créature tapageuse et glamoureuse, une féministe féminine comme Jane Fonda dans *Le Syndrome chinois* ou Sigourney Weaver dans *L'Œil du témoin*. Une vraie Femme de Télévision ne pouvait être qu'une journaliste d'investigation.

Et Mary Ann refusait de se contenter de moins.

Immédiatement après la fin de son spot, elle sortit du studio B et retourna précipitamment à son minuscule bureau sans passer par les loges pour se démaquiller.

Il était dix-sept heures. Elle avait encore le temps de coincer le directeur de l'information avant qu'il ne soit mobilisé par le journal du soir.

Il y avait un mot sur son bureau : Rappeler Mme Harrison.

— C'est toi qui as pris le message ? demanda-t-elle à un assistant de production qui se trouvait là.

— C'est Denny. Il est à la cafèt'.

Denny, également assistant de production, était en train de manger un plat réchauffé au micro-ondes.

— Qui c'est, cette Mme Harrison ? demanda Mary Ann.

— Elle a dit que tu la connaissais.

— *Harrison ?*

— C'est ce qu'il m'a semblé. Elle était complètement pétée.

— De mieux en mieux.

— Elle a appelé juste après ton spot. Elle a dit que c'était « très urgent, *quôa* ».

— C'est à cause de *Vacances à Venise*. Les poivrotes appellent toujours pendant les mélos. Pas de numéro, évidemment ?

— Elle a dit que tu la connaissais, fit Denny en haussant les épaules.

Larry Kenan, le directeur de l'information, se renversa en arrière dans son fauteuil pivotant, croisa les mains derrière sa nuque et considéra avec un petit sourire las le poster de Bo Derek qu'il avait lui-même collé au plafond au-dessus de son bureau. La dédicace était inscrite, indélébile, dans la conscience de Mary Ann : POUR MON LARRY SI SEXY. PERSONNE NE LE FAIT MIEUX QUE LUI. BO.

— Tu veux savoir la vérité vraie ? interrogea-t-il.

Mary Ann attendit. Il fallait toujours qu'il vous présentât son opinion à la con sous l'apparence d'une « vérité vraie ».

— La vérité vraie, c'est que tu joues les utilités de la tranche de la mi-journée et que les gens n'ont pas envie de voir les utilités de la mi-journée aux infos de dix-huit heures. Point final et fin de discussion. Je veux dire : merde, qu'est-ce qu'on peut faire, cocotte ? C'est pas joli-joli, mais c'est la vérité vraie.

Il s'arracha à la contemplation de Bo Derek juste assez longtemps pour lui décocher son sourire à la c'est-comme-ça-pas-la-peine-d'insister.

— Et Bambi Kanetaka ?

— Quoi, Bambi Kanetaka ?

Mary Ann savait qu'en abordant ce sujet il fallait marcher sur des œufs.

— Eh bien... Elle avait une émission l'après-midi et tu l'as laissée faire le...

— Bambi, c'est différent, riposta sèchement Larry.

« Je sais, pensa Mary Ann. Elle taille les pipes sur commande. »

— Son contact avec le public, c'est de la dynamite, ajouta Larry, comme pour défier Mary Ann de poursuivre la conversation.

— Alors teste-moi l'audience, dit Mary Ann. Ça m'est égal de...

— On t'a *déjà* testée, OK ? On t'a testée il y a deux mois et ton EDG était à chier. Pigé ?

Cela la blessa plus qu'elle n'aurait voulu : elle n'avait jamais vraiment cru à ces histoires d'électrodermogramme. Qu'est-ce qu'on pouvait prouver avec certitude en collant des électrodes sur la peau d'un public cobaye ? Juste que certaines personnes faisaient transpirer les spectateurs plus que d'autres. Tu parles d'une connerie !

Elle essaya un autre biais :

— Je ne serais pas à l'écran. Je pourrais m'occuper de trucs de fond, des enquêtes. Il y a des tas de sujets que les journalistes habituels n'ont ni le temps ni l'envie de couvrir.

La lèvre supérieure de Larry se tordit :

— Par exemple ?

— Eh bien... Par exemple...

« Pense ! s'ordonna-t-elle. Pense ! »

— Eh bien, la communauté homosexuelle, par exemple.

— Ah oui ? fit-il en haussant un sourcil. Et tu t'y connais, peut-être ?

Son intonation rendit Mary Ann perplexe. Pensait-il qu'elle était lesbienne ? Ou bien jouait-il encore avec elle ?

— J'ai beaucoup de... contacts dans ce milieu, répondit-elle.

Un mensonge, mais elle s'en foutait. Michael avait des tas de contacts dans ce milieu, c'était pratiquement la même chose.

Il lui sourit comme un policier sourit à un enfant fugueur :

— Je vais te dire la vérité vraie. Les téléspectateurs en ont ras le bol qu'on les bassine avec les pédales.

L'homme de sa vie

Larry Kenan était peut-être un sale con — sur ce point, elle n'avait plus aucun doute depuis longtemps —, mais au moins le salaire de Mary Ann lui permettait de s'offrir certains plaisirs qui rendaient sa vie à San Francisco considérablement plus agréable.

A présent, elle mangeait au *Ciao*.

Elle conduisait une Renault 5 Le Car.

Elle portait des vestes en velours et des chemises d'homme par-dessus ses jeans Calvin Klein — un look que Michael persistait à qualifier de « look de camionneuse ».

Elle avait vidé son appartement de tous ses meubles jaunes ou en rotin, et avait fait poser au sol un revêtement industriel de couleur gris ferraille, et acheté des étagères high-tech en acier.

Elle avait résilié son abonnement au *San Francisco Magazine* et s'était mise à lire *Interview*.

Et elle avait définitivement abandonné Cost Plus.

Malgré tout, elle ne pouvait s'empêcher d'éprouver une certaine frustration devant les lenteurs de sa carrière.

Cette frustration n'en fut que renforcée ce soir-là lorsqu'elle regarda à la télévision un épisode particulièrement passionnant de *Lou Grant,* où une pauvre journaliste se débattait envers et contre tout pour faire triompher la vérité.

Comme les images étaient presque trop pénibles pour elle, Mary Ann éteignit la télévision et se dirigea vers la salle de bains d'un pas martial pour s'administrer un shampooing Sassoon. Parfois, une bonne douche s'avérait le meilleur de tous les somnifères.

Elle portait désormais les cheveux plus court. Un peu dans le genre Leslie Caron, avec un rien de New Wave.

Un style plus affirmé risquerait de compromettre ses chances avec la direction de la chaîne.

Tout en séchant cette nouvelle coiffure, elle se disait que, déjà, c'était extraordinaire qu'elle ait pu supporter les inconvénients d'une chevelure longue. (« Tu n'arrêtais pas d'essayer de leur donner un look français, adorait se rappeler Michael. Mais ça faisait plutôt chanteuse d'Abba, sur toi. »)

Après avoir cherché en vain ses pantoufles en forme de lapin, Mary Ann se drapa dans un peignoir en éponge blanc deux fois trop grand pour elle et monta jusqu'à la petite maison sur le toit du 28 Barbary Lane.

Elle s'arrêta un instant devant la porte orange si familière et scruta le ciel semé d'étoiles par la fenêtre envahie de lierre. Un paquebot voguait au loin, scintillant de lumières, comme un candélabre géant qu'on aurait fait glisser sur l'eau.

Mary Ann se surprit à soupirer, moitié à cause du spectacle, moitié à cause de l'homme qui attendait dans la maison.

Elle entra sans frapper, sachant qu'il dormait déjà. Il avait travaillé toute la journée et la foule qui se pressait chez *Perry* avait été encore plus bruyante et exigeante que d'habitude. Comme elle s'y attendait, il était en caleçon, étalé à plat ventre sur le lit.

Elle s'assit au bord du matelas et posa doucement la main sur ses reins.

« La partie la plus belle du corps d'un homme, songea-t-elle, cette petite vallée chaude, juste avant les fesses... Bon, disons la *deuxième* plus belle. »

Brian remua, puis il roula sur le côté et se frotta les yeux de ses deux poings comme font les petits garçons.

— Salut, fit-il d'une voix rauque.

— Salut ! répondit-elle.

Elle se pencha et s'allongea sur sa poitrine pour goûter à la chaleur de son corps. Quand elle chercha ses lèvres, Brian tourna la tête et l'avertit d'un murmure :

— J'ai une haleine de chien, ma chérie.

Elle lui prit le menton et l'embrassa quand même.

— Et alors ? dit-elle. Si le chien est mignon ?

Il grogna de plaisir et la prit dans ses bras :

— Alors, comment a été ta journée ?

— Merdique, lui chuchota-t-elle à l'oreille.

— Tu as parlé à Larry Kenan ?

— Mmm...

— Et ?

— Il persiste à vouloir me sauter avant de négocier.

Brian se recula brusquement :

— Il a dit *ça* ?

— Non, répondit Mary Ann en souriant devant sa réaction. Pas aussi clairement. Mais je sais simplement comment il fonctionne. Bambi Kanetaka est la preuve vivante de sa manière de procéder.

Brian fit semblant de ne pas comprendre :

— Je la trouve très incisive, moi.

Mary Ann le chatouilla gentiment à titre d'avertissement.

— Incisive et désinvolte, la combinaison gagnante...

— Attention, je vais recommencer, menaça Mary Ann.

— J'étais sûr que tu dirais ça, répondit Brian en souriant. Seulement, cette fois, vas-y moins fort, OK ?

Souvenir de Lennon

Le bon côté du métier de serveur, se disait toujours Brian, c'est que vous pouvez tout laisser tomber du jour au lendemain.

On ne vous casse pas les pieds avec un plan de retraite, on ne vous offre pas de montre digitale après cinquante ans de service, on n'exige pas que vous vendiez votre âme à l'entreprise, que vous lui témoigniez une loyauté et un engagement sans faille. C'est une façon de gagner de l'argent, mais surtout pas une carrière.

C'est ce qu'il avait toujours pensé.

Cependant, après six ans passés chez *Perry,* il avait commencé à se poser des questions. Si ce n'était pas une carrière, depuis le temps, quand cela le deviendrait-il ? Après dix ans ? Quinze ? C'était ça, qu'il voulait ? Et *elle,* est-ce que c'était ça qu'elle voulait ?

Il se détacha de sa partenaire et roula sur le côté, fixant le plafond en silence.

— Allez, dit Mary Ann. On recommence.

— *Encore ?*

Elle éclata de rire à sa réponse, puis se blottit de nouveau contre son épaule.

— Mais non, je le vois bien quand quelqu'un est pensif. Alors, à quoi penses-tu ?

— Oh, je me disais que le barreau reste une possibilité.

— Le barreau ?

Il précisa :

— Le *barreau,* Mary Ann ! Comme dans « avocat au barreau de San Francisco ».

— Ah !

Elle se redressa et le regarda.

— Je croyais que tu en avais eu assez.

Cette fois, il n'y avait plus de réponse facile à faire. C'est vrai, il avait détesté ça, détesté chaque minute d'ennui et de stress, lorsqu'il était Brian Hawkins, Avocat. Il avait transcendé cette haine en défendant de nobles causes — les Noirs, les Indiens — ou en luttant contre les responsables des marées noires, mais cet « ennui indécrottable », comme il en était venu à l'appeler, s'était révélé aussi tenace et profondément ancré en lui que la loi elle-même.

A la seule pensée de revoir les néons bourdonnants qui l'avaient torturé durant des heures dans la salle de réunion, toile de jute et noyer, de son cabinet, il frissonnait encore. Ce détail obsédant avait fini par symboliser toutes les mesquineries et les empoisonnements de la vie dans le quartier des affaires — si tant est qu'on puisse appeler ça une vie.

Et c'est ainsi qu'il avait fui sa profession et qu'il était devenu serveur.

Il était aussi devenu un chasseur qui semait la terreur dans les bars de célibataires et les lavomatiques dans sa quête inlassable et frénétique de « nanas ». Il avait simplifié sa vie, s'était musclé et aminci, tout en domptant l'« ennui indécrottable ».

Mais à présent, quelque chose d'autre arrivait. La femme qu'il avait naguère qualifiée de « pimbêche coincée de Cleveland » était devenue l'amour de sa vie.

Et c'était elle qui avait une carrière.

— Il faut que je fasse *quelque chose*, dit-il à Mary Ann.

— De quoi parles-tu ?

— De mon travail. Mon métier.

— Tu veux dire que les pourboires ne sont pas... ?

— Ce n'est pas l'argent.

Il avait pris un ton agacé. Son amour-propre le rendait bougon. *Ne passe pas tes nerfs sur elle,* se morigéna-t-il.

— Je ne peux simplement pas continuer comme ça, ajouta-t-il avec plus de gentillesse.

— Comme quoi ? demanda-t-elle, prudente.

— Comme quelqu'un qui dépend de toi... Je ne le supporte pas, Mary Ann.

Elle le considéra gravement.

— Donc, c'est bien l'argent.

— C'est une chose de partager les frais, c'en est une autre de se faire... Je ne sais pas : entretenir, voilà !

A force de se mépriser, à force de gêne, il avait rougi.

41

Mary Ann éclata de rire.

— *Entretenir?* Arrête ton cinéma, Brian! J'ai payé pour un petit week-end à Sierra City, d'accord, mais ça me faisait plaisir, andouille! C'était autant pour moi que pour... Oh, Brian!

Elle tendit une main pour prendre la sienne.

— Je croyais qu'on avait dépassé ces trucs de macho.

— *Je croyais qu'on avait dépassé ces trucs de macho!* répéta-t-il en minaudant comme elle.

C'était tellement mesquin et méchant qu'il le regretta immédiatement. Il l'observa pour voir s'il l'avait vexée et se rendit compte qu'elle lui avait déjà pardonné.

— Et John? demanda-t-elle.

— John qui?

— Lennon. Je croyais que tu l'admirais parce qu'il était devenu un homme au foyer pendant que Yoko Ono...

Brian ricana.

— C'était l'argent de John, bon Dieu! Tu peux faire tout ce qui te chante quand tu es l'homme le plus riche de New York!

Mary Ann le fixa, incrédule. Cette fois, elle se sentait vraiment blessée.

— Comment peux-tu oser faire ça? demanda-t-elle doucement. Comment peux-tu déprécier les moments qu'on a partagés?

Elle parlait de la veillée funèbre sur Marina Green. Brian et elle avaient passé six heures à pleurer la mort de Lennon. Ils avaient pleuré toutes les larmes de leur corps, serrant dans leurs mains des bougies parfumées à la fraise, en chantant *Hey Jude* et en fumant la dernière récolte d'hawaïenne que Mme Madrigal avait baptisée « Lennon » en l'honneur du défunt.

C'était la première fois — et la dernière — que Brian s'était montré aussi vulnérable en présence de Mary Ann.

Après quoi, il avait scotché un mot sur sa porte, citant la chanson : HELP ME IF YOU CAN, I'M FEELING DOWN, AND I DO APPRECIATE YOU'RE BEING 'ROUND... JE T'AIME — BRIAN.

Il était déprimé, certes, mais c'était davantage à cause de sa peur de vieillir que de la mort d'un des Beatles.

Car le jour où John Lennon était mort, toute la génération de Brian Hawkins avait eu immédiatement et irrémédiablement quarante ans.

— Excuse-moi, dit-il enfin.

— Ça n'a pas d'importance, affirma-t-elle en se penchant pour lui baiser l'épaule.

— Il y a seulement que je suis... un peu sur les nerfs, ce soir.

— Je peux dormir chez moi, si tu as besoin de...

— Non, reste. S'il te plaît.

Elle répondit par un second baiser sur son épaule.

— Fais-moi plaisir... commença-t-elle.

— En faisant quoi ?

— Ne redeviens pas avocat à cause de ça. Je suis une grande fille, à présent. Je n'ai pas besoin qu'on terrasse le dragon pour moi.

Il plongea son regard dans le sien, dans son visage rayonnant. Elle le comprenait mieux que quiconque.

— Bon, murmura-t-il. Ça ira mieux, si tu me soutiens.

Parfois, elle lui faisait dire ainsi les choses les plus connes qui soient.

Vacheries

De l'autre côté de la ville, sur Valencia Street, Michael et Ned partageaient une bouteille de Calistoga au *Devil's Herd,* le bar country-western le plus fréquenté de la ville.

Ce que Michael appréciait le plus dans ce saloon, c'était son « authenticité » : le raffut discordant de l'orchestre comme dans une petite ville du Middle West, les colliers de chevaux qui pendouillaient du plafond et les goudous en cow-girls d'opérette qui braillaient depuis le bar leurs « Yahoo ! ».

S'il plissait juste un tout petit peu les yeux, les mecs qui dansaient ensemble sur la piste pouvaient passer pour des trappeurs qui avaient vécu ou des chasseurs de primes excités qui faisaient avec ce qu'ils avaient, en attendant l'arrivée du prochain convoi de filles venu de l'Est.

C'est vrai, les fresques représentant des cow-boys musculeux juraient avec le reste par leur côté un peu urbain, mais Michael trouvait ça bien égal. Un jour, se disait-il, les peintures homo-érotiques de *Beefcakes* qu'on trouve dans les bars de San Francisco seront aussi prisées que l'art officiel des années trente et le style Art déco.

— Oh, regarde ! s'écriera alors un ouvrier raffiné (mais sexy) en arrachant un lambris pourri. On dirait qu'il y a une peinture là-dessous ! Mon Dieu ! Mais c'est de l'école Tom of Finland !

L'orchestre jouait *Stand by Your Man.* A peine eurent-ils reconnu l'air que Michael et Ned se sourirent en un même réflexe.

— Jon adorait ça, dit Michael. Mais seulement la chanson. Pour ce qui était de la mettre en pratique et de se contenter de rester avec son mec dans la vie réelle...

Ned prit une gorgée de Calistoga.

— Je croyais que c'était toi qui l'avais plaqué.

— Oui, bon : *dans les faits,* peut-être. Mais on s'est mutuellement plaqués, finalement. Ç'a été un grand soulagement pour nous deux. On a eu sacrément de la chance, je t'assure. Il y a des fois où ça n'est pas si facile, de sortir d'une relation SM.

— Attends un peu, là. Depuis quand est-ce que vous...

— SM, répéta Michael. Streisand et Midler. Lui, il aimait Barbra Streisand. Moi, j'adorais Bette Midler. Ç'a été l'enfer. Un enfer constant et total.

Ned éclata de rire.

— Là, j'ai pas marché : j'ai couru !

— Je suis sérieux, dit Michael. On se disputait là-dessus tout le temps. Un dimanche après-midi où Jon écoutait *Evergreen* pour la millionième fois, je n'ai pas pu m'empêcher de lui demander ce qu'il trouvait exactement à cette... Je crois que j'ai dû dire : « ... cette connasse avec son gros pif qui chante comme une casserole ».

— Mince ! Et qu'est-ce qu'il a répondu ?

— Il s'est comporté d'une manière très adulte, en fait. Il m'a calmement fait remarquer que le nez de Bette est plus gros que celui de Barbra. Et j'ai failli lui écrabouiller le crâne avec sa saloperie de presse-papiers en baccarat.

Cette fois, Ned s'esclaffa. Un cataclysme qui signala à Michael qu'il avait touché en plein dans le mille. Ned était la seule personne de sa connaissance à avoir un rire aussi tonitruant.

— Je te jure, insista Michael. C'est vrai. Au mot près.

— Ouais, dit Ned, mais les gens ne rompent pas pour des trucs comme ça.

— Eh bien...

Michael réfléchit un instant.

— Je crois qu'on s'obligeait mutuellement à faire des choses qu'on ne voulait pas faire. Il me forçait à classer mes disques par ordre alphabétique. Je lui faisais manger du beurre de cacahuètes avec morceaux plutôt que sans. Je devais coucher dans une chambre aux murs bordeaux. Je lui préparais des plats cuisinés surgelés. On n'était pas d'accord sur grand-chose, quand j'y pense, sauf sur Al Parker et les glaces Rocky Road.

— Vous couchiez un peu à droite à gauche?

— Tu penses! Il était hors de question que *nous,* nous endossions une caricature de rôle hétéro. Le sauna, ça y allait! Je ne compte pas le nombre de fois où je me suis retourné dans le lit en disant à un inconnu bien bandant : « Tu adorerais mon mec! »

— Ça t'est arrivé, de revoir plusieurs fois le même mec?

— Une fois, dit tristement Michael. Mais ç'a été la seule. Jon a fait la gueule pendant une semaine. J'ai bien compris pourquoi, d'ailleurs : une fois, c'est pour la récréation; deux fois, c'est déjà une liaison. On apprend ce genre de petites nuances subtiles, quand on est marié. C'est pour ça que je ne le suis plus.

— Mais tu pourrais remettre ça, hein?

— Pas en ce moment, répondit Michael en secouant la tête. Il va me falloir du temps. Je ne sais pas... peut-être que ça ne se reproduira plus jamais. C'est un don, non? Mais il y en a qui ne l'ont pas.

— Il faut en crever d'envie, répliqua Ned.

— Alors peut-être que je n'en ai pas assez envie. C'est une possibilité. Une possibilité, quoi...

Michael avala une gorgée de Calistoga et se mit à pianoter sur le bar en suivant la musique. L'orchestre faisait une pause. Quelqu'un avait mis une pièce dans le juke-box et Hank Williams Jr chantait *Women I Never Had.*

Michael tendit la bouteille à Ned.

— Tu te souviens de Mona? demanda-t-il.

46

— Ton ancienne colocataire ?

— Oui. Eh bien, Mona disait qu'elle arrivait toujours à supporter la vie sans mec tant qu'elle avait cinq bons amis. En ce moment, la situation se résume à ça pour moi.

— J'espère que j'en fais partie.

Michael plissa le front tout en comptant rapidement sur ses doigts.

— Bon sang ! dit-il finalement. Je crois même que tu comptes pour trois.

Maison de cire

Prue Giroux et Victoria Lynch étaient des âmes sœurs.

Pour commencer, elles étaient toutes les deux de belles femmes. En outre, Victoria était fiancée à l'ancien mari de Prue. Des liens de cette sorte ne se brisent pas si facilement.

Ce jour-là, Victoria avait appelé sa sœur spirituelle pour lui confier un secret :

— Maintenant, écoute, Prudy Sue, ce que je vais te raconter, c'est du motus-et-bouche-cousue qu'il ne faut absolument pas publier, tu m'as bien comprise ?

Les amies intimes de Prue l'appelaient toujours par son véritable prénom.

— Bien sûr, répondit Prue.

— Je veux dire qu'au bout du compte, évidemment, j'adorerais que tu en parles un petit peu dans ta chronique, et c'est en partie pour ça que je t'ai appelée. Mais pour le moment, c'en est seulement au stade embryonnaire et nous ne voudrions pas tuer le bébé, n'est-ce pas ?

— Bien sûr que non, dit Prue.

— Eh bien, annonça Victoria en prenant une profonde inspiration comme si elle s'apprêtait à sonner le clairon, ton humble servante est en train de mettre sur pied le premier musée de cire du monde consacré à la bonne société !

— Le... comment dis-tu ?

— Bon, tais-toi une seconde, Prudy Sue, et écoute-moi bien. J'ai rencontré chez les Keating, à Santa Barbara, un petit bonhomme absolument divin. Il a l'air d'avoir un peu déchu ou d'être dans une mauvaise passe en ce moment, ce qui est vraiment tragique, parce qu'il se trouve qu'il descend des Habsbourg ou quelque chose comme ça, tu vois ? Il a la grosse lèvre inférieure, et tout et tout. Enfin, bref : Vita m'a dit qu'il avait travaillé pour Madame Tussaud et qu'il était le premier styliste...

— Ah, oui. J'ai une robe de lui.

Un silence, puis :

— Tu n'as *pas* une robe de lui, Prudy Sue.

— Mais si, la robe du soir mauve que j'ai portée à...

— C'est une Madame *Grès,* Prudy Sue. Tu n'as pas de robe de Madame Tussaud. Madame Tussaud, c'est le musée de cire de Londres.

— Je le savais, reprit Prue en boudant. Je croyais que tu avais dit...

— Bien sûr que c'est ce que j'ai dit, ma chérie. Ces noms français sont tous pareils, n'est-ce pas ? Bon... Où en étais-je ?

— Il avait travaillé pour Madame Tufo.

— Euh... Oui, c'est ça. Il a travaillé... là-bas, et il est terriblement aristocrate, et il pense que c'est affreusement dommage qu'il n'y ait jamais eu de musée de cire de la bonne société. Réfléchis à ça, Prudy Sue ! Nous avons des musées de cire pour les personnages historiques, les gens du showbiz et les sportifs, mais rien du tout pour ceux qui font avancer la société et qui lancent les modes.

48

— C'est juste, remarqua Prue. Je n'ai jamais vraiment...

— Et si ce n'est pas *nous* qui en prenons l'initiative, qui le fera ? Je veux dire, c'est ce que ce petit bonhomme m'a démontré et je suis restée absolument *sur le cul* tellement l'analyse était fine. Nos enfants peuvent voir d'eux-mêmes que Napoléon était très petit, par exemple, mais où peux-tu voir une réplique en cire de... disons, Nan Kempner ? Ou de São Schlumberger ? Ou de Marie-Hélène de Rothschild ? Ces gens sont des *légendes,* Prudy Sue, mais ils seront à jamais perdus pour la postérité si nous ne prenons pas maintenant des mesures radicales. En tout cas, c'est ce que dit Wolfgang et je crois qu'il a drôlement raison.

— Wolfgang ?

— Le petit bonhomme. Vraiment, c'est un chou. Les statues de cire coûtent habituellement quinze mille dollars pièce, mais il m'a proposé de les fabriquer pour dix fois moins au titre du service public, si tu veux. Il souhaite que je cherche un bâtiment pour abriter le musée. C'est une bonne chose qu'il veuille que je m'en occupe, parce qu'il pensait à Santa Barbara quand il m'en a parlé, mais je crois que j'ai réussi à le convaincre de l'ouvrir ici. Comme ça, tu vois, nous pourrons avoir une aile San Francisco et une aile internationale.

— Je vois.

— J'en étais sûre, chérie, murmura Victoria avec un ton de conspiratrice. Mon Dieu, tu ne trouves pas ça fabuleux ? Nous allons pouvoir faire don de nos vieilles robes, et des choses de ce genre. Et puis Wolfgang sait réaliser de merveilleuses imitations en résine de nos émeraudes et... Eh bien, je suis certaine que nous pourrons recueillir les fonds en un rien de temps.

— Tu en as déjà parlé à Denise ?

— Ça fait belle lurette, Prudy Sue, gloussa Victoria. Je crois qu'elle est d'accord pour cinquante mille, *si* nous la mettons dans l'aile internationale. Idem pour

Ann Getty. Celle-là va sans doute être plus dure à convaincre, à moins qu'on ne la mette dans le conseil d'administration, mais qu'est-ce qu'on en a à foutre? On la mettra dans le conseil d'administration.

Prue s'efforça de rire.

— Tu n'en as pas parlé à Shugie Sussman, si?

— Oh, mon Dieu, non! Nous n'avons pas prévu de salle des Horreurs, ma chérie! Quoique, si on y pense... As-tu vu le dernier lifting de Kitty Cipriani?

Cette fois Prue rit de bon cœur, puis lança :

— Oh, Vicky, merci! J'avais besoin de rire plus que tout. Je suis tellement déprimée, à cause de Vuitton...

— De qui? Ah, ton chien!

— Cela fait presque deux semaines, maintenant. La police des parcs et jardins ne l'a vu nulle part. Je ne sais pas quoi faire, mis à part...

Sa voix mourut à mesure que la mélancolie l'envahissait de nouveau.

— Mis à part quoi, Prudy Sue?

— Eh bien... Je me disais que je pourrais retourner dans le parc et... l'attendre.

— C'est un peu tard, non? Je veux dire, ça fait *deux* semaines, Prudy Sue. Il y a très peu de chances qu'il soit encore...

— Je *sais* qu'il est là-bas, Vicky. Je le sens dans ma chair. Je sais qu'il va me revenir, si je lui en donne la possibilité.

Tout en parlant, Prue sentait bien l'impression qu'elle devait donner. Elle se conduisait comme Frannie Halcyon, toujours convaincue, malgré des preuves irréfutables, que sa fille disparue depuis si longtemps lui reviendrait des jungles de Guyana.

Mais on avait vu se produire des choses plus étranges.

50

Quelle importance?

En rentrant de chez *Perry,* Brian s'arrêta pour un vide-grenier dans une maison d'Union Street et acheta vingt-cinq cents une antiquité : un disque de Peter, Paul & Mary.

Étaient également en vente : deux albums de Shelley Berman, l'un des premiers disques des Limelighters avec Glenn Yarborough et les bandes originales de *Diamants sur canapé,* de *Mondo Cane* et de *Du silence et des ombres.*

En d'autres termes, toute sa jeunesse !

Rien de tel qu'une pile de vieux albums cornés pour vous rappeler que le passé était un poids mort, une sorte de trop-plein de bagages qu'il faudrait jeter par-dessus bord quand la mer devient mauvaise. C'est en tout cas ce que se disait Brian.

Néanmoins, il alluma un joint en rentrant à Barbary Lane et fredonna gaiement *If I Had a Hammer, Five Hundred Miles* et *Puff the Magic Dragon.*

Est-ce que ça faisait vraiment dix-huit ans — bon sang, la moitié de sa vie ! — que Nelson Schwab l'avait pris à part pour le mettre dans le secret des dieux et lui confier que *Puff* était en fait — ah, merde alors ! — une métaphore pour la marijuana ?

Oui, ça faisait vraiment dix-huit ans !

Il sombra dans la déprime, puis il arracha le disque de la platine et le fit voler en éclats avec le marteau qu'il rangeait dans sa boîte à outils sous l'évier : symbolisme inexcusable, certes, mais d'une certaine manière tout à fait satisfaisant.

Voilà pour les griffes implacables du passé !

Et maintenant, qu'allait-il faire du présent ?

Les offres d'emploi des petites annonces du *Chronicle* étaient si désespérantes que Brian remit à plus tard toute décision relative à sa future carrière et descendit aider Mme Madrigal à préparer le repas d'anniversaire de Mary Ann. Il trouva la logeuse en train d'installer un piège à cafards dans un coin sombre de son placard à provisions.

Elle leva les yeux et sourit d'un air qui se voulait honteux.

— Je m'étais toujours dit que je n'achèterais jamais ces choses affreuses. Les publicités à la télé sont telle-ment sadiques! Malgré tout, on ne peut pas aimer abso-lument toutes les créatures de Dieu, n'est-ce pas? Ils ne t'ont pas encore envahi, j'espère?

— L'altitude les décourage, dit Brian.

Mme Madrigal se releva en s'essuyant les mains comme si elles avaient été souillées de sang. Elle jeta un dernier coup d'œil au piège, frissonna et prit le bras de Brian.

— Allons nous asseoir au soleil, chéri. Je me sens comme Anthony Perkins guettant l'arrivée de Janet Leigh dans son motel.

Dans la cour, elle commença à énumérer les délices prévues pour l'anniversaire de Mary Ann:

— Un bon rôti, avec des carottes nouvelles comme elle aime... Des glaces de chez Gelato, évidemment, pour aller avec le gâteau, et... Eh bien, je crois que le moment est venu pour Barbara Stanwyck, non?

— Un film? demanda Brian.

Mme Madrigal émit un claquement avec sa langue.

— Miss Stanwyck, mon garçon, est à cette date mon spécimen le plus costaud.

Elle désigna le bout de la cour, où un plant de mari-juana gros comme un arbre de Noël ondulait doucement dans la tiède brise printanière.

Brian modula un sifflement admiratif.

— Ce truc, ça vous met sur les genoux!

— Je ne l'ai pas baptisé Barbara Stanwyck pour rien, fit remarquer Mme Madrigal en souriant modestement.

Ils goûtèrent Miss Stanwyck. Puis ils descendirent sans se presser jusqu'à Washington Square et s'assirent sur un banc au soleil, aussi sages et repus qu'un couple de vieux matous.

Après un long silence, Brian reprit la parole :

— Est-ce qu'il lui arrive de vous parler de moi ?

— Qui ? Jackie Onassis ?

— Mais non, vous savez bien, marmonna Brian avec un sourire hébété.

— Eh bien...

Mme Madrigal se mordit une lèvre.

— Seulement de tes extraordinaires prouesses sexuelles, ce genre de choses... Rien de vraiment personnel.

— Quel soulagement ! répliqua Brian en riant.

Les yeux de porcelaine bleue de la logeuse se posèrent sur lui avec bienveillance.

— Elle tient beaucoup à toi, mon garçon.

Brian arracha à la terre un brin d'herbe et se mit à le déchiqueter.

— C'est ce qu'elle vous a dit, hein ?

— Eh bien... Disons que ce n'était pas en ces termes...

— Il suffit de trois mots.

Son intonation était teintée de plus de doute qu'il ne voulait en montrer.

— Je ne sais pas, ajouta-t-il précipitamment. Peut-être que c'est son travail, un truc comme ça... Elle est tellement obsédée par l'envie de devenir journaliste qu'on dirait que rien d'autre ne compte. Je ne sais pas. Oh, et puis merde, après tout ! Quelle importance ?

Mme Madrigal eut un petit sourire désenchanté et repoussa les cheveux qui tombaient sur le front de Brian.

— Mais ça l'est pourtant, n'est-ce pas ?... C'est *très* important.

— Avant, ça ne l'était pas, avoua-t-il.

Les yeux de Mme Madrigal s'agrandirent.

— Oh, je sais comment ça peut être! fit-elle remarquer.

— Je veux que ça marche, madame Madrigal. Je n'ai jamais autant désiré quelque chose.

— Alors tu l'auras. Mes enfants ont toujours tout ce qu'ils veulent, déclara-t-elle en pressant gentiment le genou de Brian.

— Mais elle est aussi une de vos enfants, dit Brian. Et si ce n'est pas ce qu'elle veut, *elle*?

— Je crois que c'est ce qu'elle voudra, rétorqua Mme Madrigal. Mais il faut être patient. Elle commence seulement à apprendre à voler.

Ah, nature!

Deux fois par an au moins, le Gay Men's Chorus de San Francisco se faisait un devoir d'effectuer une retraite en pleine nature, dans le nord de la Californie, durant tout un week-end, alliant les répétitions intensives et les joies de la camaraderie autour d'un feu de camp.

La « nature » en question, c'était toujours le même endroit : Camp Eisenblatt, un camp de vacances d'été pour adolescents juifs qui prêtait pendant la saison creuse ses installations sylvestres aux cent cinquante membres du chœur. Et cette saison-là était aussi *creuse* que possible.

— Quelle saloperie! grogna Michael en regardant d'un œil noir la pluie qui tombait. Et moi qui voulais m'occuper de ma marque de maillot ce week-end!

Ned se mit à rire et accrocha un *jockstrap* vert olive délavé sur une corde à linge tendue dans un coin de la cabane des barytons.

— Les cow-boys n'ont pas de marque de maillot, répliqua-t-il.

Comme le thème de cette retraite était « Rassemblement du bétail », les symboles liés à l'univers du western foisonnaient partout. Même leurs badges étaient agrémentés de morceaux de bandanas : rouge pour les premiers ténors, beige pour les seconds ténors, bleu foncé pour les barytons, marron foncé pour les basses et bleu roi pour les « épouses », c'est-à-dire les compagnons des chanteurs qui étaient venus s'assurer que leurs mecs n'en prenaient pas trop à leur aise parmi les séquoias.

— Ça m'est égal, dit Michael. J'ai préféré les vingt-sept degrés de l'automne dernier et les barbecues sur la plage.

— Oui, et les paréos... ajouta Ned. J'ai cru que personne n'arriverait jamais à te le faire enlever, ce foutu machin.

— Si je me souviens bien, je crois qu'un des premiers ténors y a très bien réussi, plaisanta Michael en s'inspectant négligemment les ongles.

— Bon, eh bien, change de trip, suggéra Ned. Imagine qu'on est dans une vraie cabane. Que tu viens de rentrer d'une longue journée passée à rassembler les bêtes et que la pluie est en train de rafraîchir le bétail.

— C'est ça. Et mon vieux pote Lonesome Ned est en train de faire sécher son *jockstrap* avec un sèche-cheveux. Écoute, mon gars, je ne sais pas comment te dire ça gentiment pour ne pas te faire de peine, mais dans les *vraies* cabanes de cow-boys, on ne trouve pas REBECCA EST UNE GROSSE COCHONNE écrit au vernis à ongles rose sur le mur des chiottes.

Ned sourit paresseusement.

— Les voies de Jéhovah sont impénétrables, se contenta-t-il d'observer.

Après une longue matinée passée à se débattre avec le *Requiem* de Liszt et la *Rhapsodie pour alto* de Brahms, le chœur se rendit au réfectoire de Camp Eisenblatt pour déjeuner de sandwiches arrosés de Kool Aid.

Ensuite, Michael, Ned et une douzaine de leurs compagnons se retrouvèrent pour bavarder avec bonne humeur autour de la cheminée. Il y avait une telle variété de chemises écossaises dans la grande pièce qu'on aurait dit un rassemblement des clans.

— Au fait, annonça Ned en se réchauffant les fesses devant les braises alimentées au gaz, j'allais oublier : j'ai eu un coup de fil de ***, cette semaine !

— Sans blague ? dit Michael, sur un ton où perçait une éternelle adoration.

Il était pour lui presque inconcevable que quelqu'un qu'il connaissait reçût des coups de fil d'une star de cinéma. Même si Ned avait effectivement été l'amant de cette star.

— La comédie musicale avec laquelle il devait partir en tournée cet été a été annulée, poursuivit Ned. Ça le fait royalement chier.

— Il chante ?

— Quand on a sa gueule, personne ne se pose la question, rétorqua Ned en haussant les épaules.

— Dis-lui de venir avec nous, hasarda Michael en évoquant la prochaine tournée du chœur qui allait se produire dans neuf villes. Bon Dieu, tu ne crois pas qu'ils en resteraient sur le cul, dans le Nebraska ?

— Je pense qu'il s'en sortira sans ça, dit Ned. Il touche encore deux millions par film.

Michael émit un petit sifflement.

— Et dans quoi il les claque ?

— L'amitié, principalement. Et la maison. Tu veux la voir ?

— Euh... pardon ?

— Il m'a invité chez lui un week-end. Il m'a proposé d'amener un copain. Qu'est-ce que tu en dis ?

56

Michael en trépigna presque de joie.

— *Moi?* Tu es sérieux? Mince, alors! Moi chez ***? Je rêve ou quoi?

Ned secoua la tête avec un grand sourire, comme un père qui vient d'offrir à son gosse de huit ans un séjour à Disneyland.

Ils rentrèrent à San Francisco avec la camionnette de Ned, embarquant sur le plateau arrière six copains et leur barda.

Ils auraient pu faire illusion et passer pour de vrais paysans s'ils n'avaient pas été trahis par les robes à crinoline mauves qui avaient servi au sketch des Andrews Sisters de la veille, et, bien entendu, par les trois perruques auburn identiques sur des formes en polystyrène.

A un stop près du K-Mart de Saratoga, Ned s'arrêta à la hauteur d'une Barracuda brun métallisé décorée de papier toilette rose et sur laquelle avait été inscrit à la peinture bombée : JEUNES MARIÉS — ELLE L'A EU CE MATIN — IL L'AURA CE SOIR.

On entendit un grand cri collectif à l'arrière de la camionnette.

Le jeune marié, resplendissant dans son smoking bleu ciel et sa chemise à jabot assortie, jeta un regard inquiet dans leur direction, fronça les sourcils et se tourna vers sa compagne. Michael lut sur ses lèvres le mot « pédales ».

Il baissa sa glace et fit signe au couple. Les voitures avaient redémarré, mais Ned resta à leur hauteur.

— Ouais? fit le marié.

— Félicitations! braille Michael.

— Merci! cria la fille, toujours cramponnée au bras de son mari.

— C'est quoi, votre chanson?

— Hein?

— Votre chanson préférée. C'est quoi?

Le visage de la mariée s'éclaira :

— *We've Only Just Begun*.

— Allez-y, les filles! beugla Michael à l'adresse de ses compagnons, à l'arrière.

Les Andrews Sisters n'avaient jamais été aussi pro.

Bavardages de fans

Michael attendit que la famille se fût rassemblée autour du dîner d'anniversaire de Mary Ann pour annoncer la nouvelle.

Mary Ann fut la plus stupéfaite :

— Eh, mais attends un peu, là!

Michael leva la main.

— Parole de scout, Babycakes. Ned m'a invité hier.

— Ce n'est pas là-dessus que j'ai des doutes, dit Mary Ann. Mais tu veux dire que *** est homo?

— Aussi pédé que le phoque de l'expression, répliqua Michael.

— Bah! dit Brian en coupant une tranche de rôti. Même moi je le savais! Tu te rappelles cette rumeur de mariage avec un autre homme, avec ***, il y a...

— Oui, bon, bien sûr, j'en avais entendu parler, mais...

Mary Ann en bégayait presque. Elle était furieuse quand son côté oie blanche de Cleveland remontait à la surface comme un bouton indésirable.

— Je croyais que c'était seulement une espèce de... de mauvaise blague.

— *C'était* une mauvaise blague, ajouta Michael. Un couple de folles d'Hermosa Beach ou de je ne sais où, qui s'ennuyaient, avaient lancé des invitations annonçant le prétendu mariage et la rumeur a couru. Mais *** et *** n'étaient même pas amants. Juste amis. Après ça,

58

ils n'ont pas pu paraître ensemble en public. Ç'aurait risqué de confirmer la rumeur.

— Tu l'appelles toujours par son prénom? le taquina Mary Ann.

— Je m'entraîne, c'est tout, dit Michael en souriant.

Mme Madrigal servit des carottes à Michael.

— C'est plutôt triste, cette histoire, non?

— Ç'a dû être un supplice, de devoir se cacher pendant toutes ces années! acquiesça Michael.

— Ouais, dit Brian, la bouche pleine. Mais s'il leur suce deux briques par film, ça fait passer la pilule, non?

— Et il ne suce pas que ça! gloussa Mary Ann.

Michael écarquilla les yeux d'un air faussement horrifié :

— Non, mais regardez-moi ça! On devient une petite cochonne, maintenant qu'on vieillit!

Mary Ann lui tira coquettement la langue.

Mme Madrigal remua son café en regardant dans le vague.

— ***, murmura-t-elle, prononçant le nom de l'idole comme s'il s'était agi de l'un des mantras de Mona. Eh bien, ça se tient. Il a toujours été un type éblouissant. Vous vous souvenez de la scène où il enlève sa chemise dans ***?

Elle poussa un long soupir.

— Il me plaisait énormément quand j'étais une jeune — un jeune...

Les locataires de Mme Madrigal éclatèrent de rire à cette allusion enjouée à son passé secret, puis Michael leva son verre :

— Eh bien, à notre heureuse jeune fille... qui va bientôt devenir un vieux machin comme nous tous ici.

Mary Ann se pencha et l'embrassa sur la joue.

— Crétin, murmura-t-elle.

Puis elle se tourna de l'autre côté et déposa un petit baiser sur la bouche de Brian.

Michael ferma le cercle en envoyant un baiser à Brian.

Avec un sourire de contentement, Mme Madrigal regarda leur petit rituel comme une entremetteuse attendrie, les mains sous le menton.

— Vous savez, dit-elle, tous les trois, vous êtes mon couple préféré.

Après le dîner, la logeuse apporta un plat de porcelaine avec des joints de Barbara Stanwyck. Puis vinrent le gâteau, les glaces et les cadeaux de Mary Ann : de la part de Brian un flacon d'*Opium,* de la part de Michael une broche Art déco en forme de chat, et de la part de Mme Madrigal une théière ancienne.

— Maintenant, annonça la logeuse, si ces messieurs veulent bien avoir la gentillesse de nous excuser, j'aimerais tirer les cartes à Mary Ann.

— J'ignorais que vous saviez faire ça ! dit Mary Ann, avec une lueur de curiosité dans le regard.

Brian et Michael se retirèrent donc sur le toit, où ils contemplèrent la baie avec les yeux de Miss Stanwyck.

— Tu sais quoi ? soupira Brian.

— Quoi ?

— Elle a raison. Mme Madrigal, je veux dire. On fait tellement de choses ensemble tous les trois qu'on est comme une espèce de couple.

— Oui, sûrement. Ça t'embête ?

Brian réfléchit un instant.

— Non. Tu es un copain, Michael. Et elle, c'est ta copine et... Et merde, je sais pas !

Michael tendit le joint à Brian.

— Il y a des tas de gens qui font les choses à trois, ici. Regarde dans la salle, la prochaine fois que tu iras au cinéma.

Brian se mit à rire :

— Les trisexuels ! C'est comme ça que tu les appelles, c'est ça ?

— Faute de mieux.

Brian passa un bras autour de l'épaule de Michael.

60

— Tu sais ce qui me tracasse, Michael ?

Michael attendit la suite.

— Ce qui me fait chier, reprit Brian, c'est que je ne serai jamais *complètement* le type dont elle a besoin.

— Je sais ce que tu veux dire, répondit faiblement Michael.

— Ouais ?

— Tu penses ! Je me suis assez cassé le cul à essayer d'être tout pour quelqu'un. Et au bout du compte, j'ai décidé d'être ce que je suis pour chacun.

— Et c'est quoi, ce que tu es ?

Michael hésita, puis il s'exclama :

— Mince ! Et moi qui espérais que tu me le dirais !

Brian éclata de rire et lui serra l'épaule.

— Tu es fou, mec !

— C'est peut-être *ça*...

— Je vais te dire, fit Brian en le regardant droit dans les yeux. Je t'aime, Michael. Je t'aime comme mon propre frère.

— Sérieux ?

— Sérieux.

Il y eut un moment, un moment très court, où leurs regards plongèrent l'un dans l'autre avec une affection dénuée de la moindre gêne. Puis Michael reprit le joint, en tira une bouffée, et demanda :

— Il est mignon, ton frère ?

Le père Paddy

Ayant décidé de fouiller le parc à la recherche de son barzoï disparu, Prue Giroux passa la matinée chez Eddie Bauer afin d'y choisir la veste de safari qui conviendrait précisément pour cette tâche. A sa grande surprise, elle rencontra l'un des habitués de son Forum au rayon matériel de camping.

— Père Paddy!

Vivement — si vivement, d'ailleurs, que son crucifix effleura la poitrine de Prue — le père Paddy Starr fit volte-face en arborant le sourire éclatant qui lui valait l'amour des milliers de téléspectateurs de son émission nocturne.

— Prue, ma chériiie!

Il déposa un petit baiser sur chacune de ses joues, puis il se recula comme pour examiner les dégâts qu'il aurait pu causer à la marchandise.

— Mais que faites-vous donc dans un endroit aussi rude et masculin?

— Je cherche une veste de safari. Et vous, mon père? On ne fait pas encore des soutanes kaki, si?

Le père Paddy poussa un petit cri, puis un soupir théâtral.

— C'est dommage, mon enfant, bien dommage! Ne serait-ce pas tout simplement divin? Ce noir, c'est tellement ordinaire et lassant... d'une année sur l'autre. C'est vraiment détestable. Je *meurs* d'envie d'une nouvelle robe.

Prue eut un petit rire bête de connivence. Elle adorait cette façon délicieuse qu'avait le père Paddy de plaisanter sur sa « robe » et d'user du mot « divin » dans un sens séculier. Cela le rendait en quelque sorte accessible. Pas du tout comme un prêtre, plutôt comme un... décorateur religieux.

— En fait, ajouta le prêtre sans reprendre son souffle, je cherche désespérément un panier de pique-nique tout simple et de bonne qualité. J'ai promis à Frannie Halcyon de l'emmener à Santa Barbara voir le suaire de Turin.

— Ah! s'empressa de dire Prue. Et qui joue dedans?

Le père Paddy fit semblant de réfléchir un moment, puis expliqua:

— En fait, mon enfant, ce n'est pas un opéra. C'est un... Eh bien, c'est un suaire, le linge dans lequel le Christ a été enseveli. En tout cas, c'est ce qu'on pense. Une histoire tout à fait fascinante, vraiment, et c'est la dernière *folie* dans les milieux ecclésiastiques.

— Comme c'est merveilleux ! lança Prue.

Le père Paddy se rapprocha comme pour lui dévoiler une information confidentielle :

— Encore plus excitant que les expositions Toutankhamon et Tiffany réunies. Vous devriez en parler, dans votre rubrique.

Prue sortit son stylo Elsa Peretti de son sac Bottega et gribouilla un mot sur son minuscule carnet Florentine.

— Alors, gazouilla-t-elle une fois qu'elle eut tout rangé, je dirais que vous méritez bien un peu de vacances... Après toutes ces affreuses histoires avec les... militants qui ont essayé de chanter à St Ignace.

Le père Paddy hocha tristement la tête :

— Le chœur des homosexuels ? Oui, c'est un très regrettable incident. Affreux. L'archevêque, Dieu le bénisse, était le dos au mur. Si j'ose dire.

Prue secoua la tête avec compassion.

— Il y a des gens qui ne savent pas où s'arrêter, je le crains, remarqua-t-elle.

Autre hochement de tête, encore plus grave.

— Ils pourraient louer une salle, ajouta Prue.

— Bien sûr, qu'ils pourraient. Nous sommes des *libéraux*, vous et moi. Ce n'est pas que nous soyons hostiles aux... eh bien, aux droits de l'homme et à ce genre de choses. Nous éprouvons des *sentiments*. Nous aimons autrui. Nous tendons la main à ceux qui ont besoin de notre amour. Mais un chœur d'homosexuels ! Chanter dans une église ! Pitié ! J'ai suffisamment vécu pour savoir à partir de quand on sombre dans le mauvais goût !

Le chauffeur de Prue la déposa devant la serre de Golden Gate Park peu avant midi.

Il avait pour ordre de revenir la prendre dans deux heures.

Si les efforts de Prue se révélaient infructueux, elle pourrait recommencer ses recherches dans un autre coin du parc, passant chaque mètre carré au peigne fin jusqu'à ce qu'elle retrouve le chien... Ou ne le retrouve pas. Prue se résignait à la seconde hypothèse, mais elle savait qu'elle ne se le pardonnerait jamais si elle n'essayait pas.

Comme elle avait perdu Vuitton dans les fougères géantes, c'est par là qu'elle commença ses recherches, au beau milieu de cet entrelacs luxuriant de plantes d'un autre monde.

Un instant émue par la beauté qui l'entourait, elle s'arrêta et griffonna dans son calepin : « Si *W* appelle, demander à être prise en photo dans les fougères. » Elle pensait qu'on lui demanderait des clichés pour le poster d'été du magazine. Pourquoi se faire tirer le portrait chez soi, avec un air de matrone rigide, comme toutes les autres, alors qu'on pourrait la prendre là, dans ce cadre exotique, sauvage et libre comme un cacatoès à plumes blanches ?

Elle reprit l'allée goudronnée qui contournait les fougères et remonta ensuite théâtralement dans le parc en direction d'un bois touffu bordé d'eucalyptus.

— Vuitton ! appela-t-elle. Vuitton !

Une vieille hippie qui portait des sandales Birkenstock et un poncho à franges croisa Prue en fronçant les sourcils.

Mais Prue était trop absorbée dans ses recherches.

— *Vuitton !... Vuiiitton !...*

Réaction en chaîne

Il était midi quand Emma apporta les Mai Tai avec les journaux du matin. Frannie Halcyon était toujours assise dans son lit, son masque de nuit en satin pêche relevé sur le front comme les lunettes d'un aviateur descendu lors d'un combat aérien.

— Bonjour, Miss Frances.

— Posez-les sur la commode, s'il vous plaît, ma chère Emma.

— Oui, m'dame.

— Mlle Singleton n'a pas rappelé, si?

— Non, m'dame.

— Et Mlle Moonmeadow?

Emma se renfrogna :

— Non, m'dame.

— Vous n'avez pas besoin de me regarder comme ça : je suis parfaitement consciente de vos sentiments à l'égard de Mlle Moonmeadow.

Emma secoua le couvre-lit de sa maîtresse d'un geste presque violent.

— M. Edgar se retournerait dans sa tombe, maugréa-t-elle, s'il savait que vous voyez cette sorcière.

Frannie laissa échapper un soupir las et enleva son masque de nuit.

— Emma, c'est un *médium*. Je vous prie de ne pas l'appeler sorcière. Cela me fait tellement de peine.

— Elle vous prend votre argent, ça c'est sûr.

— Elle me permet de rester en contact...

— Oh, Seigneur! Miss Frances...

— Elle me permet de rester en contact avec mon enfant unique, Emma, et je ne veux plus en entendre parler. C'est bien compris?

Emma fit la moue, impénitente, puis alla en boudant vers la fenêtre où elle tira violemment les stores en restant le dos tourné.

65

— Vous ne comprenez donc pas ? reprit Frannie avec plus de gentillesse. Miss DeDe était tout ce qui me restait. Mlle Moonmeadow me donne l'espoir que... que Miss DeDe est toujours en vie.

Mais Emma se dirigea vers la porte, raide comme la justice, et laissa tomber :

— C'est des gens comme ça qui l'ont tuée.

Le courrier n'offrit guère de distraction à Frannie : une facture de chez Magnin, une invitation au concert de charité de Vita Keating en faveur des victimes du tremblement de terre en Italie, une carte de remerciements de cette horrible Giroux et une lettre de Dodie Rosekrans pour une chaîne :

Cette lettre fait partie de la Chaîne épistolaire de la Bonne Société. Si vous brisez cette chaîne, vous risquez votre vie, votre personne et vos biens, personnels ou hérités. Chrissie Goulandris l'a brisée, et une semaine plus tard, elle s'est cassé, non pas un, mais deux ongles lors du Bal rouge d'Hélène Rochas à Genève. Ariel de Ravenel l'a brisée, et elle s'est fracturé la clavicule à Gstaad le même jour. Betty Catroux l'a brisée, et trois semaines plus tard, son petit chien de deux ans a été retenu en quarantaine dans un chenil de Managua pendant huit mois sans possibilité de visite. NE LAISSEZ PAS CE GENRE DE CHOSES VOUS ARRIVER !!!

Recopiez cette lettre et envoyez-la à des amies dont vous ÊTES CERTAINE qu'elles prennent la plaisanterie très au sérieux. Ajoutez votre nom au bas de la liste et inscrivez votre adresse au dos de l'enveloppe. Six semaines plus tard, vous aurez 1 280 nouvelles adresses. Idéal pour organiser des soirées internationales. (P.S. Les maris qui tentent d'interrompre cette chaîne seront également frappés par le mauvais sort. Le mari de Paquita Paquin a jeté son exemplaire à la corbeille et une semaine plus tard, la fondation qu'il avait

créée en Argentine a cessé d'être exemptée d'impôts. LA
FORTUNE QUE VOUS SAUVEREZ EST PEUT-ÊTRE LA VÔTRE ! ! !)
D. D. Ryan
Marina Cicogna
Delfina Ratazzi
Dominique Schlumberger de Menil
Nan Kempner
Paloma Picasso
Loulou Klossowski
Marina Schiano
Apollonia von Ravenstein
Comtesse Carimati de Carimate
C. Z. Guest
Douchka Cizmek
Betsy Bloomingdale
Nancy Reagan
Jerry Zipkin
Adolfo
Dodie Rosekrans

C'était mignon de la part de Dodie de lui envoyer cette lettre, mais Frannie savait qu'elle était au-delà de tout espoir de réconfort. Sans compter que cette liste de noms la déprima encore plus que tous ses autres sujets d'affliction réunis.

Cette désolation prit une forme tangible lorsqu'elle regarda le film de l'après-midi à la télévision : *Histoire d'un amour*, avec Susan Hayward. Même le petit speech guilleret de Mary Ann Singleton sur les gadgets aimantés pour réfrigérateurs, pendant la coupure de pub, ne parvint pas à lui remonter un moral qu'elle sentait sur le point de sombrer.

Elle avait l'air d'une tellement bonne fille, cette Mary Ann. Est-ce qu'elle n'aurait pas pu rappeler, au moins ?

Était-ce qu'elle avait déduit pour quelle raison Frannie lui avait téléphoné et qu'elle avait préféré l'ignorer ?

Évidemment, Emma avait raison... *Raison à mort.* Curieusement, l'expression sonnait juste. *DeDe était*

67

morte. La première personne à l'avoir appris avait été la dernière à accepter la vérité.

Et désormais elle l'acceptait.

DeDe était morte, Edgar était mort, Beauchamp était mort, Faust était mort et Frances Alicia Ligon Halcyon était désespérément et inexorablement seule au monde.

Il était temps de rejoindre la famille.

Où est Vuitton ?

Pour Prue, on aurait dit une scène extraite d'un film sur les dinosaures.

Elle était penchée au bord d'une falaise en forme de U et en scrutait les profondeurs d'un vert sombre, celles d'une sorte de marécage ou d'étang entouré de fougères géantes si impressionnantes qu'elle s'attendait à en voir sortir un Godzilla de vingt mètres de haut.

Ses souliers Maud Frizon la torturaient.

Pourtant, elle pressa le pas et suivit le sentier qui l'emmenait de plus en plus loin au cœur des régions désertes du parc.

— Vuitton ! appelait-elle. Vuiiitton !

Si le barzoï était là, elle le saurait : il avait toujours répondu à son nom.

Le marécage est une mauvaise idée, décida-t-elle. Les bords étaient trop peu touffus pour dissimuler son chien adoré. Elle opta donc pour un itinéraire en direction de l'ouest — enfin, elle pensait que c'était l'ouest — et contourna la cuvette préhistorique jusqu'à ce que le paysage qui l'entourait s'ouvrît et qu'elle parvînt au vallon des rhododendrons.

Les fleurs étaient presque toutes fanées. Elles pendaient lamentablement sur les feuilles vert sombre couvertes de poussière comme un millier de vieux bouquets de corsage abandonnés après le bal de fin d'année de l'école. Prue y réfléchit pendant un moment : *comme un millier de vieux bouquets de corsage abandonnés après le bal de fin d'année de l'école.*

Pas mal, comme phrase ! Elle sortit son petit calepin de son sac à main et la nota. Vraiment, elle s'améliorait de jour en jour dans son métier de rédactrice.

Le sentier goudronné finit par s'arrêter. Il ne lui restait plus qu'à choisir elle-même son chemin parmi les énormes rhododendrons. On aurait dit des manèges, tellement ils étaient gros. Mmm... *Les rhododendrons étaient tellement gros qu'on aurait dit des manèges. Je poursuivis inlassablement mon chemin, à la recherche de mon chien adoré...*

Le calepin refit une sortie.

Sur ce, Prue reprit sa marche.

— Vuitton ! Vuiiitton !

Les lanières de ses chaussures lui cisaillaient les chevilles, mais elle s'efforça de ne pas y penser. Quelle idiotie ! Bah, elle n'aurait qu'à ne pas parler des souliers Maud Frizon quand elle écrirait son article.

L'un des rhododendrons réapparut. Ou alors c'était peut-être parce qu'il y en avait deux avec leurs fleurs fanées disposées de la même façon. Est-ce qu'elle ne marchait pas toujours vers l'ouest ? A moins qu'elle n'eût dévié en reprenant sa marche après avoir griffonné ses notes ?

Elle chercha le soleil. Le soleil devait être à l'ouest. De ses années de scoutisme, elle se souvenait au moins de ça. *Je m'efforçai de me rappeler la formation d'éclaireuse que j'avais reçue lorsque j'étais guide dans la petite ville campagnarde de Grass Valley.* Est-ce que ça existait toujours, ça ? Elle se rendit compte que ces réminiscences accusaient vraiment son âge.

Quoi qu'il en fût, le soleil n'était même pas visible :

une épaisse brume de chaleur s'était déjà levée sur le parc.

La situation était tellement désespérée que c'en était inexprimable.

Vuitton avait maintenant disparu depuis plus de deux semaines. Même s'il avait réussi à rester dans le parc, où avait-il pu se nicher pendant tout ce temps? Qu'avait-il pu manger? Où avait-il pu se réfugier pour échapper aux voleurs de chiens?... Ou aux citoyens normaux qui pouvaient s'apitoyer sur un chien perdu?... *Ou aux Cambodgiens?*

Si seulement elle avait réussi à trouver un indice, ne fût-ce que le plus infime fragment de preuve de la présence de Vuitton dans cette jungle. Elle avait besoin désormais de plus que de la détermination : il lui fallait un *signe*.

C'est alors qu'elle marcha dedans.

Elle savait d'expérience combien il est difficile de nettoyer une paire d'escarpins quand on a marché dans le caca. Et ça, c'était du caca de barzoï, de toute évidence : c'était le caca de Vuitton. Son cœur déborda d'allégresse.

Tout en regardant autour d'elle dans le vallon, elle essaya vainement de siffler.

— Vuitton! cria-t-elle. Maman est là, mon chéri!

Elle entendit un froissement de feuilles sèches, aussi subtil que s'il résultait d'un zéphyr dans un sous-bois. A une dizaine de mètres, l'un des manèges de bouquets de corsage morts eut un frémissement de mauvais augure, puis les branches s'écartèrent. Quelque chose de clair apparut, *comme un poussin nouveau-né qui tente de briser une coquille peinte.*

C'était Vuitton!

— Vuitton, mon bébé! Mon trésor! Mon chéri!

Mais le barzoï se contenta de rester là où il était et de la toiser.

— Allons, mon petit cœur. Viens voir maman.

Le chien rebroussa chemin dans les fleurs fanées. Le manège se referma sur lui d'un coup sec.

Mais enfin... ?

Prue se fraya un chemin dans le buisson, en se pliant en deux pour éviter les énormes branches noires, et finit par émerger dans une sorte de clairière, un espace fermé de l'autre côté par un fouillis d'eucalyptus envahis de lierre. Elle aperçut fugitivement un pelage crème dans l'ombre.

— Vuitton, bon sang!

Le terrain était de plus en plus pentu. Vuitton était en train de descendre d'un pas hésitant une côte sablonneuse qui se terminait en cul-de-sac sur une plate-forme noyée de lierre. Et là se dressait une drôle de petite cabane.

Et à côté de la cabane attendait un homme.

Il leva les yeux et sourit à la chroniqueuse mondaine de *Western Gentry*.

— Vous avez le temps de prendre un café? fit-il.

Antidépresseurs

Frannie Halcyon poussa un long soupir résigné et tendit la main vers le flacon de cachets qui se trouvait encore sur sa table de chevet.

Assez curieusement, c'était un cadeau que lui avait fait pour son soixantième anniversaire Helena Parrish, l'élégante propriétaire de *Pinus*, la résidence de vacances des collines du comté de Sonoma où Frannie avait passé plusieurs semaines langoureuses qui avaient marqué son entrée dans le troisième âge.

— C'est de la vitamine Q, avait expliqué Helena. Et c'est bon pour ce que vous avez.

71

Malgré la situation, Frannie parvint à esquisser un faible sourire en repensant à son innocence de l'époque. De la vitamine Q, bien sûr! C'étaient en fait des Quaalude, des tranquillisants, ce que les jeunes appellent *downers*. Elle en avait pris peut-être une demi-douzaine pendant son séjour à *Pinus* et elle avait cessé lorsqu'elle s'était rendu compte qu'ils faisaient mauvais ménage avec les Mai Tai.

En tout cas, à présent, cela n'avait plus d'importance.

Elle s'en enfila deux et les fit glisser avec son Mai Tai. Il restait au moins une dizaine de cachets dans le flacon, sûrement assez pour en finir avec ses malheurs. Elle s'apprêtait à en avaler deux autres lorsqu'elle se rappela un détail important.

— Emma!

Elle guetta le pas de la bonne.

Rien.

— Emma!

Enfin, elle entendit des pas traînants dans le couloir. Emma apparut sur le seuil avec un chiffon à poussière.

— Oui, m'dame?

— Avez-vous vu mon rosaire, ma chère Emma?

— Non, m'dame. Pas depuis longtemps.

— Je crois qu'il est dans le bureau de la bibliothèque. Vous voulez bien aller voir, s'il vous plaît?

— Oui, m'dame.

Elle s'absenta quelques minutes, suffisamment longtemps pour que Frannie s'enfile deux autres Quaalude et retape ses draps. En prenant le rosaire des mains de la vieille bonne noire, elle sentit la tristesse la submerger et lutta contre les larmes.

— Que ferais-je sans vous, Emma?

Et que ferait Emma sans elle?

Il était trop tard pour y penser, à présent, trop tard pour rebrousser chemin. Le testament de Frannie était très généreux pour la bonne. Il faudrait bien que cela suffise. Pourtant...

72

— Vous êtes pas bien, Miss Frances?

Frannie refusa de croiser son regard. Le rosaire l'avait trahie. Personne ne savait mieux qu'Emma que l'engagement religieux de Frannie était limité au strict minimum.

— Je vais très bien. Je vous assure. Je veux juste dire une petite prière pour Miss DeDe.

— C'est sûr? demanda Emma qui ne bougeait pas.

— Oui, chérie. Maintenant, laissez-moi un peu toute seule, voulez-vous?

Emma jeta un regard circulaire sur la chambre, comme si elle cherchait une preuve matérielle pour réfuter les déclarations de sa maîtresse. (Les Quaalude étaient cachés sous l'oreiller de Frannie.) Puis elle soupira, secoua la tête et sortit de la pièce d'un pas lourd.

Au moment où Frannie cherchait ses comprimés, le téléphone sonna.

Elle réfléchit brièvement. Si elle ne répondait pas, Emma prendrait l'appel et reviendrait dans la chambre pour lui passer le message. Aussi décrocha-t-elle en espérant se débarrasser de ce dernier obstacle à son départ.

— Allô?

Elle trouva qu'elle avait la voix pâteuse. Comme si elle avait parlé en rêve.

— Qui est à l'appareil, je vous prie? demanda la voix à l'autre bout du fil.

— C'est... Mais qui êtes-vous, *vous*?

— Maman? Oh, mon Dieu, maman!

— Qu...?

— C'est DeDe, maman! Dieu merci, j'ai...

— DeDe?

C'était un rêve, ou une hallucination, ou une méchante blague que lui jouait un de ces malades qui... Mais cette voix, *cette voix*!...

— DeDe, mon bébé!... C'est toi?

Elle entendit de lourds sanglots à l'autre bout du fil:

— Oh, maman, excuse-moi! Je t'en prie, pardonne-moi! Je suis saine et sauve! Les enfants aussi! Nous allons bien, tu comprends? Nous rentrons à la maison dès que possible!

Du coup, Frannie se mit à gémir, tellement fort qu'Emma se précipita dans la chambre.

— Miss Frances, qu'est-ce qui se passe?

— C'est Miss DeDe, Emma! Notre bébé revient à la maison! Mon petit bébé adoré revient à la maison! DeDe... *DeDe, tu es là?*

— Je suis là, maman.

— Grâce à Dieu! Mais où ça, *là,* ma chérie?

— Euh... En Arkansas.

— Dans l'*Arkansas*? Mais qu'est-ce que tu fiches là-bas?

— J'y suis retenue. A Fort Chaffee. Tu peux m'envoyer une carte de crédit ou quelque chose comme ça?

— Mais *qui* te retient? Pas... Oh, mon Dieu, pas ceux de Jonestown?

— Non, maman. Le gouvernement. Le gouvernement américain. Je suis dans un camp de regroupement pour les réfugiés cubains homosexuels.

— *Quoi?*

— C'est un peu long à expliquer, maman.

— Bon, eh bien, dis-leur de te relâcher, au nom du ciel! Dis-leur qui tu es! Dis-leur que c'est une erreur, DeDe!

Un long silence. Puis :

— Tu ne comprends pas, maman. Je *suis* une réfugiée cubaine homosexuelle.

Le Chauffe-Cul

Michael l'avait vu des dizaines de fois, mais le panneau qui se trouvait sur le chemin qui menait au Bout du Monde ne manquait jamais de lui procurer un délicieux frisson :

ATTENTION !
ZONE EXTRÊMEMENT DANGEREUSE.
NE PAS S'APPROCHER DES ROCHERS.
DES PROMENEURS ONT ÉTÉ EMPORTÉS PAR LES VAGUES ET SE SONT NOYÉS.

— J'adore ce machin, dit-il à Mary Ann et à Brian alors qu'ils passaient tous les trois devant. C'est tellement... Daphné Du Maurier ! « Des promeneurs ont été emportés par les vagues et se sont noyés. » C'est presque lyrique. Mais où, ailleurs qu'à San Francisco, pourrait-on trouver un peintre municipal capable d'autant de poésie ?

Mary Ann examina un instant le panneau, puis reprit sa descente de l'escalier en bois.

— Je ne sais pas pourquoi, répliqua-t-elle, mais je suis d'accord avec toi.

— Moi aussi, ajouta Brian. Et pourtant, je ne suis pas aussi défoncé que vous deux.

— C'est parce que nous sommes des Jeanette, expliqua Michael. Les Jeanette remarquent toujours ce genre de choses.

Mary Ann lui jeta un regard interrogateur.

— J'ai peur de poser la question, admit-elle.

— C'est juste une théorie à moi, expliqua Michael en souriant. J'en suis arrivé à la conclusion qu'il n'y a vraiment que deux types de gens à San Francisco, quelles que soient leur race, leur croyance, leur couleur ou... C'est quoi déjà, le quatrième truc ?

— L'orientation sexuelle, dit Brian.

— Merci.

Mary Ann leva les yeux au ciel :

— Alors c'est quels types ?

— Les Jeanette, répondit Michael. Et les Tony. Les Jeanette sont des gens qui pensent que la chanson fétiche de la ville est *San Francisco,* interprétée par Jeanette MacDonald. Les Tony pensent que c'est Tony Bennett qui chante *I Left My Heart in San Francisco.* Tout le monde appartient à un camp ou à l'autre.

Brian plissa le front, pensif.

— C'est pas bête, reconnut-il, mais on peut toujours changer. Mary Ann était une Tony, par exemple. Il y a des gens qui ne savent pas...

— Je n'ai *jamais* été une Tony, s'indigna Mary Ann.

— Sûrement que si, répondit Brian avec désinvolture. Je me le rappelle bien. Tu avais même un « Caillou Domestique », d'abord !

— Brian ! C'était Connie Bradshaw qui en avait un, et tu le sais très bien.

— Bon, c'est la même chose. Tu habitais avec elle. Le « Caillou Domestique » était dans votre appartement.

Mary Ann chercha le soutien de Michael :

— C'est *lui* qui l'a levée à la laverie et c'est à moi qu'il fait des sermons sur le bon goût !

Elle se retourna vers Brian.

— Si je me souviens bien, tu appelais encore les femmes des « gonzesses », quand je t'ai connu.

— Tu as bonne mémoire, avoua Brian.

— Alors ?

Brian haussa les épaules.

— Les femmes étaient *encore* des gonzesses quand tu m'as connu.

— A propos, d'ailleurs... reprit Mary Ann, ignorant délibérément la muflerie. Tu voudras bien tenir tes distances vis-à-vis des petites femmes nues, maintenant, OK ?

76

— Hé! protesta Brian. Je n'ai rien fait de plus que leur *parler*. Comment pouvais-je savoir que c'étaient des gouines?

— C'est vrai, tu ne pouvais pas, dit Mary Ann.

— Merde! conclut Brian. C'est du pareil au même, de toute façon. Ici, la plupart des mecs doivent penser que je suis homo.

— ... Ou voudraient bien que tu le sois, observa Michael.

Pour San Francisco, c'était une journée torride, une journée où la moitié des gens appelaient l'autre moitié pour annoncer qu'ils étaient souffrants. Certains venaient ici pour se remettre, dans cette crique où ils se déshabillaient et offraient au dieu Soleil leurs peaux huilées au beurre de cacao.

La plage devait présenter un drôle de spectacle vue du dessus. Elle était couverte de dizaines de minuscules châteaux forts en galets, de paravents improvisés qui abritaient selon les cas entre deux et dix mordus de la bronzette, chacun à un stade plus ou moins avancé de leur strip-tease — le tout ressemblant à un vaste échiquier où les pièces étaient les groupes humains.

Michael appelait l'endroit le « Chauffe-Cul ».

Ce jour-là, ils avaient un château fort rien que pour eux. Mary Ann avait enlevé le haut, mais elle gardait le bas, tout comme Brian. Michael avait tout enlevé, ayant finalement estimé que la marque de maillot avait disparu avec les années soixante-dix.

Tous trois restèrent vautrés en silence pendant un moment. C'est Mary Ann qui reprit la parole :

— Peut-être que ce sera assez chaud...

— Je ne sais pas ce qu'il te faut, toi, dit Brian.

— Non, je veux dire : comme sujet d'article. J'ai vraiment besoin d'un sujet chaud, si je veux me débarrasser des *Bonnes Affaires*.

— Il te faudra autre chose que ça, remarqua Brian.

— Sans compter que les plages naturistes, c'est un truc éculé, ajouta Michael. Ç'a été vu et revu jusqu'à la nausée.

— Tu as raison, soupira Mary Ann. Qu'est-ce que vous diriez d'un peu de SM?

— Pas tout de suite, répliqua Brian. Je viens de me mettre du Coppertone.

— C'est encore plus usé, dit Michael. Dès que les chaînes locales voient leur audimat chuter, elles se ruent sur le SM. C'est comme les reportages sur les tremblements de terre ou les *serial killers,* comme le Zodiaque. Ils feraient n'importe quoi pour épater les téléspectateurs.

— Le problème, fit remarquer Mary Ann, c'est que tu ne peux pas vraiment planifier. Les vrais grands sujets te tombent dessus sans crier gare.

— Comme pour le Guyana, ajouta Brian.

— Ou Burke et les cannibales de la Grace Cathedral.

Cette contribution venait de Michael, qui la regretta immédiatement. L'ancien ami de Mary Ann, Burke Andrew, était maintenant l'un des rédacteurs adjoints du *New York Magazine.* Comme Brian semblait être jaloux de cette histoire d'amour qui avait duré un moment, Mary Ann et Michael évitaient habituellement d'en parler en sa présence.

Mary Ann changea de sujet en interrogeant Michael :

— Alors, tu pars chez *** fin mai, pour le week-end du Memorial Day?

Michael hocha la tête :

— Je ne vais jamais être assez bronzé.

— Peut-être qu'il va faire son *coming out* et qu'il me proposera une exclusivité, dit pensivement Mary Ann.

— Mmm, mmm, fit Michael. Et peut-être aussi que le ciel va tomber.

Luke

Sur la saillie rocheuse, souriant toujours, l'homme attendait que Prue répondît à sa question.

— Euh... Pardon ? bredouilla-t-elle.

Pendant ce temps, sa main droite qui farfouillait dans les tréfonds de son sac à main se refermait enfin sur son minuscule sifflet d'alarme Tiffany. Si cet individu faisait le moindre geste, elle...

— Je vous ai demandé si vous aviez le temps de prendre un café.

Il désigna d'un geste sa cabane, une sorte d'édifice en bois improvisé qui sortait directement de *La Petite Maison dans la prairie*. Un mince ruban de fumée s'échappait du tuyau de poêle rouillé qui dépassait du toit comme un point d'exclamation.

Il y avait du café, là-dedans ?

Prue s'éclaircit la voix.

— Ce chien m'appartient, dit-elle calmement. Le chien qui est entré dans votre... dans cette cabane.

Elle rougissait, à présent. Elle avait la gorge sèche comme du carton.

L'homme continua à sourire, les mains enfoncées dans les poches de son large pantalon en laine.

— Ah bon ? fit-il d'un ton qui semblait plus sarcastique qu'interrogateur. Gentil chien, ce petit Whitey !

Whitey ? Est-ce que cet excentrique essayait de s'approprier Vuitton en lui donnant un nouveau nom ? Son vrai nom et celui de sa propriétaire étaient clairement gravés sur sa médaille. Et d'ailleurs, son collier — un cadeau de Noël du père Paddy Starr — avait été façonné dans du vinyle imprimé de chez Louis Vuitton.

— Ça s'est passé il y a plusieurs semaines, reprit faiblement Prue. Il s'est échappé quand nous étions dans les fougères géantes. Je suis tellement contente qu'il soit sain et sauf !

L'homme hocha la tête, lui faisant toujours bon visage.

— Si vous vous êtes... occupé de lui, continua-t-elle, je serai heureuse de vous rembourser tous les frais qu'il vous a occasionnés.

L'homme se mit à rire :

— Mais pas de café, hein ?

Les doigts de Prue se crispèrent sur son sifflet.

— Vraiment, je... C'est terriblement charmant de votre part... mais, euh... Mon chauffeur... C'est-à-dire que j'ai un ami qui m'attend près de la serre. Mais je vous remercie beaucoup, c'est très aimable de votre part.

L'homme haussa les épaules, puis il fit volte-face et rentra dans la cabane en refermant la porte derrière lui.

Prue attendit.

Et attendit longtemps.

Vraiment, c'était très désagréable. Qu'est-ce qu'il s'imaginait, d'ailleurs ? Ce serait assez facile de prouver qu'elle était propriétaire du chien et de faire arrêter cette espèce de clochard qui retenait Vuitton contre sa volonté.

Prue réfléchit aux choix qui s'offraient à elle. Elle pouvait retourner à la serre et attendre l'arrivée de son chauffeur : il en imposait assez pour intimider l'homme et le forcer à rendre Vuitton. Sinon, évidemment, elle pouvait tout simplement appeler la police.

D'un autre côté, pourquoi ajouter à ces désagréments l'intervention des autorités ? C'était sûrement quelque chose dont elle pouvait se sortir toute seule.

En s'agrippant aux buissons, elle descendit la pente sablonneuse et atteignit la saillie rocheuse où se dressait la cabane. C'était stupéfiant, vraiment : ce cul-de-sac secret était pratiquement invisible aux yeux des passants, mais on y entendait tout de même le bruit de la circulation sur Kennedy Drive !

Prue se dirigea d'un pas décidé vers la porte de la cabane — si décidé, d'ailleurs, qu'un de ses talons se prit dans une racine et qu'elle s'étala par terre en renversant le contenu de son sac. Mortifiée, elle ramassa ses affaires en quatrième vitesse et se remit debout à grand-peine.

Elle frappa à la porte.

La première chose qu'elle entendit, ce furent les aboiements de fausset de Vuitton. Puis le raclement d'un morceau de bois sur un autre : on soulevait le loquet.

La porte s'ouvrit toute grande, révélant le même visage souriant, un visage que des pommettes saillantes, une mâchoire carrée et une peau ambrée rendaient presque beau. Les cheveux un peu longs de l'inconnu étaient soigneusement peignés. (Étaient-ils déjà comme ça cinq minutes plus tôt ? se demanda Prue.) Il avait l'air d'avoir une cinquantaine d'années.

— C'est mieux, dit-il.

Prue tenta de l'amadouer :

— Je vous prie de m'excuser si je vous ai offensé d'une manière ou d'une autre. J'étais tellement inquiète pour mon chien !... Je suis sûre que vous comprenez.

Vuitton pointa son long museau clair. Prue se baissa pour le caresser.

— Mon bébé, roucoula-t-elle. Tout va bien, maman est là.

— Vous avez une preuve ? demanda l'homme.

— Mais regardez-le, dit Prue. Il me reconnaît. N'est-ce pas, mon bébé ? Il s'appelle Vuitton. C'est écrit sur son collier. Et d'ailleurs, *mon* nom est aussi inscrit dessus.

— Et vous vous appelez ?

— Giroux. Prue Giroux.

L'homme tendit la main.

— Moi, c'est Luke. Entrez donc.

A l'intérieur

Lorsque Prue pénétra à l'intérieur, elle revit en un éclair son enfance à Grass Valley... et la petite cabane que son frère Ben avait construite dans un arbre, sur une colline, derrière la grange.

Le refuge de Ben était un endroit sacré, une cellule de moine, dont ce garçon de treize ans interdisait l'entrée à sa sœur et à ses amies.

Cependant, un jour que Ben était parti au cinéma, Prudy Sue avait grimpé dans le nid d'aigle interdit et, le cœur battant, avait examiné les icônes secrètes de l'adolescence de son frère : des romans cochons à trois sous, des farces et attrapes, une publicité pour Lucky Strike découpée dans un magazine, avec la photo de Maureen O'Hara.

A présent, quarante ans plus tard, Prue ne pouvait s'empêcher de se rappeler à quel point elle avait été étonnée de trouver autant d'*ordre* dans l'antre de Ben. Il y avait quelque chose de presque émouvant dans ces livres de Tom Swift soigneusement rangés, les rideaux de grosse toile cousus main, les petites fenêtres, les morceaux de quartz disposés sur des caissettes à fruits comme des diamants dans une grotte...

— Je ne m'attendais pas à de la visite, dit Luke. Il va falloir que vous excusiez ça.

Le « ça » en question, c'était une pièce unique d'environ deux mètres sur trois, meublée de caisses en bois, d'un lit de camp de l'armée et d'un gros morceau de mousse qui semblait servir de divan. Des braises cendreuses rougeoyaient dans un trou entouré de pierres, creusé à même la terre battue. Sur la grille du feu était posée une cafetière en émail bleu.

L'homme s'en saisit et versa du café dans une tasse en plastique.

— Du lait? demanda-t-il. Je n'en ai qu'en poudre, désolé.

— Euh... Pardon?... Oh, non, merci!

Prue était encore en train de contempler les lieux. Depuis combien de temps était-il là? Est-ce que les responsables du parc étaient au courant?

L'homme dut lire dans ses pensées.

— On s'habitue, dit-il en clignant de l'œil. Une sucrette?

— Oui, merci.

Il déchira le sachet rose, le vida dans la tasse, et la lui tendit.

— Je pensais que vous aimeriez voir où votre chien avait vécu, c'est tout.

En fait, Vuitton, après avoir accueilli sa maîtresse à la porte, était retourné à sa litière de chiffons près du feu. Il leva les yeux et frétilla de la queue, s'excusant peut-être d'avoir aussi facilement renoncé à son statut social.

Prue souffla sur son café, puis elle regarda autour d'elle.

— C'est... tout à fait fascinant, déclara-t-elle.

Et elle était sincère.

— Tous les enfants adorent avoir leur cabane secrète, rétorqua-t-il.

« Alors c'est qu'il *est* comme Ben », se dit Prue.

En y regardant de plus près, elle découvrit d'autres signes de fantaisies d'adolescent : des fanions étaient accrochés au-dessus du lit et y formaient une sorte de baldaquin. Une boîte avec des crayons bien taillés trônait sur une étagère qui surplombait le « sofa ». Un plan de la ville noirci par la suie était punaisé en hauteur sur le mur derrière le feu.

Au-dessus de la porte était accrochée une plaque où on lisait, inscrit en lettres faites de petits morceaux de brindilles :

> CEUX QUI NE SE RAPPELLENT PAS
> LE PASSÉ
> SONT CONDAMNÉS
> À LE RÉPÉTER.

Après avoir déchiffré, Prue sourit.

— C'est joli, dit-elle.

— Santayana, répondit l'homme. *La Vie de la raison*.

— Pardon ?

L'homme sembla l'examiner un instant, puis il reprit tranquillement :

— Pourquoi n'emmenez-vous pas votre chien, à présent ?

— Oh... Bien sûr. Je ne voulais pas vous déranger plus longtemps.

L'homme s'approcha de la litière de chiffons et fit lever le chien.

— Allez, Whitey. Va falloir partir, mon bonhomme.

Vuitton se leva péniblement et se mit à lécher la main de l'homme en frétillant de l'arrière-train.

— Il croit qu'on va faire un tour, expliqua son gardien. Je lui ai fabriqué une laisse, si vous voulez.

Il ouvrit une caisse près de la couche de Vuitton. Elle contenait des boîtes de nourriture pour chien, une vieille brosse et un bout de corde avec une plaque en cuir faite main où on lisait WHITEY. Sur le dessus de la caisse était également écrit, avec les mêmes brindilles, le nom du chien.

Au premier abord, Prue lui en avait vraiment voulu de l'avoir rebaptisé. A présent, sans savoir pourquoi, elle était émue jusqu'aux larmes.

Elle farfouilla dans son sac.

— S'il vous plaît... Je tiens vraiment à vous rembourser de vos...

— Non, répliqua vivement l'homme. Tout le plaisir était pour moi, ajouta-t-il plus doucement.

— Eh bien...

Elle regarda autour d'elle, ne sachant brusquement plus quoi dire. L'homme attacha la laisse au collier de Vuitton et la lui tendit.

— Merci, dit-elle en y mettant le plus de sincérité possible. Merci beaucoup... Luke, c'est bien ça ?

L'homme acquiesça.

— Si jamais vous repassez dans le coin, dit-il, ça me ferait plaisir qu'il vienne me voir.

— Bien sûr, bien sûr...

Elle ne trouva rien d'autre à ajouter, sortit de la cabane en emmenant Vuitton et commença à gravir l'abrupte pente sablonneuse. Une fois qu'ils furent arrivés en haut, le barzoï qui l'avait suivie sans résister se retourna pour aboyer ses adieux.

Mais la porte de la cabane s'était déjà refermée.

En route pour Hollywood

La camionnette de Ned Lockwood était garée sur Leavenworth lorsque Mary Ann descendit l'escalier de bois branlant de Barbary Lane. Il lui fit un salut facétieux en portant sa grosse main à son front. Il avait le crâne aussi brun que le cuir tanné d'une selle de cheval.

— Michael arrive dans une minute, dit-elle. Il est en train de faire son choix entre quinze coloris différents pour sa Lacoste.

Ned grimaça un sourire et leva les mains au ciel avant de les reposer sur le volant.

— Où vas-tu comme ça ? s'enquit-il.

Mary Ann se renfrogna :

— Au boulot. Tout le monde n'a pas la chance d'aller passer un week-end chez une star du cinoche.

Elle brandit un gros sac en plastique.

— Un charmant petit ouah-ouah, ça te dit ?

Ned regarda dans le sac.

— Des bestioles empaillées ? Pour quoi faire ?

— A ton avis ? Mon émission, évidemment.

— Les fameuses bonnes affaires, hein ?

— Oui, des soldes. Bon Dieu, ce que ça me déprime,

Ned! Tire-moi de là, je t'en supplie. Enlève-moi, fais quelque chose. Est-ce que *** n'a pas un petit bungalow en trop où je pourrais me cacher?

— Je crois que ça va être un de ses week-ends strictement réservés aux mecs, objecta Ned avec un large sourire.

— Ce que c'est bête! murmura Mary Ann.

— Je trouve, aussi. C'est un peu un pédé vieux jeu.

— Tu parles. Et moi, je pourrais pas être une fille à pédés vieux jeu?

Ned renversa la tête en arrière et éclata de rire:

— Si seulement il était un peu moins sectaire!

Mary Ann s'efforça de faire bonne mine.

— Alors, vous m'abandonnez tous les deux à mon triste sort?

— Tu es une star, toi aussi, affirma Ned. Les stars ne sont pas censées être malheureuses.

— Une star, moi?

Comme moyen d'attirer les compliments, c'était un peu usé, mais dans l'état où elle était, elle aurait fait n'importe quoi pour se l'entendre confirmer.

— Ma tante d'East Bay dit que tu es une star. Elle regarde ton émission tous les jours.

— Ah. Le genre à porter des lunettes style arlequin, c'est ça?

Ned sourit.

— Sans parler des livres Harlequin! Et une chambre remplie de caniches en laine qu'elle fabrique avec sa machine. Je me trompe?

— En fait, corrigea Ned, elle fait des tapis avec de vieilles cravates.

— Je vois, fit Mary Ann.

Michael apparut en haut des marches, arborant un polo abricot, un pantalon en lin blanc et des Topsiders vert émeraude.

— Regarde-moi ça, dit Ned. Si c'est pas du pur Los Angeles, ça!

Michael vint faire inspecter sa tenue par Mary Ann.

— Très joli, concéda-t-elle. Mais tes fringues seront complètement froissées le temps d'arriver là-bas, au royaume des fumées de pot d'échappement.

— Eh bien, je me changerai une fois arrivé.

Il lui colla un petit baiser sur la bouche et sauta dans la camionnette.

— Si je ne reviens pas dans trois jours, envoie la police montée.

— Fais-lui porter un maillot, recommanda Mary Ann à Ned.

— Ça ne va pas être facile, fit remarquer Ned.

— Je sais. L'autre jour, au Bout du Monde, il a failli se cramer les fesses !

Comme d'habitude, il n'y avait pas de place libre dans les environs des studios. Elle finit par se garer en effraction dans une impasse de Van Ness et laissa une carte de presse périmée sur le tableau de bord.

A la réception, elle passa en courant devant le vigile qui mangeait des Cheetos, sauta dans l'ascenseur et enfonça rageusement le bouton du troisième étage.

Elle regarda sa Casio : 2 h 38. Mince, elle exagérait un peu, ces derniers temps... Naguère, elle arrivait deux heures avant l'émission. A l'époque, il est vrai, elle trouvait ces conneries *passionnantes*.

Bambi Kanetaka sortait de la loge lorsque Mary Ann arriva.

— Salut, fit Mary Ann. Pourquoi es-tu là si tôt ?

— On tourne en extérieurs, dit la présentatrice. Larry a dégotté une fille qui était la maîtresse du Tueur des parkings. Qu'est-ce qu'il y a dans le sac ?

C'était incroyable comme Bambi avait le don de trouver directement ses points faibles.

— Des articles déclassés, c'est tout, marmonna Mary Ann.

— Waouh! dit Bambi en jetant un coup d'œil dans le sac. Ce qu'ils sont *chou*! Franchement, c'est toi qui fais les trucs les plus sympas, Mary Ann. J'en ai tellement marre de tous ces...

Elle poussa un soupir où se lisait toute la lassitude du monde.

— Tu sais : les trucs chiants.

Le maquilleur, qui rentrait juste de l'enterrement de sa grand-mère à Portland, était tout en blanc et chaînes en or, son idée du costume de deuil.

— ... Alors je suis allé à la chapelle et j'ai *insisté*... Regarde en l'air, chérie, tu veux... Comme ça, oui... J'ai insisté pour qu'ils ouvrent le cercueil... Tourne un peu à gauche, maintenant... Alors ils ont ouvert et qu'est-ce que je vois sur les lèvres de mamie? *Du rose téton!* Je te jure, vraiment... Lève la tête, chérie... Alors j'ai dit : « Laissez-moi m'en occuper, parce que *ma* mamie ne portera rien d'autre que du rouge Suce-bites quand on la mettra en terre... »

Denny passa la tête par l'embrasure.

— Ah, te voilà!

Elle détestait qu'on lui dise « Te voilà! » quand ça voulait dire en fait : « D'où sors-tu? »

— T'as encore la bonne femme en ligne, lui dit l'assistant de production.

— Quelle bonne femme?

— La poivrote. Elle a fini par épeler son nom, cette fois. C'est *Halcyon,* pas Harrison.

— Mon Dieu! fit Mary Ann.

— Ça te dit quelque chose?

— Je crois que j'ai travaillé pour son mari.

Elle regarda la pendule : encore six minutes avant l'antenne.

— Dis-lui que je la rappelle juste après la première partie.

Il faut qu'on déjeune ensemble

Mary Ann expédia son petit speech en moins de trois minutes sur les animaux empaillés, ce qui signifiait qu'elle allait devoir passer le même temps à se répandre en baratin sur le film *L'habit ne fait pas le moine.*

Ce n'était guère facile. Elle n'avait jamais réussi à croire à Bing Crosby dans le rôle d'un prêtre. Ni à Rosalind Russell en mère supérieure. Ni à Helen Reddy en religieuse. Hollywood se faisait une drôle d'idée des catholiques.

— Mary Ann, vous avez été un vrai délice. Je vous ai regardée sur le moniteur.

C'était le père Paddy Starr, la drôle d'idée que San Francisco se faisait d'un prêtre, qui se ruait vers le studio B alors que Mary Ann en sortait précipitamment.

— Merci, mon père. Je vous dis « merde » pour tout à l'heure.

Bien sûr, ça faisait un peu bizarre de dire ça à un prêtre, mais celui-là, après tout, était dans le showbiz. L'émission de nuit du père Paddy, *Grâce à Dieu,* était enregistrée chaque après-midi juste après celle de Mary Ann.

Revenue dans sa loge minuscule, elle chercha si Denny avait laissé le numéro de Mme Halcyon. Évidemment non. Elle finit donc par l'obtenir aux renseignements après avoir subi leur message d'attente préenregistré — tour à tour voix d'homme, puis voix de femme — tellement pénible qu'on aurait cru qu'il était conçu tout exprès pour vous faire regretter d'avoir appelé.

Elle composa le numéro.

— Halcyon Hill, répondit-on.

Mary Ann reconnut la voix. A l'époque d'Halcyon Communications, elle avait passé suffisamment de temps à transmettre des messages entre Edgar Halcyon et son épouse.

— Emma?

— Oui, m'dame.

— Mary Ann Singleton. Vous vous souvenez de moi?

— Bien sûr que oui! Ce que je suis contente de vous avoir! Ce que je suis contente! Seigneur, j'en pleurerais, Mary Ann. Jésus prend soin de ses enfants, si seulement nous...

Il y eut dans le fond un bruit de pas.

— Donnez-moi ça! aboya une voix que Mary Ann reconnut comme celle de Frannie Halcyon.

— Mary Ann?

La voix était à présent devenue un ronronnement enjôleur.

— Oui, madame Halcyon. Quelle agréable surprise!

— Eh bien... Je suis tellement *fan* de votre émission!

— Comme c'est gentil!

— Si, si, je vous assure. Vous êtes une jeune fille très douée.

— C'est vraiment charmant de votre part. Je vous remercie beaucoup.

Un long silence, puis :

— Je... euh... Je vous ai appelée parce que j'espérais que vous pourriez déjeuner dimanche avec nous... Avec moi, je veux dire. Le temps est tellement délicieux en ce moment et la piscine est... Eh bien, vous pouvez venir avec votre maillot si vous voulez et...

— J'en serais ravie, madame Halcyon.

Mary Ann faillit avoir le fou rire. L'escapade de Michael à Los Angeles lui avait donné envie de s'échapper elle aussi. Et puis, Brian et elle n'avaient pas eu les moindres vacances depuis longtemps. C'était quasiment un don du ciel!

— Cela vous ennuie-t-il si je viens avec un ami?

— Oh... Je... En fait, je préférerais pas, Mary Ann.

— Bien sûr...

— Je ne suis pas du tout prête à recevoir plus d'une personne.

— Très bien. Je comprends.

Elle ne comprenait pas du tout, en fait, mais maintenant sa curiosité avait été éveillée.

— Ce sera juste... pour bavarder entre femmes. Nous avons tellement de choses à nous raconter, vous et moi !

Mary Ann en resta assise. Frannie Halcyon et elle n'avaient absolument *rien* à se raconter ! Pourquoi cette charmante — bien qu'un peu originale — douairière de la bonne société lui parlait-elle comme à un de ses pairs ?

« Eh bien, se dit-elle, la pauvre femme a perdu sa fille au Guyana. C'est une raison suffisante pour se montrer un peu indulgente avec elle. En plus, elle a une piscine. C'est une proposition qu'aucun San-Franciscain ne peut refuser. »

Larry et Bambi arrivaient aux studios lorsque Mary Ann sortit de l'immeuble. « C'est tout juste s'ils réussissent à se retenir de se tripoter », remarqua-t-elle.

— Super cravate ! lança Mary Ann en les croisant dans le hall.

La pelle à tarte en question portait le logo de Porsche en guise de motif.

— Oh, fit Larry. Merci !

« La seule chose de drôle avec les cons, conclut Mary Ann, c'est que, quand on les traite de cons, ils s'en rendent à peine compte. »

— Comment était la copine du Tueur des parkings ? demanda-t-elle à Bambi.

— Secouée, dit la présentatrice.

— Mmm. J'imagine.

Toujours aussi subtil, Larry poussa Bambi vers l'ascenseur.

— Reste en dehors de ça, lança-t-il à Mary Ann. C'est pas joli-joli.

— Mmm.

— Je t'assure, ajouta-t-il. Reste en dehors, ça vaudra mieux.

Elle le maudit pendant tout le trajet du retour.

Strass-City

Ned Lockwood jeta un coup d'œil à la pendule du tableau de bord tandis que la camionnette cahotait entre les rangées de palmiers qui bordaient le collège d'Hollywood High.

— Vingt-deux heures vingt. On s'en est pas mal sortis. Salut à toi, Alma Mater.

— Tu as fait tes études à Hollywood High ? demanda Michael.

— Comme tout le monde, non ? fit Ned avec un sourire en coin.

— Dans ce cas, tu as été *formé* à la vie commune avec une star. Ça ne t'est pas venu naturellement.

— On peut le voir comme ça, dit Ned.

Michael secoua la tête, émerveillé.

— Hollywood High, murmura-t-il en contemplant les murs clairs du bâtiment qui s'enfonçaient dans l'obscurité. J'ai toujours voulu aller à l'école avec le fils d'Alan Ladd, quand j'étais môme.

— Pourquoi ?

— Sûrement parce que c'était le meilleur moyen pour arriver au père, expliqua Michael. J'étais dingue de lui.

— Quand tu avais *quel* âge ? demanda Ned en riant.

— Huit ans, se défendit Michael. Mais un gosse, ça a le droit de rêver.

— Petit obsédé, va !

— Dis donc, rétorqua Michael. Si je me souviens

bien, tu éprouvais la même chose pour Roy Rodgers, non ?

— J'avais au moins dix ans, protesta Ned.

Michael se mit à rire et regarda de nouveau le paysage. Il n'y avait pas beaucoup de gosses dont la libido n'avait été émue, d'une façon ou d'une autre, par le royaume luxuriant qui s'étendait devant lui.

Comme bon nombre de ses amis, il se faisait un devoir rituel de vomir sur Los Angeles : son côté tentaculaire et vulgaire, ses autoroutes toujours bloquées, ses allures de dépotoir asphyxié...

Mais dans des moments comme celui-là, des nuits comme celle-ci, quand tout le monde semblait posséder une décapotable et que l'air dense, tiède et chargé de parfums de jasmin lui faisait le même effet qu'une main remontant le long de sa cuisse, Michael était capable de laisser de côté ces évidences et d'avoir à nouveau la foi.

— C'est incroyable, s'étonna-t-il. Chaque fois que je viens ici, même si c'est l'enfer, je suis toujours aussi émerveillé qu'un bouseux qui débarque pour la première fois en ville. Ce qu'il y a de bien avec Los Angeles, c'est qu'on y trouve toujours mille raisons de lui pardonner...

Brusquement, Ned fit une embardée pour éviter de justesse un bel éphèbe blond sur son skate-board. Son maillot de football était déchiré juste au-dessous du thorax pour laisser voir trente bons centimètres d'abdos bronzés. En le dépassant, Ned émit un « ouf » de soulagement, puis :

— Même eux, ils ne font plus le trottoir *à pied* !

Michael se retourna pour voir le jeune mec penché à la portière d'une Mercedes gris métallisé, laquelle venait de s'arrêter le long du trottoir, devant le siège des biscuits Famous Amos.

— Ça y est, fit-il. Il a alpagué un client.

— Une étoile est née, ironisa Ned.

La camionnette quitta Sunset et remonta sur Beverly

Hills, territoire de pelouses ombragées plongées dans un silence de mort.

Les rues se firent de plus en plus raides et étroites. La plupart avaient été baptisées « côte quelque chose », mais il était quasiment impossible de discerner où elles commençaient et où elles s'arrêtaient. Michael se demanda comment, même en habitant le quartier, on pouvait retrouver le chemin de sa maison en pleine nuit.

— Est-ce qu'il sera là quand on arrivera ? demanda-t-il. Je dois avoir l'air d'une cloche.

Ned lui pressa le genou de sa main libre.

— Il y a un mégot de joint dans le cendrier. Fume-le.

— Tu es dingue... Si tu crois que ça va me détendre ! Dès que je le vois, je m'enfuis en hurlant dans la nuit.

— Il n'est peut-être pas encore rentré de Palm Springs. Te fais pas de bile.

Michael regarda par la vitre. Les lumières de la ville scintillaient au-dessous d'eux comme les clignotants d'un tableau de bord.

— Qui va nous accueillir, s'il n'est pas encore là ?

— Son majordome, probablement.

— C'est tout ce qu'il a comme personnel ?

— Non, il y a la plupart du temps un cuisinier, un secrétaire et un jardinier. Mais ce soir, il n'y aura sûrement que son majordome.

Michael tenta de s'imaginer une telle existence et se tut un instant.

— Tu sais quoi ? demanda-t-il enfin.

— Non.

— Ma mère pensait que *** était le type le plus sexy qui soit. Elle en ferait tout un plat si elle savait où je vais.

Ned se tourna vers lui et sourit :

— N'oublie pas de prendre des notes, alors.

— OK. Redonne-moi les mensurations de sa queue ?

— Assez pour que certains aient eu des soupçons sur les vraies raisons de sa nomination aux Oscars, plaisanta Ned.

94

— Oh, si grosse que ça ?

Michael eut un petit rire nerveux, puis il se pencha et embrassa Ned dans le cou.

— Je n'arrive pas à croire que c'est pour de vrai. Merci, mec !

Ned haussa les épaules :

— Je crois que vous vous plairez. C'est un type vraiment sympa.

Il s'engagea dans une allée et s'arrêta devant une immense grille métallique. Puis il appuya sur le bouton d'un interphone partiellement dissimulé dans des buissons.

— Oui ? fit une voix.

— C'est Ned.

— Je suis mort de trouille, fit Michael.

— Calme-toi, c'est seulement le majordome.

Il n'y avait pas grand-chose à voir de là où ils étaient, juste un mur couvert de bougainvillées et un porche qui donnait apparemment sur une cour.

— Ned ?

— Oui, Bubba ?

— C'était quand même pas un coup prémédité, tout ça ?

— Pourquoi ?

— Je ne sais pas. J'ai soudain l'impression d'être une espèce de paquet-cadeau.

— Du calme, Michael. Personne n'attend rien de particulier de ta part, si c'est ça que tu veux dire.

Il se tourna et esquissa un petit sourire narquois.

— En tout cas, pas *lui*.

Prières pour le monde

Revenu en ville, le père Paddy Starr discutait de ses ouailles au cours d'un souper tardif à *L'Étoile*.

— Cette pauvre Bitsy, soupira-t-il en grignotant une asperge. J'ai bien peur qu'elle n'ait de nouveau besoin de nos prières.

Prue savait qu'il n'y avait qu'une seule Bitsy : Bitsy Liggett, la kleptomane mondaine. Son infamie représentait une gêne depuis dix ans pour la bonne société locale.

— Oh, mon Dieu! dit Prue, tentant d'avoir l'air dévot bien qu'elle eût elle-même été délestée d'un vase Lalique, de plusieurs chiens en cristal et d'un peigne ancien en écaille, à cause de la névrose compulsive de la femme pour laquelle on priait.

— Le problème, se lamenta le prêtre, c'est qu'on ne peut pas *ne pas* l'inviter, n'est-ce pas? Les Liggett sont d'une excellente famille. Bitsy est une femme charmante. Le tout, c'est d'être sur ses gardes.

— Et qui n'a pas été sur ses gardes, cette fois?

— Vita, fit le prêtre avec une petite moue.

— Non!

— Bitsy fait partie du conseil d'administration de sa Société en faveur des victimes des séismes. Lorsqu'elle est partie de la réunion d'hier, une boîte Fabergé est tombée de dessous sa robe.

— Non!

— Pile au milieu du salon. C'est à mourir, non?

Prue porta ses deux mains à sa bouche et gloussa.

— C'est à mourir... répéta le père Paddy.

Il haussa un sourcil pour rendre la chose plus drôle. Puis brusquement, son visage reprit son expression sérieuse, ses traits s'effondrèrent comme s'il avait été en cire et qu'il fondait.

— Mais vraiment, c'est tout à fait affreux, cependant. C'est une maladie, comme l'alcoolisme. Elle a besoin de nos prières, Prudy Sue.

Puis il lui expliqua que trois autres personnes avaient aussi besoin de leurs prières.

Prue put lui annoncer sa nouvelle au moment du dessert :

— Je voulais vous dire que j'ai retrouvé Vuitton.

— Ah, dit le père Paddy en se penchant et en posant une main affectueuse sur la sienne. Je suis tellement content, mon enfant ! Où était-il ? Le pauvre chéri devait être efflanqué !

— Non, c'est le plus stupéfiant. Il habitait avec un type dans le parc.

— Un employé du parc, vous voulez dire ?

— Non. Un homme qui vit dans une drôle de petite cabane. Sur une saillie rocheuse, au-dessus des fougères géantes. Il a un lit, une sorte d'âtre et à peu près tout ce qu'il faut. Vuitton avait l'air de l'adorer, alors je n'ai pas vraiment pu faire d'histoires. Sur le fait qu'il ait gardé mon chien, je veux dire.

— Il ne vous a pas appelée ?

— Non, c'est moi qui l'ai trouvé. Ou plutôt, j'ai trouvé Vuitton et Vuitton m'a conduite à lui. Il a eu l'air un peu triste, quand j'ai emmené le chien. Il lui avait fabriqué une laisse ; il avait une brosse et tout le nécessaire.

Le père Paddy versa de la crème sur ses framboises.

— Comme c'est attendrissant !

— Oui, vraiment. J'ai été sincèrement *touchée*, mon père. Il m'a dit de lui amener Vuitton pour lui rendre visite de temps en temps. Je crois que c'est ce que je vais faire.

Le prêtre continua à sourire, mais son front se plissa :

— Eh bien, je ne sais pas si c'est une bonne idée, *ça*, Prudy Sue.

— Pourquoi ?

— Eh bien, vous n'avez aucun moyen de savoir qui il...

— Je fais confiance à mon instinct, mon père. Cet homme est une bonne âme. La vie lui a peut-être joué de mauvais tours, mais il lui sourit quand même. Il a même un petit écriteau avec une citation des Écritures au-dessus de sa porte.

— Vraiment? s'enquit le père Paddy. De qui?

Ils étaient revenus sur un terrain qui lui était plus familier.

Prue réfléchit un instant.

— Santa-quelque-chose. J'ai oublié. C'est un truc sur le souvenir du passé. Il l'a tracé avec des brindilles, ajouta-t-elle en prenant une bouchée de son gâteau. D'ailleurs, les personnages comme lui sont une tradition de San Francisco. Comme l'empereur Norton et... vous vous souvenez d'Olin Cobb, celui qui a fait construire la petite bicoque sur Telegraph Hill?

Le père Paddy lui adressa un sourire oblique :

— Vous allez en parler dans votre chronique, n'est-ce pas?

— Peut-être, fit timidement Prue.

— Mmm, mmm...

— Quoi qu'il en soit, il *faut* que j'y retourne, ne serait-ce qu'une fois.

— Écoutez, Prue...

— J'ai oublié mon sifflet d'alarme, là-bas.

— Oh, non, je vous en *prie*!

— C'est un Tiffany's, expliqua-t-elle.

— Un Tiffany, ma chère, la corrigea le prêtre. Sans *s*.

— Un Tiffany, répéta Prue. C'est Reg qui me l'a offert. J'y suis sentimentalement attachée. J'ai fait tomber mon sac devant chez lui et le sifflet a dû se perdre. Ne me regardez pas comme ça, mon père.

Le prêtre se contenta de secouer la tête avec un petit sourire réprobateur sur les lèvres.

— Vous êtes tellement gentil, dit Prue en s'emparant de l'addition. C'est si agréable de pouvoir compter sur quelqu'un qui se fait du souci pour vous!

Le château

Le silence fut brisé par le jappement des chiens. Il devait y en avoir de toutes sortes, à en juger par les aboiements : des jeunes, des vieux, des gros et des petits. Michael sourit en se souvenant d'une chaude nuit d'été à Palm Springs où Ned et lui avaient pris des champignons hallucinogènes et essayé d'escalader la clôture de chez Liberace.

— Oh, non, chuchota-t-il. Ne me dis pas qu'il a aussi des caniches d'attaque ?

Ned s'esclaffa et ses dents blanches brillèrent dans l'obscurité.

— Ce ne sont pas des chiens de garde, c'est la famille.

La grande porte néo-espagnole s'ouvrit soudain. Le majordome, un petit bonhomme menu comme un jockey qui devait avoir la soixantaine, la tint ouverte d'une main tandis qu'il retenait les chiens de l'autre.

— Dépêchez-vous, dit-il. Avant que l'un de ces abrutis ne file.

Ned passa le premier, suivi de Michael, comme son ombre sur ses talons. Les chiens — un vieux berger aux yeux larmoyants, deux setters irlandais hystériques et un bâtard courtaud à qui il manquait une patte — se mirent à bondir éperdument autour de celui qui avait naguère partagé cette maison avec eux.

Ned s'agenouilla au milieu d'eux et les cajola l'un après l'autre :

— Alors, Honey ? Comment va-t-elle, cette brave fifille ? Oui, Lance, *gentil,* Lance ! Ooh, Guinevere...

Michael était impressionné. C'était déjà une chose de connaître ***. Mais de pouvoir appeler ses chiens par leurs noms !...

— Et lui, qu'est-ce qu'il devient ? demanda Ned en prenant dans ses bras le bâtard à trois pattes.

Le majordome leva les yeux au ciel :

— Il s'est sauvé la semaine dernière. Ce petit chenapan est descendu jusqu'à Shuyler Road. C'est Lucy qui l'a trouvé, figurez-vous. Elle a appelé ***. C'est tout juste s'il n'était pas déjà en deuil : il ne voulait plus manger, ne répondait plus au téléphone... Enfin, vous connaissez la chanson.

Toujours agenouillé, Ned souleva le chien pour que Michael le voie bien.

— Noble animal ! Baptisé du nom de ton serviteur, commenta-t-il.

Michael ne comprit pas tout de suite. Il se demandait encore si c'était bien la *fameuse* Lucy qui avait retrouvé le chien.

— Euh... Tu veux dire qu'il s'appelle Ned ? demanda-t-il.

Le bâtard fit retentir un jappement asthmatique qui lui confirma qu'il avait bien compris. Ned le reposa et se leva.

— Ça remonte à loin, tout ça ! Guido, je vous présente un de mes amis, Michael Tolliver.

Michael serra la main du majordome qui lui adressa un demi-sourire et se retourna vers Ned.

— Monsieur ne reviendra pas avant demain. Vous avez ce soir toute la maison pour vous tout seuls. J'ai laissé le jacuzzi en marche.

Michael poussa intérieurement un soupir de soulagement : il allait avoir au moins le temps de se retaper un peu.

Guido les conduisit le long d'une allée sous une charmille qui entourait la cour. Des boutons de fuchsias violacés leur effleuraient la tête. De l'autre côté de la cour, semblant flotter au-dessus des scintillements rectilignes de Los Angeles, l'immense piscine aux carreaux luisants était la seule source de lumière. On aurait dit une piste d'atterrissage pour Ovnis.

Guido ouvrit une autre porte — la *vraie* porte

d'entrée, présuma Michael. Tout en montant le grand escalier qui menait au premier, il eut le temps d'apercevoir d'énormes meubles de style espagnol, des armures et des tapis rouges — ce que Ned appelait « le style Macho première époque ».

— Pour ce soir, je vous ai mis dans la chambre des trophées, annonça sèchement Guido. Ça vous ira ?

— Très bien, répondit Ned.

— La chambre rouge est sens dessus dessous. Elle a été occupée par deux mômes de Laguna, hier soir. Du gel sur les draps, du poppers sur les tapis : du propre, je vous jure !

Ned et Michael échangèrent un sourire.

— On est beaucoup plus sages, dit Ned.

Il fallut un certain temps à Michael pour se remettre du spectacle qu'il découvrit dans la chambre des trophées : tout une rangée de clichés du magazine *Photoplay* (la plupart datant des années cinquante), les clés d'une douzaine de villes, des télégrammes d'Hitchcock, de Billy Wilder, de Cecil B. DeMille, des photos de *** dans des cadres en argent. Avec Kennedy, avec Marilyn, avec Ronald Reagan... Et un coussin brodé au point de croix offert par Mary Tyler Moore.

Quand Guido les eut laissés, Michael resta debout, les bras ballants, à secouer la tête :

— Est-ce que c'est sa chambre *à lui* ?

— Non, la sienne est en face. Tu veux la voir ?

— On a le droit ?

Ned arbora un sourire las.

— C'était ma chambre, dans le temps, n'oublie pas.

Ils ouvrirent une double porte en chêne massif et pénétrèrent dans un endroit qui ressemblait à un décor de plateau figurant une chambre de star. Les fenêtres donnaient sur la piscine et le reste du monde. Le lit était immense, en tout point conforme à ce que Michael avait imaginé pour ***.

Il s'en approcha respectueusement, comme un pèlerin, et s'assit timidement sur le rebord. Avec un sourire penaud, il avoua à Ned :

— J'ai vraiment l'impression d'être un touriste.

— Tu t'y habitueras vite.

— Au lit ? demanda Michael en riant.

— Si vous le désirez, du café vous sera servi demain matin.

Michael bondit sur ses pieds, se sentant pris en faute. Guido était sur le seuil et les observait.

— Merci, répondit Ned, qui ne sembla pas s'en inquiéter. Je faisais juste visiter à Michael.

— Ne déclenchez pas les alarmes, grogna Guido en s'éloignant.

Michael attendit que les pas se fussent éloignés, puis il laissa échapper un petit sifflement inquiet.

— Il fait juste son boulot, expliqua Ned.

— Ouais, fit Michael. Comme Mme Danvers dans *Rebecca*.

Halcyon Hill

Le Memorial Day s'annonçait clair et ensoleillé. Mary Ann partit pour Hillsborough juste avant midi et ne réussit qu'à se faire bloquer dans les embouteillages au carrefour de DuBoce et Market. Elle s'interrogeait, perplexe, sur ce coup du sort, lorsqu'elle vit la cohue rassemblée sur le trottoir devant l'arrêt du 76.

Quelque cinq cents personnes poussaient des hourras hystériques tandis qu'un type énorme, travesti en infirmière — avec poitrine, blouse blanche et tout le toutim — se débattait sur le dos d'un taureau mécanique qui

102

ruait dans tous les sens. Un Memorial Day comme les autres, quoi! se dit Mary Ann.

Une vieille Volvo déglinguée s'arrêta bientôt à la hauteur de sa R5 Le Car.

— Qu'est-ce que c'est que ce bordel? demanda une femme aux cheveux crépus qui transportait sur sa banquette arrière un bébé au milieu d'un monceau d'affiches hurlant « Non au nucléaire ».

— La Grande Course de tricycles! la renseigna Mary Ann.

En tout cas, c'est ce que lui avait expliqué Michael.

— Quoi? se récria la femme.

— Euh... Eh bien... Des homos sur des tricycles!... C'est au profit de la SPA.

Le visage de la femme s'éclaira.

— Génial! s'exclama-t-elle tout en redémarrant. Putain, c'est génial!

Curieusement, Mary Ann comprit ce qu'elle avait voulu dire. Comment pouvait-on se sentir mal à l'aise devant ce genre de fantaisie? Si elle avait un jour un enfant, elle voudrait l'élever à San Francisco : là, on fêtait le Mardi gras au moins cinq fois par an!

Évidemment, elle n'avait pas toujours été comme ça. Naguère, elle avait éprouvé une nette réticence à la vue de ces dizaines d'hommes à moitié nus qui folâtraient dans les rues en se tortillant sous le soleil, avec leurs petits culs qui n'étaient pas pour elle. Elle leur en avait voulu.

Mais Dieu merci, il restait encore quelques mecs hétéros qui prenaient soin de leur corps autant que les homos.

Et puis un beau cul, c'était un beau cul, quoi!

Elle faillit monter sur le trottoir en en lorgnant un.

Elle était déçue de ne pas être venue avec Brian. Il s'était montré tellement bonne pâte quand elle lui avait annoncé l'invitation à déjeuner de Mme Halcyon.

— Vas-y, lui avait-il dit. Elle te sera peut-être utile. Moi, je prendrai un peu le soleil dans la cour. On se fera un cinoche quand tu rentreras.

Ce qu'elle l'aimait ! Il était tellement facile à vivre, si peu compliqué, si compréhensif, quelles que soient les circonstances ! Ils étaient amis, à présent, elle et lui. Des amis qui couchaient ensemble et qui adoraient ça. Si ce n'était pas de l'amour, alors, qu'est-ce qui en était ?

Le temps d'arriver sur l'autoroute, elle avait allumé un joint de la Barbara Stanwyck de Mme Madrigal et tirait joyeusement dessus. Elle mit la radio et fredonna en chœur avec Terri Gibbs sur *Somebody's Knockin'*.

Une fois de plus, elle ne put s'empêcher de se demander les raisons de cette convocation à Hillsborough. Elle savait que certains membres de la bonne société aimaient à fréquenter les gens en vue, mais sa propre célébrité était probablement d'une envergure bien trop limitée pour intéresser Frannie Halcyon.

Voulait-elle simplement être aimable, alors ?

Peut-être.

Mais *pourquoi*, après toutes ces années ?

Mary Ann avait travaillé en tant que secrétaire pour la famille Halcyon pendant presque deux ans. D'abord pour Edgar Halcyon, le fondateur d'Halcyon Communications, puis pour Beauchamp Day, le gendre si douteux de M. Halcyon.

Cependant, c'était aujourd'hui la première fois qu'elle posait les yeux sur la propriété familiale.

Halcyon Hill était une gigantesque demeure de style pseudo-Tudor, datant probablement des années vingt, un peu à l'écart de la route et protégée par un bosquet de chênes. Une Mercedes noire immatriculée FRANNI était garée dans l'allée circulaire.

Une vieille femme noire toute menue lui ouvrit la porte.

— Vous devez être Emma, dit la visiteuse. Je suis Mary Ann.

— Oui, m'dame. Je me sens toute...

Avant que la bonne ait pu terminer sa phrase, Frannie Halcyon déboula dans l'entrée :

— Mary Ann, je suis ravie, tout simplement *ravie* que vous ayez pu venir. Alors, vous avez apporté votre maillot, j'espère ?

— Euh... Il est dans la voiture. Je n'étais pas sûre de...

— Emma, allez le chercher, voulez-vous ?

— Vraiment, je peux...

Mary Ann renonça à protester : la bonne était déjà partie vers la voiture en trottinant.

— Bon, continua Mme Halcyon. Nous allons déjeuner tranquillement sur la terrasse... J'espère que vous aimez le saumon ?

— J'adore, répondit Mary Ann.

— Et ensuite, nous pourrons bavarder.

— Très bien.

La maîtresse de maison lui prit maternellement le bras :

— Vous savez, jeune fille, Edgar serait tellement fier de vous !

Starlettes

Tout en haut de Beverly Hills, Michael et Ned se prélassaient au bord de la piscine de *** en mangeant les œufs Benedict que Guido leur avait préparés pour le petit déjeuner.

— Je l'aime bien, laissa tomber Michael quand le majordome se fut retiré. Mais il m'a tout simplement foutu les jetons, hier soir.

Ned enfourna un toast.

— Il ne te connaissait pas, hier soir. C'est son boulot

de faire attention. Le *National Enquirer* essaie d'enjamber le mur d'enceinte au moins une fois par semaine. *** a de la chance d'avoir Guido.

Le bâtard à trois pattes nommé Ned vint offrir son museau pour qu'on le gratte : Michael s'exécuta.

— Ces vieux chiens ! dit-il. Je m'attendais plutôt à ce qu'il ait des bestioles plus élégantes, style lévrier, par exemple. Ou plus féroces, peut-être. Finalement, je préfère qu'il soit du genre à avoir des cabots miteux comme ça.

— Celui-là a quatorze ans, le renseigna Ned. On l'a trouvé quand il était tout petit, en train de fouiner dans une poubelle derrière chez Tiny Naylor. *** l'adore. Il s'est fait renverser par une voiture il y a cinq ans et il a fallu l'amputer d'une patte.

Ned sourit tendrement à celui qui portait son nom.

— C'est *lui* qui devrait écrire ses Mémoires.

Guido apparut sur la terrasse avec un plateau de cocktails.

— J'ai pensé que ces messieurs aimeraient se rafraîchir avant que les jeunes n'envahissent la maison.

— Merci, fit Ned en prenant un verre. Quels jeunes ?

Guido leva les yeux au ciel.

— Monsieur a appelé il y a un petit moment, il est toujours à Palm Springs. Il ne sera pas rentré avant deux heures. Entre-temps, pauvres de nous, l'un de ses copains de West Hollywood a décidé d'organiser impromptu une petite fête de bienvenue... Ici ! Merci beaucoup !

Michael regarda Ned et se sentit de nouveau inquiet :

— Est-ce qu'il faut qu'on s'habille, ou quoi ?

— Laissez tomber, le rassura Guido. La dernière fois, la fête a duré deux jours. Il y avait tellement de maillots Speedo à sécher que les Danny Thomas ont appelé pour demander pourquoi on avait hissé des fanions de détresse.

Les prédictions de Guido se révélèrent étrangement

justes. Un par un, les jeunes hommes commencèrent à arriver, sveltes et moulés à la perfection dans leur Lacoste.

— C'est quoi, ça? demanda Michael qui traînait dans la cuisine. L'équipe de mannequins de *GQ* ou de *Vogue Hommes*?

— Ils voudraient bien! répondit Guido tout en saupoudrant frénétiquement du persil sur un plat d'œufs à la diable. Mais pour l'instant, ils sont à qui veut bien les prendre... Et quand on est dans ce métier depuis aussi longtemps que moi, on en voit défiler... Ou plutôt se faire enfiler...

— Ils sont tellement beaux mecs! nota Michael. Ils sont acteurs ou quoi?

— Seulement *quoi*, pour la plupart. Des starlettes. Harry Cohn en connaissait un rayon, dans ce domaine. Sauf que lui, c'était les filles. C'est du pareil au même. La même faune stupide qui prend la pose autour de la piscine.

Le majordome engloutit un œuf et fila avec son plateau.

Michael retrouva Ned près de la piscine.

— Il me faut un joint, chuchota Michael en examinant la foule. Si je dois être parano, autant que ce soit pour une bonne raison.

— A ta place, je ne ferais pas ça ici, l'avertit Ned.

— Hein?

— *** est un peu vieux jeu.

— Bon, dit Michael tout en regardant autour de lui. J'ai pigé.

L'arrivée de la star fut annoncée par des aboiements d'allégresse à la grille. En fait, les chiens furent les seuls à accueillir officiellement le maître de maison, remarqua Michael. La plupart des types qui traînaient autour de la piscine donnaient l'impression de très bien connaître les lieux, mais aucun n'alla accueillir leur hôte.

Ils ne le connaissent pas non plus, comprit Michael.

L'idole avait les cheveux plus gris qu'il n'aurait cru — et elle avait aussi un peu de ventre. Mais *** était vraiment magnifique, c'était un titan qui surclassait sans peine cette pépinière d'hommes pourtant plus jeunes et plus beaux. Quand il s'agenouilla et prit le bâtard éclopé dans ses bras, il conquit totalement le cœur de Michael.

— Viens, dit Ned. Je vais te présenter.

— On ne peut pas attendre un peu ?

— Pourquoi ?

— Ben... Il ne va pas être débordé, pendant un moment ?

Ned sourit avec indulgence et se leva.

— Alors viens quand tu voudras, OK ?

Michael resta assis silencieusement au bord de la piscine, tandis que les bavardages reprenaient leur cours.

— Il doit prendre des médicaments géniaux, fit une voix derrière lui.

— Qui ? demanda une autre.

— Le pape.

— Hein ?

— Ben oui, il est sous analgésiques depuis l'attentat, non ? Et c'est le pape, non ? Alors on doit lui donner des trucs sensationnels.

— Ouais, j'y avais pas pensé. Je t'ai raconté qu'Allan Carr voulait que je joue dans *Grease 2* ?

Michael se leva et se dirigea vers le buffet où Guido vidait les cendriers en grommelant. Il n'était plus Mme Danvers à Manderley. Il était devenu Mammy à Tara, obligée de recevoir les Yankees malgré elle.

— Où est Ned ? s'enquit Michael.

— Dans la salle de projection, avec ***, répondit Guido.

Michael respira donc un bon coup et alla les rejoindre.

Achat de silence

Comme promis, Mary Ann savoura un saumon froid arrosé de riesling sur la terrasse dallée qui dominait la piscine d'Halcyon Hill.

Mme Halcyon était pleine d'une extraordinaire sollicitude et ne cessait de s'extasier mélodramatiquement sur le répertoire d'affreuses anecdotes véridiques, brèves mais piquantes, que Mary Ann lui dévidait.

— Il est vrai que c'est affreux, observa-t-elle lorsque Mary Ann eut terminé. C'est *exactement* comme le *Mary Tyler Moore Show*. Ce n'est pas du tout exagéré, n'est-ce pas ?

— Mais j'adore ce métier, malgré tout, se hâta d'ajouter Mary Ann. Et je l'aimerai encore plus quand on me confiera des émissions en soirée.

Ses lèvres s'étirèrent en un petit sourire triste.

— Ils me laisseront en faire, tôt ou tard : ils ne le savent pas encore, c'est tout.

— Vous avez l'esprit qu'il faut ! affirma Mme Halcyon, joignant ses mains potelées et bijoutées avant de dévisager son invitée avec une mimique approbatrice. Edgar a toujours dit que vous étiez ambitieuse. Il me l'a répété je ne sais combien de fois.

— C'était un grand patron, déclara Mary Ann en réponse au compliment du défunt.

Elle se sentait de moins en moins à l'aise sous le regard scrutateur de son interlocutrice.

— Il disait également que vous étiez pleine de tact, ajouta Mme Halcyon. Extrêmement discrète.

— Eh bien, j'ai toujours fait mon possible pour l'être.

Mais merde, où essayait-elle d'en venir ?

— Il vous faisait confiance, Mary Ann. Et moi aussi. Vous êtes une jeune femme de caractère.

Une lueur bienveillante s'alluma dans son regard.

— Je n'ai pas vraiment été formée à affronter la vie — en dehors des conseils d'administration d'opéras et de musées —, mais je sais juger d'un tempérament, Mary Ann, et je crois que vous ne me laisserez pas tomber.

Mary Ann hésita :

— Y a-t-il... euh... quelque chose de particulier que vous auriez...?

— J'ai besoin d'une spécialiste des relations publiques. La famille Halcyon a besoin d'une spécialiste dans ce domaine. Pour une courte période, évidemment.

— Ah... Je vois, dit Mary Ann, qui ne voyait en fait rien du tout.

— Cela ne devrait pas vous gêner dans votre travail à la télévision. J'ai besoin de vous comme consultante, plus ou moins. Je suis prête à vous payer mille dollars par semaine pour une durée d'un mois.

Mary Ann ne chercha pas à jouer les blasées :

— C'est merveilleusement généreux, mais je ne... Eh bien, je n'ai pas une formation d'attachée de presse, madame Halcyon. Mon travail à l'agence était strictement...

— Il y a là un beau sujet, Mary Ann. Un gros. Et il sera à vous le moment venu. Vous l'aurez, votre émission de soirée. Je peux vous le certifier, jeune fille.

Mary Ann osa un haussement d'épaules impuissant :

— Alors... Qu'est-ce que je suis censée faire?

Son hôtesse se leva et commença à arpenter la terrasse, les mains croisées derrière le dos. On aurait tellement dit le général Patton en train de haranguer ses troupes que Mary Ann faillit en avoir le fou rire.

— Je veux que vous m'accordiez votre loyauté inconditionnelle pour une période d'un mois, dit Frannie Halcyon. Après cela, vous aurez toute liberté d'agir comme bon vous semblera. Ma famille a une histoire à raconter, mais je veux qu'elle soit formulée selon nos propres termes.

110

Elle interrompit brusquement son va-et-vient, le poing serré d'une manière décidée.

Comme elle était bien partie, Mary Ann attendit, l'encourageant de temps en temps par des hochements de tête attentifs. Alors Mme Halcyon continua, secouant la tête sévèrement au spectacle des rayons du soleil qui dansaient dans la piscine, à la surface de l'eau.

— Pauvre Catherine Hearst! soupira-t-elle. Sa famille s'y connaissait en journalisme, mais on ne peut pas en dire autant des relations publiques.

Mary Ann acquiesça. La douairière n'était pas idiote.

— Les vrais bons experts en relations publiques, comme mon mari a dû vous l'enseigner, ce sont ceux dont le nom des employeurs n'apparaît *jamais* dans les journaux. C'est ce que j'attends de vous, Mary Ann. Pendant un mois, en tout cas.

— Pourquoi un mois?

— Cela vous sera expliqué plus tard. Le but du jeu est le suivant: si vous acceptez le marché, je ne veux pas trouver Barbara Walters en train de ramper sous les buissons de ma propriété d'ici à une semaine. Je suis trop âgée pour faire face toute seule aux télévisions, Mary Ann.

— Je comprends ça. Mais seulement, je ne suis pas sûre de pouvoir vous garantir...

— Vous n'avez rien à me garantir... Sauf votre silence, pendant quatre semaines.

— Je vois.

— Cette capacité à garder un secret pendant un mois vous vaudra quatre mille dollars. Après quoi, nous vous accorderons une exclusivité. C'est bien le mot que vous utilisez, n'est-ce pas?

— C'est bien le mot, confirma Mary Ann.

— Nous sommes d'accord, alors?

— Nous sommes d'accord, répondit Mary Ann sans hésitation.

Le visage de Mme Halcyon s'éclaira.

— Alors, de quoi s'agit-il? demanda Mary Ann.

Son interlocutrice fit signe à Emma qui attendait sur le seuil des doubles portes de la terrasse. La bonne se précipita à l'intérieur de la demeure et revint un instant plus tard avec une jeune femme blonde, mince et bronzée.

— *Voilà* le sujet, dit Frannie Halcyon. Mary Ann, permettez-moi de vous présenter ma fille DeDe. Mais je crois que vous vous êtes déjà rencontrées, je me trompe?

Le Triangle des Bermudes

Les bars où traînait Michael, quand il traînait, offraient souvent aux regards une énorme moto Harley-Davidson noire amoureusement astiquée, suspendue au plafond par des chaînes chromées luisantes.

Mary Ann, en revanche, hantait un endroit du nom de *Ciao,* un café de Jackson Street aux allures de salle de bains high-tech, dont un mur en céramique blanche supportait une mobylette tout aussi immaculée — une Ciao Vespa, évidemment — qui régnait sans partage sur les lieux dont elle était l'icône.

Ce jour-là, le Memorial Day, pendant que Mary Ann était au bord d'une piscine d'Hillsborough et Michael au bord d'une autre à Hollywood, Brian faisait ses dévotions à la moto de *son* choix, une scintillante Indian Warrior rouge des années cinquante qui pendait au plafond du *Dartmouth Social Club*, abreuvoir de Fillmore Street pour éternels étudiants.

Jennifer Rabinowitz avait surgi de nulle part.

— Mince alors, s'exclama-t-elle, qu'est-ce que tu fiches dans le Triangle des Bermudes?

Brian sourit. Les habitués des bars de célibataires de

Cow Hollow surnommaient volontiers le carrefour de Fillmore et Greenwich le « Triangle des Bermudes ». On parlait de programmeurs d'ordinateurs à peine nubiles et de quelques innocentes qui étaient passés par ce mystique point nodal et dont on n'avait plus jamais eu de nouvelles.

Cependant, il aurait été un peu exagéré de considérer Jennifer comme à peine nubile. Cela faisait une demi-décennie que Brian lui servait son café chez *Perry*. Ils étaient tous les deux des anciens combattants de la guerre des bars et Jennifer, tout comme son incroyable paire de seins, traînait toujours dans les environs.

— Faut bien manger quelque part, s'excusa Brian en levant son sandwich au rosbif. Prends une chaise et viens t'asseoir.

Elle s'exécuta avec un sourire carnassier.

— Tu as l'air en pleine forme, Brian. Réellement.

— Merci.

— Tu es vraiment *allé* à Dartmouth, hein ? Tu es donc en pleine semaine de nostalgie, non ?

Elle désigna du doigt la vitrine où était représenté à la feuille d'or un Indien de Dartmouth. Avec un rien de mélancolie, Brian se rendit compte que, dans le temps, il se serait fait un devoir de parler à ce propos d'un « Américain natif ».

— Ouais, admit-il, mais ce n'est pas ça. C'est juste que j'aime bien les sandwiches.

Il n'aurait plus manqué qu'elle le prît pour un vieux bourge qui revenait sur les lieux de ses crimes !

— Oui, approuva-t-elle, ils sont extra.

Elle n'arrêtait pas de sourire. *Elle te drague à mort*, se dit-il. Pourquoi les fruits tombent-ils toujours quand on ne secoue pas l'arbre ?

— Dis donc, reprit-elle, tu as des projets pour la journée ?

— A part bouffer mon sandwich, non.

— J'ai une herbe super, déclara-t-elle. J'habite juste

au coin de la rue, maintenant. Qu'est-ce que tu en dis? En souvenir du bon vieux temps?

Il avait déjà de la peine pour elle. Il se sentait proche de cette femme chaleureuse qui avait tellement bon cœur. Cela avait commencé cinq ou six ans plus tôt, le jour où elle lui avait dégueulé dessus pendant une fête. Il savait cependant ce qu'elle avait derrière la tête: la même chose que ce qui l'avait motivé lui aussi si longtemps, jusqu'au jour où Mary Ann était entrée dans sa vie.

— J'ai une meilleure idée, répliqua-t-il. Si je te payais un verre?

Le sourire vacilla un instant, mais elle se ressaisit.

— Bien sûr, dit-elle. Comme tu veux, c'est pas grave.

Il posa une main sur la sienne.

— Tu es très en beauté. Plus que jamais.

— Merci.

Elle lui sourit tout à fait sincèrement, puis elle fouilla dans son sac et en sortit une cigarette qu'elle alluma.

— Tu sais, je la regarde tous les jours.

— Qui?

— La fille qui présente une émission l'après-midi pendant la pub. C'est ta copine, maintenant?

— Si on veut, avoua Brian en rougissant. Enfin, pas exactement.

— Elle est très bien, je trouve. Naturelle. C'est rare, de trouver quelqu'un comme ça à la télé.

— Je lui transmettrai le compliment.

— Je pense bien!...

Jennifer prit une longue bouffée de sa cigarette en le considérant d'un air un peu amusé.

— Tu as la corde au cou, donc?

— Jennifer, je...

— Il n'y a pas de mal à ça, Brian. Ça arrive aux meilleurs d'entre nous. Moi, je suis toujours aussi implacablement célibataire.

— Ah ?

— Implacablement, répéta Jennifer en hochant lentement la tête.

— Ça te regarde, dit Brian.

— Exactement.

Elle l'observa en clignant des yeux un moment, puis elle lui donna une petite tape affectueuse sous le menton.

— Mais il y a des mecs qui ne se rendent pas compte qu'ils peuvent tirer un petit coup sympa entre copains, même quand on le leur propose en face.

Un petit coup de sifflet

Vuitton descendit en bondissant la pente qui lui était familière et aboya joyeusement devant la porte de la cabane. Luke en sortit presque aussitôt et accueillit son ancien compagnon :

— Whitey, mon bonhomme... Eh bien, mais regarde qui revoilà !

Il jeta un coup d'œil à Prue qui se trouva vaguement gênée de troubler des retrouvailles si intimes.

— Il me manquait, ce petit bonhomme !

— On dirait que vous lui manquiez aussi, remarqua-t-elle avec un sourire embarrassé.

— Joyeux Memorial Day ! lui souhaita Luke.

— A vous aussi.

— Le café est prêt, si...

— J'en serais ravie, se réjouit Prue.

Voilà qu'elle se sentait presque privilégiée qu'on l'invite, maintenant ! Comme une petite fille de conte de fées qui est parvenue à gagner la confiance du troll qui habite sous le pont du village.

Cependant, Luke n'avait rien d'un troll. Si on laissait

de côté ses vêtements miteux et son misérable logis, il était tout à fait séduisant, vraiment. Sa peau ambrée et ses pommettes saillantes trahissaient... quoi?... Du sang indien, peut-être?

Elle le suivit dans la cabane et s'assit sur le gros morceau de mousse. Vuitton resta dehors à pourchasser des bestioles dans les buissons. Lorsque Prue l'appela, Luke l'en dissuada :

— Il connaît le coin. Ne vous inquiétez pas pour lui. Il reviendra quand vous voudrez.

Il tendit à la chroniqueuse mondaine une tasse de café fumant et croisa son regard.

— Il est chez lui, à présent.

Prue eut un moment d'hésitation, puis elle baissa les yeux vers son café :

— Il sent merveilleusement bon.

— Tant mieux. Je suis content qu'il vous plaise.

— Au fait, Luke... Euh... Vous n'auriez pas trouvé un petit sifflet en argent, par hasard?

En souriant, il ouvrit sur l'étagère, au-dessus du feu, une boîte à cigares, et il lui tendit le sifflet Tiffany.

— Dieu merci! rayonna Prue. Je tiens tellement à ce petit machin idiot. Mon mari me l'a offert lorsque nous avons divorcé.

— Vous l'aviez perdu sur les rochers. Je l'ai mis de côté pour vous.

— Je suis si contente! Merci beaucoup.

Il y avait quelque chose de gamin et d'adorable dans le regard qu'il eut alors pour elle.

— C'est utile, pour une femme, quand elle veut se protéger. J'étais embêté que vous l'ayez perdu, il y a tellement de cinglés, de nos jours!

Il sourit en découvrant des dents étonnamment blanches et régulières.

— J'imagine que des tas de gens me prendraient pour un fou, non?

— Pas moi, fit Prue.

— Mais la première fois, si! insista Luke sans méchanceté. C'est normal. On juge les gens d'après la maison où ils vivent et les vêtements qu'ils portent. Cela prend un petit peu de temps pour voir ce qu'ils ont au fond du cœur, n'est-ce pas?

— Oui, concéda Prue, c'est sûrement vrai.

Elle baissa les yeux, souffla sur son café, touchée et gênée par une analyse aussi pertinente de leur première rencontre.

— Vous savez qui me fait confiance? demanda Luke.

— Luke, excusez-moi, murmura-t-elle, rougissante. Je vous fais confiance. J'étais simplement...

Elle leva les bras au ciel, incapable d'achever.

Luke eut un sourire indulgent:

— En dehors de vous, je veux dire.

Elle secoua la tête.

— Regardez, fit Luke en s'asseyant au bord de son lit.

Il se baissa et tambourina des doigts sur la terre battue.

— Chipper, Jack, Dusty...

Immédiatement, trois petits écureuils rayés sortirent de dessous le lit en trottinant et grimpèrent sur la main de Luke. Il les souleva à la hauteur de son visage et les caressa du bout de son nez.

— Ils me font confiance, eux. Le bison qui vit au bout du chemin me fait confiance. Tout comme les ratons laveurs qui logent au-dessus de la cascade.

Il reposa les petits rongeurs sur le sol.

— Je suis bon avec les humains, aussi, mais je n'ai pas autant de succès avec eux. Le tout, c'est de savoir quels talents on a, j'imagine.

Prue était fascinée. Elle se baissa pour caresser les écureuils, mais ils filèrent aussitôt sous le lit.

— Je comprends ce que vous voulez dire, fit-elle.

— Avant, j'avais tout un troupeau d'êtres humains, continua Luke.

— C'est-à-dire?

— Une congrégation, précisa-t-il.

— Vous étiez prêtre?

Luke acquiesça :

— L'amour des hommes est le chemin le plus difficile pour trouver Dieu, cependant. C'est plus facile ici avec les bêtes... et la beauté. Parfois, il y a tant de beauté autour de soi qu'on en pleurerait presque.

Ses dents blanches étincelèrent de nouveau.

— Vous comprenez? Non : c'est insensé, ce que je raconte.

— Je ne trouve pas ça insensé, affirma Prue. Qu'est-il arrivé à votre congrégation?

— Ils m'ont abandonné, répondit Luke en haussant les épaules. Ils ont perdu la foi. Plus personne ne veut trouver Dieu, maintenant.

Prue le fixa, les larmes aux yeux :

— Luke... Si je... Cela vous ennuierait si je... si je vous aidais à raconter votre histoire?

— A qui?

— Aux gens... Au public.

— *Vous êtes journaliste?*

— Non, pas exactement. Juste chroniqueuse. Vous pouvez me faire confiance, Luke, je vous le promets.

Il la considéra pendant un long moment, puis il leva un gros doigt calleux et essuya la larme qu'elle avait au coin de l'œil.

— Vous êtes remplie de l'amour de Dieu, annonça-t-il.

*Présentation à ****

Michael s'arrêta sur le seuil de la salle de projection et observa les deux géants agenouillés dans un coin auprès d'une pile de boîtes de films. On aurait dit des Vikings pillant une cave à vins, mais leurs rires étaient tellement enjoués et complices qu'un tiers aurait pu se méprendre et penser qu'ils étaient encore amants.

*** leva une boîte pour en faire lire l'étiquette à Ned.

— Et celui-là?

— Je ne sais pas, répondit Ned. Je crois que ça n'ira pas.

La star sourit tristement :

— Moi aussi. Je l'ai passé à des gamins l'autre jour et on n'était pas arrivés à la scène du foin qu'ils étaient déjà tous hystériques.

— Tu étais génial dans cette scène-là.

— C'est surtout mes dorsaux qui étaient géniaux dans la scène du foin.

— Vingt sur vingt, ouais! Et ils adoreront. Passe-leur, mec! dit Ned en assenant un grand coup sur la poitrine de ***.

— Bon. Peut-être que ça les retiendra de filer dans les buissons. M. Shigeda m'écorchera vif s'il retrouve ses bégonias écrabouillés. D'où ils sortent, au fait?

— Je ne sais pas, répliqua Ned. De Santa Monica Boulevard, je crois. D'après Guido, Charles lui a rapporté que Les pensait que ce serait une bonne idée.

— Et Dieu sait que Les peut en rameuter un bataillon en moins de temps qu'il n'en faut pour le dire, ajouta *** en riant.

Ned fit écho à son rire.

— Mon copain Michael est venu avec moi, annonça-t-il.

Michael vit là l'occasion d'intervenir :

— Euh... Présent!

Les deux têtes se tournèrent aussitôt vers lui. Toutes deux sourirent. Michael s'empressa d'entrer et de tendre la main.

— Michael Tolliver, dit-il. Super, la fête !

— Tu trouves ?

— Eh bien, je ne connais personne, évidemment, mais...

— Je vais t'indiquer un truc, plaisanta ***. S'ils sont blonds, ils s'appellent Scott. Et s'ils sont bruns, ils s'appellent Grant. Maintenant, tu connais tout le monde. Sauf moi. Je suis ***.

— Euh... Je m'y attendais un peu, concéda Michael.

— Vous n'êtes pas mariés, tous les deux ? s'enquit *** en regardant Ned.

— Pas question, répliqua ce dernier en faisant un clin d'œil à Michael.

— Il a besoin d'un mec, fit remarquer *** à Michael. Trouve-lui-en un, tu veux ?

— Il les largue au bout d'une semaine, rétorqua Michael.

— C'est vrai, ça ? s'étonna ***.

Ned haussa les épaules :

— Ça me plaît, d'être célibataire ! Il y a des tas de gens qui aiment ça. *Michael* par exemple, ajouta-t-il en cherchant l'approbation de son ami.

— Ce qu'il aime par-dessus tout, c'est s'envoyer en l'air ! railla Michael.

*** éclata d'un rire rugissant, puis il entoura d'un bras la tête de Ned et embrassa son crâne chauve.

— Dites, les mecs... Si on visitait la maison ?

— Je crois que pour ça vous pouvez vous passer de moi, remarqua Ned.

— Tu es déjà sur un coup ? demanda ***.

— Un certain Scott, oui ! reconnut Ned.

La star se tourna ensuite vers Michael :

— Et toi, tu es libre ?

— Absolument, murmura Michael. Je suis à vous.

Le tour du propriétaire les mena d'abord dans une mini-cinémathèque bien fournie, ensuite autour de la piscine et des cabines, puis dans un jardin en terrasse, et finalement aux chambres, situées à l'étage. Arrivé dans sa chambre, *** ouvrit toutes grandes les portes-fenêtres qui donnaient sur la foule des invités.

— Le film va commencer dans un instant. Ça va les calmer.

— C'est lequel? demanda Michael.

La star fit la grimace :

— ***. Un vrai navet, si tu veux mon avis.

— Celui-là, je ne l'ai jamais vu, avoua Michael.

— C'est bien ce que je dis, ironisa ***.

Michael le regarda en face pour la première fois.

— Je trouve que vous vous rabaissez trop, osa-t-il. Tous ces mecs sont quand même là pour quelque chose.

— Qui?

— Tous les... Les Scott et les Grant. Ça signifie bien quelque chose. Si vous pensez que les gens se font des illusions sur votre talent, en tout cas ils sont nombreux.

Michael sourit brusquement, gêné de sa propre audace.

— Enfin, c'est ce que je pense.

La star le dévisagea d'un air jovial.

— Tu travailles avec Ned dans sa jardinerie, hein?

— Oui.

— Et vous chantez dans un groupe tous les deux?

— Mmm, mmm.

Michael ne put dissimuler sa fierté.

— Le Gay Men's Chorus. Nous faisons une tournée dans neuf villes à partir de la semaine prochaine.

— Je crois que je ne comprends pas très bien ça, se renfrogna la star.

— Quoi?

— Que des gens puissent faire tout un plat du fait qu'ils sont pédés.

Michael hésita. Il avait déjà entendu la chanson des

milliers de fois, généralement dans la bouche de mecs plus âgés, comme ***, précisément ceux qui avaient souffert pendant des années en silence tandis que les autres, justement, faisaient tout un plat de leur homosexualité...

— On veut juste faciliter les choses, dit-il enfin. Que ce soit plus facile pour les hétéros de nous accepter. Plus facile pour les pédés d'être fiers de leur héritage et de leur culture.

— Leur culture ? gloussa tristement ***.

Michael se hérissa :

— Je trouve que c'est un mot qui convient bien, répondit-il en souriant à la star. D'ailleurs, vous en faites partie, de cette culture.

DeDe

La femme qu'elle voyait était pour elle presque une inconnue : ce n'était plus du tout la jeune mondaine grassouillette et terne dont se souvenait Mary Ann.

La nouvelle venue était svelte et bronzée, avec de longs cheveux blonds décolorés par le soleil, rassemblés en une queue de cheval qui lui descendait jusque dans le bas du dos. Vêtue d'un vieux chemisier — grand cru 75, probablement —, elle avait l'air aussi gauche qu'une naufragée à peine débarquée de son île déserte et qui essaie de remarcher avec des chaussures.

Mary Ann resta sans voix. Elle fixa DeDe, puis se retourna vers Mme Halcyon, bouche bée.

— Je n'arrive pas à... Je n'aurais jamais *cru*...

Mme Halcyon eut un sourire rayonnant, manifestement ravie de son petit effet.

— Toutes les deux, vous allez sûrement avoir des choses à vous raconter. Je vais vous laisser un petit moment seules. Si vous avez besoin de quoi que ce soit, appelez Emma.

Sur ce, la maîtresse de maison serra gentiment le bras de sa fille, lui donna un petit baiser sur la joue et rentra dans la maison par la double porte.

Mary Ann cherchait toujours ses mots, tout en s'avançant gauchement pour serrer l'apparition dans ses bras.

— Je suis tellement contente, DeDe, tellement contente ! murmura-t-elle, presque au bord des larmes.

Elle était surtout contente que quelqu'un ait pu se sortir sain et sauf de la tragédie de Jonestown. Elle ne connaissait pas très bien DeDe : pour elle, ce n'était que la fille de son patron et l'épouse de Beauchamp. Les deux femmes, en fait, s'étaient vues pour la dernière fois lors des obsèques de Beauchamp, où ni l'une ni l'autre n'avait particulièrement montré de chagrin.

Mary Ann lâcha DeDe en se souvenant brusquement :

— Oh... Et les enfants ?
— En haut, la rassura DeDe. Ils dorment.
— Dieu merci.
— Oui.
— Et... D'orothea ?
— Elle est à La Havane.

Elles dégustèrent du vin près de la piscine tandis que DeDe racontait son histoire.

— D'orothea et moi avons rejoint le Temple au Guyana en 77. Les jumeaux étaient encore tout bébés, mais je voulais qu'ils grandissent dans un endroit où il n'y avait aucun préjugé. Leur père était chinois. Je crois que vous le savez.

Mary Ann hocha la tête : la ville entière était au courant.

— Je ne vous demande pas de me croire, mais j'ai éprouvé à Jonestown une sensation que je n'avais jamais encore connue : j'avais l'impression d'avoir un but dans la vie. Le troisième jour, Jones a organisé une séance de catharsis et m'a demandé de me lever et de raconter.

— Une séance de catharsis ?

— C'était comme ça qu'il les appelait. C'étaient des soirées où il nous convoquait tous pour confesser nos péchés. Quand je me suis levée, il m'a dit : « OK, princesse chérie, qu'est-ce que tu crois que tu peux faire pour la révolution, *toi* ? » Je savais que je ne pouvais pas lui mentir, alors je lui ai dit que je n'avais aucun talent et il m'a répondu : « Tu sais acheter des choses, non ? » Et c'est ce que je me suis retrouvée à faire. Je suis devenue une sorte d'intendante pour Jonestown.

— Quel était votre emploi du temps ?

— Eh bien, deux fois par semaine, je prenais le *Cudjoe,* un petit chalutier qui appartenait au Temple ; je le prenais à Port Kaituma...

— J'ai bien peur qu'il faille m'expliquer...

— Le village voisin. Sur la rivière Barima. C'est là qu'est la piste d'atterrissage. Là où ils ont tué le député.

Mary Ann hocha gravement la tête.

— Il fallait six heures depuis Port Kaituma pour rallier Kumaka où je faisais la majorité des courses, continua DeDe. Je supervisais le chargement du *Cudjoe,* des vivres, principalement. Ça me prenait trois heures, et nous rentrions toujours dans la journée. Le capitaine était un certain William Duke, qui ne travaillait pas pour le Temple, mais qui était... un sympathisant, disons. C'était un communiste, le représentant du parti à Port Kaituma. Il m'aimait bien et il adorait les gosses. Plusieurs jours avant... l'événement, le capitaine Duke m'a prise à part dans la cabine et m'a informée du contenu du tonneau arrimé sur le pont. Cinquante kilos de cyanure.

— Mon Dieu ! s'exclama Mary Ann en écarquillant les yeux.

— Remercions-Le de m'avoir donné ce boulot merdique et d'avoir mis ce type sur mon chemin. Sinon, je n'aurais jamais su.

Une lueur épouvantée passa dans son regard.

— Bon, dit Mary Ann, essayant de la réconforter. C'est fini, maintenant, vous êtes rentrée et vous êtes en sécurité, chez vous.

DeDe se servit le reste du vin et reposa la bouteille avec une mine qui laissait entendre qu'elle se sentait tout sauf en sécurité chez elle.

— Excusez-moi, fit-elle en désignant son verre. Je vais en avoir encore besoin pour poursuivre.

Entre-temps...

Jennifer Rabinowitz s'assit dans le lit pour remettre son soutien-gorge.

— C'était pas une herbe géniale, ça ?

— Mmm.

— C'est mon copain Scooter qui la fait venir directement de la Jamaïque. Il dit que Bob Marley fumait la même. C'est un peu comme... l'herbe officielle du mouvement reggae !

— De l'herbe rasta, quoi.

— C'est ça. C'est bien le mot. Je crois que je pourrais adopter ça, pas toi ?

Elle était à quatre pattes en train de chercher son collant sous les draps.

— Quoi ? La religion ?

— Ouais. Je veux dire, c'est une religion hypergéniale. Ils fument des joints énormes, ils dansent tout le temps et ils sont pour l'égalité des droits, et tout et tout...

— Ils pensent aussi qu'Hailé Sélassié était Dieu. *Est* Dieu.

— Ouais, je sais. Ça me poserait un problème, ça, je crois.

Elle réfléchit à la question tout en se tortillant pour enfiler son collant.

— Pourtant, ça vaudrait quand même la peine, pour l'herbe. Tu peux regarder si tu vois ma jupe de ton côté?

Il secoua lentement la tête.

— Elle est dans l'autre pièce.

— Mais ouiii! Je suis tellement défoncée!

Elle sauta du lit et s'arrêta soudain sur le seuil de la chambre.

— Écoute, fit-elle gravement en penchant la tête de côté. Si je te donne l'impression de te flanquer dehors, c'est bien le cas. J'ai un cours d'aérobic à quatre heures et comme on sort pas vraiment ensemble...

— Pas de problème.

— T'es génial, comme mec. J'ai vraiment passé un moment super, ajouta-t-elle en sautillant sur place pour enfiler une chaussure. Et je suis consciente que ça fait salope de dire ça, crois-moi.

— J'ai passé un bon moment aussi, avoua-t-il en riant.

— Je peux te déposer quelque part?

— Merci. J'habite dans le quartier.

— C'est quoi, ton nom de famille, au fait?

— Smith.

— John Smith? C'est vrai?

Il hocha douloureusement la tête :

— Malheureusement, oui.

— C'est à crever de rire. On devrait aller à l'hôtel sous ce nom-là, un jour.

Il ne releva pas.

— Peut-être qu'on se reverra au *Balboa,* conclut-il simplement.

— Ouais, probable, dit-elle avec entrain. Peut-être. C'était sympa. Vraiment. J'étais un peu déprimée avant de te tomber dessus.

La saga continue

Un rouge-gorge lançait des trilles dans un arbre d'Halcyon Hill, un bien curieux accompagnement, vraiment, pour une histoire aussi lugubre que celle-là.

— Attendez un instant, interrompit Mary Ann. Comment pouviez-vous être sûre que le cyanure était censé servir à... ce à quoi il a servi ?

— Je le savais, affirma DeDe. Si vous aviez été là-bas, vous auriez su. Le capitaine Duke en était encore plus convaincu que moi. Il connaissait également la fixation que faisait Papa sur les jumeaux et il savait que...

— Votre *père* était... ?

— Mon père ?

— Vous avez dit Papa.

DeDe grimaça un sourire.

— Je voulais dire *lui,* Jones. Nous l'appelions Papa, enfin, certains d'entre nous.

Elle frissonna, bien qu'elle fût assise en plein soleil.

— Si ça, ça ne vous fiche pas la trouille, vous êtes blindée.

Mary Ann avait déjà la chair de poule. Elle leva le bras pour le montrer à DeDe, qui continua :

— Le fait est que... Jones était obsédé par mes enfants. Il les appelait ses petites merveilles du tiers monde. Il les considérait comme l'espoir du futur, l'incarnation de la révolution. Parfois, il les prenait à part à la crèche de jour et il leur chantait des chansons. Je savais qu'il ne partirait pas sans eux.

Elle fixa Mary Ann droit dans les yeux.

— Je savais qu'il ne se suiciderait pas sans les tuer aussi.

Mary Ann hocha la tête, comme hypnotisée.

— Alors j'en ai parlé avec D'orothea et nous avons fait le projet de nous enfuir... avec l'aide du capitaine Duke. Nous sommes parties le matin habituel pour Kumaka. Parfois, D'orothea m'accompagnait, donc personne n'a eu de soupçons. Évidemment, il a fallu faire monter les jumeaux à bord en cachette. Quand nous sommes arrivés à Kumaka, nous avons pris des vivres, puis nous avons continué à remonter la rivière jusqu'à un village nommé Morawhanna, où Duke a graissé la patte du capitaine du *Pomeroon,* un cargo qui faisait la liaison régulière entre Morawhanna et Georgetown... habituellement avec une cargaison de poissons.

— Euh... de poissons morts ?

— Non. Des poissons tropicaux. C'est une des plus grosses exportations du Guyana. Ils sont transportés dans de gros fûts en métal, et comme certains étaient vides, nous nous sommes cachés dedans jusqu'à ce qu'on arrive à Georgetown. Vingt-quatre heures après.

— Mon Dieu ! dit Mary Ann.

— J'ai donné un somnifère aux enfants. Ça nous a un peu aidés. Mais la majeure partie du voyage se faisant par mer, ç'a été épouvantable. La pire expérience de ma vie. Ç'a été un peu plus facile une fois qu'on est arrivés à Georgetown. Le capitaine Duke avait tout arrangé pour qu'un autre membre du parti nous accueille...

— Vous avez plusieurs fois cité un parti. Lequel est-ce ?

— Le PPP : Parti progressiste populaire. Des guérilleros communistes cachés dans la jungle. Ils nous ont fait monter dans un avion pour La Havane vingt-quatre heures après. D'orothea et moi étions déjà embauchées dans une conserverie quand la nouvelle du massacre nous est parvenue.

128

— Combien de temps avez-vous vécu à La Havane, alors ?

— Deux ans et demi. Jusqu'au mois dernier.

— On ne voulait pas vous laisser rentrer chez vous ?

— Si vous voulez dire *ici*, non, c'est moi qui ne voulais pas. D'orothea et moi étions heureuses. Les enfants aussi. Il y avait des principes, dans tout ça, des choses auxquelles on tenait.

DeDe eut un sourire désespéré.

— *Tenait*. Imparfait. Mais l'une de nos chères camarades a tout découvert.

— Découvert quoi ?

— Que D'orothea et moi étions ensemble.

Mary Ann rougit malgré elle.

— Donc, ils vous ont... euh... déportées ?

— Oui. Ils nous ont donné le choix, si on veut. D'orothea a décidé de rester. Pour elle, être socialiste était plus important qu'être lesbienne. Je n'étais pas d'accord, déclara-t-elle avec une modestie affectée, alors j'ai fini à Fort Chaffee, en Arkansas, où j'ai fait ce que je fais toujours quand je suis vraiment dans la merde.

— Et c'est... ?

— Appeler maman, fit DeDe avec un pauvre petit sourire.

Après, elles montèrent sur la pointe des pieds dans la chambre où les deux enfants de DeDe, âgés de quatre ans à présent, dormaient à poings fermés. En les voyant là, étalés bienheureusement sur les draps, Mary Ann se souvint des petites poupées en soie que l'on vendait dans Chinatown.

— Qu'ils sont beaux ! chuchota-t-elle.

— Edgar et Anna, rayonna DeDe.

— Les prénoms viennent de votre père et de... qui ?

— Je ne sais pas, avoua DeDe. Mon père aimait simplement ce prénom. Il m'a demandé sur son lit de mort d'appeler ma fille comme ça.

— Quand je pense à tout ce qu'ils ont vu!... fit Mary Ann en regardant les enfants. Ils se souviennent de quelque chose?

— Du Guyana, non, si c'est de ça que vous parlez.

— Dieu merci!

Mary Ann reprit après un silence :

— Je ne peux pas m'empêcher de vous le dire. Cette histoire est tout simplement... extraordinaire, DeDe. Je suis tellement flattée que vous m'ayez choisie pour la raconter.

— J'espère que ça vous rendra service.

— Mais il y a quelque chose que je ne comprends pas, malgré tout.

— Oui?

— Pourquoi voulez-vous attendre avant de la rendre publique? Il faudrait en parler maintenant, il me semble. Si vous décidez de vous cacher, tôt ou tard quelqu'un va...

— J'ai des choses à faire avant, répondit sèchement DeDe.

— De quel... genre?

— Je ne peux pas encore vous le dire, répliqua DeDe.

Quand elle se pencha pour embrasser les enfants, une lueur indéfinissable passa dans ses yeux.

Dans le saint des saints

*** s'assit dans le lit et alluma une cigarette.

— Peut-être qu'on devrait faire une petite pause, non?

— D'accord, dit Michael. Je suis désolé.

Ah, bon sang, ce qu'il était désolé, oui!

— C'est pas grave, bonhomme...

130

— Pour toi, peut-être!

— Mais non, ce n'est pas grave. Ça arrive tout le temps.

— C'est vrai?

Michael s'assit à son tour et ils se retrouvèrent tous les deux adossés à la royale tête de lit.

La star lui pinça une cuisse.

— Mais oui, tout le temps!

— Ça doit finir par être chiant, remarqua Michael.

Le même sourire ensommeillé, paupières mi-closes, qui semblait faire tellement d'effet à l'écran sur les partenaires féminines de *** se dessina sur son visage.

— Je suis un mec comme toi, tu sais.

— Non, ce n'est pas vrai, répliqua Michael en lui rendant son sourire.

— Te tracasse pas, le rassura *** en tirant sur sa cigarette. On n'est pas pressés. Pas moi, en tout cas.

— Mais le film ne doit pas se terminer bientôt?

La star haussa les épaules.

— Tu n'as rien manqué. Ça, je peux te le promettre.

— *En bas,* peut-être.

— Hé, du calme, bonhomme... Si je ne t'excite pas, ce n'est pas dramatique.

— Tu rigoles? Quand j'avais onze ans, tu m'excitais déjà!

— Eh bien! s'exclama ***. Merci du compliment!

Michael répondit par un sourire penaud:

— Je ne m'en sors pas très bien, hein?

*** le regarda affectueusement et lui ébouriffa les cheveux.

— Si, très bien. Sacrément bien, même.

— Quel gâchis! se lamenta Michael. T'as une si belle queue.

L'acteur le remercia encore, mais cette fois d'un hochement de tête.

— Je n'arrive pas à croire que je puisse gâcher ça comme un con, marmonna Michael. Je veux dire, merde... Combien d'occasions on peut avoir dans sa vie de baiser avec *** ?

— Deux ou trois, plaisanta la star en pinçant un téton de Michael. Et on peut avoir des lasagnes aussi ! Peut-être. Guido est en train d'en servir au troupeau, en bas. Si j'allais nous en chercher une assiette ?

Un quart d'heure après, quand *** revint avec les lasagnes, Michael avait une bonne nouvelle à lui annoncer :

— J'ai retrouvé l'étui à poppers. Il était coincé entre le matelas et la tête de lit.

— Génial, fit *** en se glissant dans le lit avec l'assiette et deux fourchettes.

Michael examina l'étui en cuir noir.

— Waouh ! Avec tes initiales et tout. Et du *vrai* poppers dedans. Mince, tout est vraiment grandiose, ici, à *Harmonia Gardens*.

*** planta une fourchette dans les lasagnes et la tendit ensuite à Michael.

— C'est un cadeau de Ned. Pour Noël, il y a deux ans. Il sait ce que j'aime.

Michael avala une grosse bouchée de pâtes.

— Il a suffi de ça, tu sais : ces putains d'initiales inscrites sur ce petit étui. Du coup je me suis dit : « Ça y est ! Me voilà dans le rôle de la belle ***. »

— Elle est un peu plus coriace que toi, remarqua l'acteur. Mais je te préfère comme t'es foutu.

Michael sourit, la bouche pleine :

— Quelque chose me fait penser que c'est pas la première fois que tu la sers, celle-là.

— Eh bien, disons que tu n'es pas vraiment le premier mec qui a l'impression d'être ***, répondit *** en regardant sa fourchette.

— OK.

— Ça passera. Parfois, ça prend du temps.

— Je crois que c'est déjà passé.

— Hein ?

— Ça t'embête si on laisse tomber les lasagnes et qu'on ressaie ?

— Ça tourne ! répliqua ***.

Quelque part dans l'Arizona, Michael fait du stop sur une autoroute déserte. Le routier qui s'arrête pour le prendre est plus vieux que lui, grisonnant, un peu marqué, mais il a un corps massif et bien dur. Sans un mot, il pose une main aux veines épaisses sur la cuisse de Michael et l'emmène dans un hôtel sordide au bord du désert. C'est là que cela arrive enfin, là que Michael sent sur ce cou bronzé l'odeur et le goût du diesel et qu'il s'abandonne totalement aux désirs d'un inconnu.

— Euh... Michael ?

— Mmm ?

— Ça va ?

— Est-ce que toutes les *copines* ont une robe rouge dans leurs rêves ?

— *Quoi ?*

— Pardon. Je faisais juste de l'humour de folle post-coïtal.

— Ah.

— Mais ça va. Et toi ?

— Ça va aussi. Tout est possible, hein ?

— Mmm, mmm, répondit rêveusement Michael en se demandant si, quelque part en Arizona, une autostoppeuse solitaire dormait dans les bras d'un routier, mais en rêvant de la même idole que lui.

Ça n'aurait été que justice !

Retour au ventre maternel

Le centre Samadhi de Van Ness était situé en face d'une boutique de pots d'échappement Midas et à côté d'un Hamburger Hippo.

— Rien que de voir ça, je me sens déjà tout mystique, lança Brian à Mary Ann, en montant dans l'ascenseur.

En levant les yeux au ciel, celle-ci appuya sur le bouton du troisième.

— C'est pas comme dans *Altered States,* tu sais. Je ne t'impose pas un trip psychédélique, ce ne sera que ce que tu auras bien voulu en faire. Brian, promets-moi de ne pas jouer au petit malin devant les employés. Prends cet endroit au sérieux.

— D'accord, jura Brian en adoptant une expression sobre et plus appropriée. Tu es vraiment membre de ce truc ?

— J'ai payé pour dix séances, répliqua Mary Ann. Je peux en bénéficier quand je veux.

— Et ça t'a coûté combien ?

— Cent vingt-cinq dollars.

Brian émit un petit sifflement.

— Plutôt bon marché, continua Mary Ann. Ça n'est pas cher pour l'effet que ça me fait. En plus, c'est tout près du boulot et je...

— D'où tu sors tout ce fric ?

— Quel fric ?

— On vit comme des princes depuis une semaine, Mary Ann. Depuis ton retour d'Hillsborough.

— Oh, on a peut-être fait deux-trois dépenses par-ci, par-là.

— Tu parles... Dîner à *L'Orangerie,* énuméra Brian en comptant sur ses doigts. Euh... Deux billets achetés hors de prix à la dernière minute pour le concert de Liza Minnelli. Cet énorme fer à cheval en fleurs que tu as fait porter à Michael pour le départ de sa tournée. J'ai oublié quelque chose?

Mary Ann refusait de le regarder.

— C'est la vieille peau, hein? insista Brian. Elle te file du fric, c'est ça?

— Brian...

— Réponds au moins à ça, OK?

— OK! avoua Mary Ann. Elle me donne de l'argent. Tu es content, à présent?

— J'en étais sûr! Elle t'achète des tuyaux pour faire ses courses pas cher!

La porte de l'ascenseur s'ouvrit.

— Très drôle, dit Mary Ann en entrant d'un pas vif dans le hall moquetté de gris high-tech. Tu vas te tenir correctement, maintenant?

La cabine de Brian était pourvue d'un caisson Samadhi et d'une douche. Le caisson arrivait à hauteur d'épaules et était grosso modo de la taille d'un lit d'une personne. D'après l'employé, il contenait vingt-cinq centimètres d'une solution d'eau avec quatre cents kilos de sels d'Epsom.

— Il fait noir, dedans? demanda Brian.

— Tout à fait noir, confirma l'employé. Nous fournissons aussi des bouchons d'oreille, si vous voulez.

— Comment saurai-je que l'heure est terminée?

— Ils jouent de la musique, répondit Mary Ann.

— *Dans le caisson?*

— Du Pachelbel, ajouta l'employé avec un air extatique.

— Tout ce que j'aime, maugréa Brian.

Mary Ann lui lança un regard noir :

— Je serai dans la cabine en face de la tienne.

— Le dernier arrivé au nirvana est un crétin, ironisa Brian avec un clin d'œil.

Il lui fallut plusieurs minutes pour s'y habituer, pour accepter le fait qu'il pouvait se détendre, voire dormir, allongé sur le dos dans les ténèbres, suspendu comme un fœtus, dans ce caisson rempli d'une eau tiède et visqueuse.

En outre, les bouchons d'oreille étouffaient tous les sons, sauf celui de sa respiration.

Ce n'était pas ce dont il avait envie.

Il s'extirpa du caisson, prit une douche pour se débarrasser de ce sel gluant et traversa prestement le couloir pour rejoindre la cabine de Mary Ann. Toujours nu, il frappa à son caisson.

Le couvercle de plastique s'ouvrit et il aperçut le blanc de ses yeux.

— Brian ! Tu m'as foutu une peur bleue !

— Excuse-moi.

— Est-ce qu'on t'a vu venir ici ?

— Non. La cohabitation est interdite ?

— C'est censé être comme le *ventre maternel,* Brian.

— Et je devrais retourner dans le mien, c'est ça ?

— Tu es vraiment infernal, répliqua-t-elle enfin.

— C'est pas grave. On leur dira qu'on est des jumeaux.

Ils flottaient dans l'espace, se frôlant le bout des doigts.

— Je te propose un marché, chuchota Brian.

— Quoi ?

— Si tu me parles de ta mission secrète à Hillsborough, je te parlerai de Jennifer Rabinowitz.

— Pas question.

— Je vais te le raconter de toute façon.

— Je m'en doutais, dit Mary Ann. C'est qui ?

— Juste une nana que je fréquentais autrefois, pour passer le temps.

— Et... ?

— Et... je n'ai pas baisé avec elle quand tu étais à Hillsborough.

Mary Ann se mit à rire :

— Super !

136

— *J'aurais pu!* Ç'aurait été facile. Elle était au courant pour toi et elle s'en fichait.

— Brian. Je m'en fiche, moi aussi.

— Ça aussi, je le savais. Elle s'en fichait, tu t'en fichais et elle savait que je savais que tu t'en fichais. J'avais toute latitude de baiser Jennifer et je ne l'ai pas fait.

— Je ne crois pas qu'on te décernera une médaille pour ça, mon vieux, dit-elle en serrant sa main dans la sienne.

— Je ne veux pas de médaille, murmura-t-il. Je veux seulement que tu saches ce que ça signifie.

— Je sais ce que ça signifie, conclut-elle doucement.

Un nouveau saint François

Au volant de sa Cadillac El Dorado Biarritz rouge année 57, le père Paddy avait une allure séculière plutôt troublante. Prue comprenait pourquoi la voiture gênait depuis longtemps l'archevêché, mais elle se disait aussi qu'une vraie personnalité de la télévision comme lui avait droit à certains caprices.

— Eh bien, dit le père Paddy en souriant à la chroniqueuse mondaine, quelles sont les nouvelles de votre homme des bois?

Prue fronça les sourcils d'un air gentiment réprobateur :

— C'est un homme très bon, mon père.

— Sous-entendais-je le contraire?

— D'ailleurs, il était dans les ordres, avant.

— Catholique? demanda le prêtre en haussant un sourcil.

— Non... Une sorte de protestant, je crois. Et avant ça, il était courtier en Bourse.

— *Quoi?*

— Je n'ai aucune raison de ne pas le croire, se défend-it-elle. Il ne parle pas beaucoup, mais il s'exprime très bien. Il est stupéfiant, mon père. Il a tout fait. Il a même enseigné l'anglais dans une école de Rio. Il a tout fait, et à présent il...

— Continuez, je vous en prie.

— Il vit. Il existe. Il vit dans la lumière de Dieu.

— Est-ce qu'il vous a déjà tapé de l'argent?

Prue fut choquée.

— Mais non! En fait, je lui en ai proposé pour l'aider et il a refusé.

— Je vois.

— Il habite là-bas depuis près d'un an et demi, à ce qu'il m'a dit. La police du parc est au courant, mais on le laisse faire parce qu'il respecte l'environnement. Il est d'ailleurs merveilleux avec les animaux. Il a trois petits écureuils qui habitent sous son lit.

Le père Paddy fronça les sourcils.

— C'est tout ce qu'il y a de plus charmant, mon enfant. Mais il vit de *quoi*?

— Je ne sais pas. Il fait les poubelles, peut-être.

Prue se tourna pour regarder le paysage, tandis que la Biarritz montait vers Pacific Heights.

— Votre scepticisme me consterne, mon père. Il ressemble beaucoup à saint François, en fait.

Le prêtre concéda un sourire indulgent.

— Je ne m'inquiète que de votre sécurité, ma chère.

Elle lui prit une main avec gratitude.

— Je sais bien. Mais c'est une histoire tellement touchante, vous ne trouvez pas?

— Combien de fois êtes-vous allée le voir, au fait?

— Euh... Je ne sais plus très bien.

— Environ?

Elle fouilla dans son sac pour prendre son rouge à lèvres et avoua :

— Disons cinq ou six fois.

Une lueur malicieuse passa dans les yeux du père Paddy.

— Eh bien, constata-t-il, eh bien... Une *longue* histoire, en plus !

Le mot est prononcé

Depuis près d'une semaine, Frannie Halcyon avait la tête qui lui tournait comme une gamine. Elle croyait de nouveau à la vie, aux enfants, au soleil, à la maternité, aux miracles. Et plus que jamais, elle mourait d'envie de partager sa joie avec le monde entier.

— Viola a appelé aujourd'hui, annonça-t-elle au déjeuner, et c'est tout juste si j'ai pu tenir ma langue.

— Ne plaisante pas avec ça, maman, gronda DeDe.

— Je sais, je sais.

— J'ai besoin de temps, maman. Viola appellerait le *Chronicle* à peine aurais-tu raccroché. Essaie de m'aider sur ce coup-là, tu veux ?

— Je suis allée te chercher Mary Ann, non ?

— Je sais, maman, et j'apprécie...

— Je ne comprends tout bonnement pas pourquoi il te faut tout un mois, DeDe. Je suis sûre qu'une semaine ou deux...

— Maman !

— Je n'ai rien dit.

Frannie baissa les yeux sur sa salade d'épinards.

— Tu lui as parlé, aujourd'hui ?

— A qui ?

— A Mary Ann.

— Elle vient demain.

— C'est une si gentille fille, dit Frannie.

— Elle veut m'enregistrer.

— Oh... Je vois.

139

Frannie replongea le nez dans sa salade.

— Elle veut que tu racontes ce que tu as vécu, j'imagine ?

DeDe la regarda d'un air légèrement agacé :

— C'était ce dont nous étions convenues, maman.

— Oui, bien sûr.

— Elle a promis de ne rien publier jusqu'à la fin du mois. Je lui fais confiance.

— Moi aussi. Euh... DeDe ?

— Oui, maman ?...

— Tu ne vas pas parler de tes... histoires avec D'orothea, quand même ?

DeDe resta la fourchette en l'air et leva les yeux, furieuse :

— Maman, *toute* cette histoire, je l'ai vécue avec D'orothea ! J'ai vécu avec elle pendant quatre ans, d'accord ?

— Tu sais très bien pourquoi je dis ça.

— Oui, répondit froidement DeDe. Je sais très bien pourquoi.

Elle se mit à piocher dans sa salade comme si elle essayait de tuer quelque chose qui s'y serait caché.

— Tu as très clairement exprimé ton opinion sur la question.

Frannie hésita, tout en se tamponnant les coins de la bouche avec sa serviette.

— DeDe... Je crois que j'ai été plus... compréhensive que bien des mères ne l'auraient été. J'ai accepté ces délicieux enfants depuis longtemps, n'est-ce pas ? Je ne... *comprends* pas très bien ton amitié avec D'orothea, mais je ne me permettrai jamais d'exprimer un jugement. Je trouve seulement que ce n'est pas un sujet à aborder publiquement.

— Pourquoi ? demanda DeDe sans lever le nez.

— C'est de mauvais goût.

DeDe posa sa fourchette et regarda longuement sa mère avant de reprendre la parole.

— Alors, dit-elle enfin en tordant la bouche, il faudrait que je limite mes souvenirs à des choses de *bon goût* comme le cyanure et la torture en public. Super, maman, merci du conseil !

— Tu n'as pas besoin d'être aussi désagréable, DeDe.

— D'orothea Wilson m'a aidée à sauver la vie de tes petits-enfants. Tu lui dois *beaucoup,* maman.

— Je sais. Je lui en suis reconnaissante.

— D'ailleurs, je me suis retrouvée avec les réfugiés homosexuels cubains. Je suis une *gouine,* c'est écrit noir sur blanc, maman. Dans des rapports officiels, nom de Dieu !

— Ne prononce jamais ce mot-là en ma présence, DeDe ! s'écria Frannie en froissant nerveusement sa serviette. Tu sais, les autorités chargées des réfugiés auraient très bien pu faire une erreur d'écriture.

— Je l'aimais, répondit froidement DeDe. Et ça, ça n'était pas une erreur d'écriture.

L'harmonie régna de nouveau après le dîner, lorsque Frannie, DeDe, Emma et les jumeaux allèrent gambader tous ensemble sur la pelouse. Frannie prenait un plaisir tout neuf avec ses petits-enfants, ces délicieux petits lutins aux yeux en amande qui l'appelaient « Magnie » et qui s'ébattaient sur le sol américain comme s'il avait toujours été le leur.

Une fois que DeDe et les enfants furent partis se coucher, Frannie se mit à son tour au lit avec un roman de Barbara Cartland.

Peu après minuit, elle perçut des gémissements qui provenaient de la chambre de DeDe ; elle s'extirpa péniblement de son lit et descendit le couloir pour écouter à la porte de sa fille.

— Non ! entendit-elle. Papa... JE T'EN SUPPLIE, PAPA... NON, S'IL TE PLAÎT, NON... OH, MON DIEU ! AIDEZ-MOI ! PAPA ! PAPA !

Frannie ouvrit la porte d'un seul coup et se rua au chevet de DeDe.

— Ma chérie, tout va bien. Maman est là, maman est là, murmura-t-elle en berçant sa fille dans ses bras.

DeDe se réveilla et se mit à sangloter.

Dans la chambre voisine, les jumeaux sanglotaient aussi en chœur.

Carnet de bord

Chers Mary Ann et Brian,

Salutations de Motown ! La tournée se passe très bien pour l'instant, bien que je n'aie pas réussi à rencontrer quelqu'un qui ressemblât, même de loin, à ***. Hier matin, en quittant Lincoln, nous avons eu tout un 737 pour nous tout seuls, et évidemment, on a fait les cons. Mark Hermes, l'un des barytons, a mis une perruque, un foulard et un tablier, deux tasses en plastique pour faire les boucles d'oreilles, et a imité l'hôtesse de l'air qui donnait les consignes de sécurité : elle a adoré ! Le personnel de tous les avions a été génial, d'ailleurs, surtout les deux canons qu'on a eus (malheureusement pas dans tous les sens du terme) comme stewards sur la Northwest entre Chicago et Minneapolis. L'un des deux était pédé ; pour l'autre, on avait simplement des doutes. Évidemment, c'est celui sur lequel on avait des doutes qui me plaisait le plus !

Lincoln, croyez-le si vous voulez, a été l'endroit le plus sympa pour l'instant. Les pédés du coin nous ont préparé un petit brunch végétarien très chouette dans Antelope Park. (En fait, on a eu droit à tellement de petites bouffes végétariennes que j'ai l'impression d'être devenu lesbienne.) Le principal bar gay de Lincoln s'appelle L'Alternative — discret, non ? C'est un endroit où il y a des travelos complètement nuls, des Blancs qui imitent Aretha Franklin, etc. On a presque tous préféré aller ailleurs (puisqu'on avait l'alternative!), dans un endroit qui s'appelle Le Salon. Comme il y faisait une chaleur étouffante, on a tous enlevé nos chemises après avoir dansé. Le truc à ne surtout pas faire : il doit y avoir une loi qui interdit d'enlever sa chemise, au Nebraska.

Le chœur devait passer sur la dixième chaîne à Lincoln, mais le directeur d'antenne a annulé à la dernière minute en disant qu'il ne voulait pas « imposer ça aux téléspectateurs » — je ne sais pas ce qu'il voulait laisser entendre par là. En général, cela dit, les gens ont été drôlement gentils. Les spectateurs à la First Plymouth Church étaient pour moitié des vieilles dames : les vieilles dames, elles, savent reconnaître les « gentils jeunes gens » !

Le public de Dallas était clairsemé — peut-être parce que le News avait refusé de faire paraître notre pub. Nous nous sommes consolés avec une soirée-piscine privée, donnée dans la très chic résidence d'un médecin nommé — je n'invente pas — Ben Casey. Quelques-uns d'entre nous ont fait un très beau numéro de ballet aquatique en nu intégral sur la musique de Tea for Two.

Au Texas, nous sommes descendus au Ramada Inn de Mesquite — la ville qui a donné au monde les bombes de laque pour les cheveux — et nous avons eu un succès dingue dans le restaurant du coin où une serveuse prénommée Loyette (prononcer : Lowette) trouve que nous sommes ce qu'on a fait de plus génial depuis Elvis. Ah oui : au Ramada Inn, nous avons été privés d'eau chaude. Cent trente-cinq pédales privées d'eau chaude, c'est pas joli à voir ! Et pour ne rien arranger, l'endroit le plus « accueillant » est le sauna de la First Baptist Church — un énorme complexe qui occupe environ quatre pâtés de maisons au centre de Dallas : on y trouve beaucoup d'organistes, si vous voyez ce que je veux dire.

Après le concert de Minneapolis, nous sommes allés dans un bar qui s'appelle Années Quatre-vingt-dix. Apparemment, il s'appelle comme ça depuis des années, alors que c'est le plus vieux bar de pédés de la ville. Il y a trois salles distinctes — une pour les cuirs, une pour les folles disco, une pour les BCBG. J'ai vainement erré de l'une à l'autre, en proie à ma crise d'identité habituelle. Ned s'est bien évidemment précipité dans la salle cuir et a empoché tellement de numéros de téléphone qu'on aurait pu décorer avec tous les murs des chiottes de la gare.

David Norton, l'un des ténors, a eu vingt personnes de sa famille dans la salle pour le concert de Minneapolis. C'est arrivé souvent un peu partout. A chaque fois, embrassades et sanglots à gogo dans les coulisses. A Minneapolis, j'ai aussi rencontré un couple — tous les deux quatre-vingts ans — qui sont venus me voir dans le hall après le concert pour me remercier. C'étaient un frère et une sœur, tous les deux homos, et ils avaient fait tout le chemin depuis leur ferme du Wisconsin pour nous entendre chanter. Ils avaient les cheveux blancs, des yeux d'un bleu incroyable, et je n'ai pas pu m'empêcher de penser « au vieux célibataire excentrique et à sa sœur vieille fille » qui habitaient ensemble au bout de ma rue à Orlando. On a parlé pendant un petit quart d'heure et puis, au moment de partir, on s'est embrassés comme si on se connaissait depuis toujours. La vieille dame m'a dit : « Vous comprenez, quand on avait votre âge, on ne savait même pas qu'il y avait un mot pour qualifier ce que nous sommes. »

Comme le dit la chanson : « Plus je m'éloigne de toi, plus je t'aime. » Restent encore New York, Boston,

Washington et Seattle. Un gros baiser à Mme M. Dites-lui que les gâteaux magiques étaient parfaits. Je file.

Michael.

P.-S. : Je sais de source officielle que le chœur sera de retour en ville dans les environs de la 18ᵉ Rue et de Castro à dix-sept heures, le jour de la fête des Pères. Si vous pouvez venir, je serai ravi de voir vos visages épanouis dans la foule. Que Brian n'oublie pas de mettre un truc moulant.

P.-P.-S. : Les mecs de Dallas font étalage de leurs muscles comme s'il s'agissait de boas en plumes.

De sa terre sauvage un Éden

La citation biblique préférée de Luke était tirée d'Isaïe :

Car le Seigneur te prendra en Son sein. Il te prendra en Son sein. Il prendra en Son sein toutes ses terres désolées, il fera de sa terre sauvage un Éden, et de ses déserts le jardin du Seigneur.

Prue inscrivit le passage dans son calepin, puis elle le relut à haute voix :

— C'est tout à fait clair, maintenant que j'y pense.

— Quoi ? demanda Luke qui était assis sur le lit de camp et caressait l'un des écureuils du bout de l'index.

— Cette citation. Cette maison. Vous avez fait de cet endroit votre jardin du Seigneur. Vous avez fait de cette terre sauvage un Éden.

Bon, d'accord, le vallon des rhododendrons n'était pas exactement ce qu'on pouvait communément appeler une jungle sauvage, mais à Prue la métaphore semblait juste.

Luke lui adressa un sourire bienveillant.

— Vous pourriez en faire autant.

— Faire quoi ?

— Transformer votre jungle en jardin.

Prue fronça les sourcils :

— Vous trouvez que j'évolue dans une sorte de jungle ?

Il laissa l'écureuil et posa ses mains sur ses genoux.

— C'est à vous d'en décider, Prue.

Entendre ainsi son prénom la figea. Elle était certaine qu'il ne l'avait encore jamais employé.

— Vous ne me connaissez pas si bien que ça, répliqua-t-elle tranquillement, en essayant de ne pas paraître sur la défensive.

Mais pourquoi avait-elle l'impression d'être comme un papillon épinglé ?

— Je sais des choses sur vous, reprit-il. Plus que vous n'en savez sur moi. J'ai lu votre chronique, Prue. Je sais ce que vous croyez être la vie.

Elle ne sut pas si elle devait s'en trouver flattée ou indignée.

— Où ? s'exclama-t-elle. Mais comment donc avez-vous pu... ?

— Comment donc un ermite a-t-il pu se procurer un exemplaire du magazine *Western Gentry* ?

— Ce n'est pas ce que je voulais dire, Luke.

Il sembla amusé par ses protestations.

— Si. Vous ne pouvez pas vous en empêcher. Vous êtes une femme qui idolâtre les choses matérielles. Ça ne m'ennuie pas, Prue. Jésus a trouvé de la place dans son cœur pour vos semblables. Il n'y a pas de raison que je ne le puisse pas, moi aussi.

Elle rougit affreusement.

— Luke, je suis désolée si...

— Asseyez-vous, ordonna-t-il en tapotant le lit à côté de lui.

Prue obéit, réagissant immédiatement à cette voix qui ranimait en elle des images de son père, là-bas, à Grass Valley.

— Cela me fait tellement de mal quand je vois des gens dans le besoin, dit Luke.

Prue trouva que la remarque était tout bonnement injuste : les discussions de son Forum portaient souvent sur les malheureux !

— Luke, ce n'est pas parce que j'ai de l'argent que je n'éprouve aucune compassion pour les pauvres, protesta-t-elle.

— Je ne parle pas des pauvres. Je parle de vous.

Silence.

— Je n'ai jamais vu un tel besoin, Prue.

— Luke...

— Vous avez besoin de quelqu'un qui ne voie pas les robes à la mode et les maisons de riches de Nob Hill. Quelqu'un qui refuse de se laisser distraire par un mythe que vous avez passé tant de temps à créer...

— Non, mais, attendez, là !

— ... Quelqu'un qui voie *vraiment* la vraie Prudy Sue Blalock, pas la fille qui va dans les soirées, pas la créature pathétique qui passe son temps à se vanter du chemin qu'elle a réussi à parcourir. Quelqu'un qui l'aurait aimée si elle n'était jamais partie de Grass Valley.

— Luke, je suis touchée par votre...

— Vous n'êtes touchée par rien du tout, mais ça viendra. Je vous apprendrai à aimer de nouveau Dieu, à vous aimer telle que Dieu vous a faite, à aimer la petite fille qui est cachée tout au fond de vous, et qui souffre, tellement elle a envie de jeter toutes ces conneries de frusques à la Alice-au-pays-des-merveilles pour crier au monde entier ce qu'elle a vraiment dans le cœur. Regardez-moi, Prue. Vous ne voyez pas ? *Vous ne le voyez donc pas dans mes yeux ?*

Quand elle le regarda enfin, tout ce qu'elle éprouva, ce fut une sensation étrangement familière, comme si elle avait toujours connu cet homme — ou du moins dans une vie antérieure. Elle *connaissait* ces traits : les extraordinaires pommettes, la peau ambrée, les lèvres pleines, les mains puissantes qui avaient entre-temps recueilli les siennes et les berçaient comme s'il s'était agi d'un petit oiseau blessé.

Des larmes lui montèrent aux yeux.

— Je vous en prie, ne faites pas cela, supplia-t-elle.

— Vous pouvez changer, lui proposa-t-il doucement. Vous n'êtes pas obligée de rester comme vous êtes.

— Mais... *Comment?*

Son cœur battait la chamade. A travers les larmes, elle distinguait les petits écureuils qui folâtraient sur le sol de terre battue. Elle eut l'impression de se trouver dans un dessin animé de Walt Disney.

— Vous pouvez commencer par me faire confiance, dit-il. Vous pouvez me faire confiance, je vous aimerai d'un amour inconditionnel. Comme vous le souhaiterez. A votre gré. Aussi souvent que vous le voudrez. Éternellement.

Elle savait au fond d'elle-même qu'il ne mentait pas.

Alors elle prit sa main et la posa là où elle en avait besoin.

Adam et Ève

— Prue?

— Mmm?

— Tu veux du café?

— Mmm... Ne te lève pas déjà. Je suis si bien.

— Tu as l'air. Tu es belle.

— Merci.

— Et ton chauffeur?

— Quoi, mon chauffeur?

— Tu es partie depuis trois heures. Il ne va pas s'inquiéter?

— Il a l'habitude d'attendre. C'est pour ça que je le paie.

— Mais... S'il appelle la police?

— Il n'appellera pas la police. Pourquoi l'appellerait-il?

— Pour rien. Parce qu'il commence à faire nuit, c'est tout. Je me disais qu'il s'inquiéterait à ton sujet.

— Il fait déjà noir?

— Mmm...

— Si tu veux que je m'en aille, je...

— Je ne veux pas que tu t'en ailles.

— Tant mieux.

— Si j'en avais le pouvoir, tu ne t'en irais jamais. Nous nous couperions tous les deux de la folie qui règne en ce monde et... Dieu que c'est bon!

— Mmm...

— Tes cheveux sont si doux. Comme ceux d'un bébé.

— Mmm...

— C'est sincère, ce que je dis, Prue.

— Mmm...

— Tu reviendras?

— Mmm...

— Tu ne mens pas?

— Non.

— Tant mieux. Continue comme ça.

— Mmm...

— Je sais qu'il ne faut pas qu'on nous voie ensemble. Je le sais bien.

— Luke...

— Non, écoute-moi. Je te connais. Je sais que ce n'est pas facile pour toi. Promets-moi seulement que tu ne te tortureras pas à cause de ça, plus tard.

— Me torturer?

— Que tu ne te sentiras pas coupable. Que tu ne te puniras pas pour avoir aimé un homme qui ne peut pas faire partie de ton monde.

149

Silence.

— C'est la vérité, n'est-ce pas ? Tu le sais, et je le sais aussi. Ce qu'il y a entre nous ne peut exister qu'ici. Et ce ne sera jamais assez. Je sais tout ça, Prue, et je l'accepte. Je veux que tu en fasses autant.

— Luke, jamais je ne...

— Oublie le mot « jamais ». Oublie le mot « toujours ». Tout ce que je veux, Prue, c'est que tu viennes ici de temps en temps. Promets-le-moi et je serai heureux.

— Je te le promets.

— Je peux te montrer des choses merveilleuses.

— Tu m'en as déjà montré.

— Je crois qu'il vaut mieux que tu t'en ailles, à présent.

— Très bien.

— N'aie pas peur, Prue. Je t'en prie.

— De quoi ?

— De nous.

— Je n'en aurai jamais peur.

— Rien n'est moins sûr.

— Je ne comprends pas.

— Reviens-moi, c'est tout. OK ?

— Bientôt.

— Je t'attendrai.

D'or

En cette soirée de juin, la R5 Le Car de Mary Ann roulait le long de Skyline Drive.

— Mon Dieu ! fit DeDe en regardant le coucher de soleil sur la mer. C'est diaboliquement beau.

— Ça oui, approuva Mary Ann.

— Ça ne disparaît jamais, vous savez.

— Quoi ?

— Ça. Ou du moins le souvenir qu'on en a. Même dans la jungle... même dans cette jungle-*là*, il y a des choses liées à la Californie qui ne m'ont jamais quittée. Même quand je le voulais.

Mary Ann hésita avant de demander :

— Pourquoi l'auriez-vous voulu ?

— Vous n'êtes pas née ici. Dans certaines circonstances, n'importe quoi peut devenir oppressant.

Elle eut comme un sourire de regret.

— Et le salut arrive au moment où on s'y attend le moins.

Mary Ann se tourna vers elle.

— Ne me dites pas que vous considérez votre expérience au Guyana comme votre salut ?

— Non. Je parlais de D'orothea.

— Ah.

— Dites.

— Dites-moi franchement : est-ce que ça vous gêne ?

— Pas du tout, mentit légèrement Mary Ann.

— Maman, ça la fait bondir au plafond.

— Question de génération.

— Vous la connaissiez, quand vous étiez à l'agence de papa ?

— Qui ?

— D'orothea.

— Oh... pas très bien, en fait. Elle passait seulement de temps en temps. C'était le top-model de l'un de nos plus grands clients. Pour parler franchement, elle m'intimidait terriblement.

— Elle avait... *quelque chose,* comme on dit, déclara DeDe. Qu'elle a toujours, d'ailleurs.

— C'était la copine d'une amie à moi : une rédactrice-conceptrice, Mona Ramsey.

— Elles étaient ensemble, oui, confirma DeDe.

— Je sais.

Mary Ann eut un sourire penaud.

— C'est ce que je voulais dire, en fait. Parfois, Cleveland reprend le dessus, chez moi.

DeDe gloussa, les yeux rivés sur le coucher de soleil.

— Vous vous en sortez bien mieux que moi. Je n'ai jamais été fichue d'apprendre quoi que ce soit avant que ça ne m'arrive à moi.

Mary Ann y réfléchit un instant.

— Je vois, dit-elle avec un air narquois. Mais qu'est-ce qui ne vous est pas encore arrivé, aussi ?

— Effectivement, concéda DeDe avec un sourire forcé.

— C'est le rêve de tous les journalistes, fit remarquer Mary Ann. J'espère que vous ne me trouvez pas trop cynique.

— Non. Je suis consciente du pont d'or que ça représente.

— Il y a de quoi en faire un livre. Peut-être même un téléfilm.

DeDe éclata d'un rire sardonique à cette idée.

— Maman serait folle de joie : « Avec Sally Struthers dans le rôle de la Lesbienne Chic. » Mon Dieu !

— On devrait pouvoir faire mieux que ça, plaisanta Mary Ann.

— Peut-être... Mais je me prépare à affronter le pire.

Mary Ann considéra gravement sa passagère.

— Je ferai tout mon possible pour vous aider.

— Je sais. J'en suis convaincue. Mais pas avant la fin du mois, OK ?

— Oui. Si au moins je comprenais pourquoi.

— Si je vous le dis, vous me promettez que vous n'en parlerez pas à maman ?

— Bien sûr.

— Elle croit que j'ai besoin de temps pour me remettre, pour rassembler mon courage avant le grand cirque, quand ce sera rendu public. C'est la vérité, mais il n'y a pas que ça. Maman a toujours eu un peu de mal à supporter la vérité.

— J'avais remarqué, déclara Mary Ann avec un sourire.

152

— Il faut que je parle à des gens. Des gens qui savent peut-être... ce que j'ai besoin de savoir.

— Qui? Vous pouvez me le dire?

— Des membres du Temple. Et des gens qui le connaissaient.

— Jones?

DeDe hocha la tête.

— Vous pourriez commencer par le gouverneur, suggéra Mary Ann. Et la moitié des hommes politiques de la ville. C'était quelqu'un de très connu, ici.

— Je sais, répliqua faiblement DeDe. En tout cas, je fais du sur-place, en ce moment, parce que je n'ai pas tous les faits en main. Et je n'ai aucune envie de passer pour une timbrée.

— Ça n'arrivera pas.

— D'ici à deux semaines, affirma DeDe, vous aurez peut-être changé d'avis.

Elles se garèrent pour regarder le soleil s'enfoncer dans l'océan.

— Je crois que j'ai fait dévier la conversation, dit Mary Ann.

— Quand?

— Vous vouliez parler de D'orothea.

— Oui, bon... Il n'y a pas long à raconter, en fait. Juste qu'elle m'aimait. Et qu'elle me faisait beaucoup rire. Que les jumeaux l'adoraient. Qu'elle faisait l'amour comme un ange. Et que j'aimerais bien qu'elle bouge son cul de *pasionaria* et quitte Cuba pour revenir nous retrouver, moi et les enfants. Les trucs habituels, quoi. Ce n'est pas grand-chose.

— Jusqu'au moment où on en est privé, ajouta Mary Ann.

— Jusqu'au moment où on en est privé, oui.

DeDe contempla la mer sans rien dire, puis elle se tourna vers Mary Ann.

— Je suis heureuse que vous soyez avec moi. Vous savez écouter, vous assimilez facilement.

153

— Billie Jean King m'a beaucoup aidée, expliqua Mary Ann.

— Hein?

— Vous ne devez pas en avoir entendu parler.

— C'est une lesbienne aussi?

— Eh bien, dit Mary Ann, elle a eu une liaison avec une femme. Est-ce que ça fait d'elle une lesbienne?

— Si elle s'y est bien prise, oui.

Overdose

Aux *Verts Pâturages,* comme le temps était implacablement ensoleillé depuis presque une semaine, Michael et Ned étaient débordés. Les affaires marchaient si bien à la jardinerie que c'est seulement à trois heures qu'ils purent enfin s'asseoir devant leur Yoplait parmi les représentants du règne végétal qui avaient eux aussi besoin d'ombre.

— Qu'est-ce que je devrais faire, d'après toi? demanda Michael.

— A quel propos?

— La Gay Pride.

Ned haussa les épaules.

— Tu y vas, non?

— Oui, évidemment. Mais qu'est-ce que je vais *mettre*? Cette année, le look jeune Américain « copie conforme » est en hausse et je l'endosse très bien. Mais d'un autre côté, les Sœurs de la Perpétuelle Indulgence m'ont demandé de venir en religieuse...

Ned prit une cuillerée de yaourt.

— Eh bien, fais la religieuse! dit-il.

Michael resta pensif un moment.

— Tu as déjà essayé de te faire draguer, en religieuse?

— Pourquoi pas? Y a sûrement de vraies religieuses à qui c'est arrivé.

— La foi déplace les montagnes, hein?

Ned se mit à rire.

— Tu pourrais être en religieuse américaine « copie conforme ».

— C'est-à-dire? Avec la robe en jean?

— Non, avec le jean *sous* la robe.

— C'est ça! Je pourrai me lancer dans l'action dès que l'occasion se présentera. Comme Superman. Ça me plaît bien, Ned, autant du point de vue du style que du contenu. Tu as vraiment réponse à tout.

Ned le toisa, puis il sourit.

— Sœur Mary Mouse, hein?

Ils restèrent dans la lumière tamisée et finirent leur déjeuner en silence.

— T'en as jamais marre, de tout ça? demanda Michael.

— Tu parles de la jardinerie?

— Non. Du milieu homo.

— A ton avis? le défia Ned avec un sourire goguenard.

— Je ne veux pas parler du fait d'être homosexuel, dit Michael. Je ne changerais pour rien au monde : j'adore les mecs.

— J'avais remarqué.

— Non, je veux parler de cette culture, continua Michael. Des fêtes à la Galleria. Des T-shirts avec Salut, on baise? imprimé dessus. Des quatorze nuances différentes de *jockstraps* et de ces lunettes-miroirs à la con qui te renvoient ton image en pleine gueule quand tu entres dans un bar. Des bidasses d'opérette, des soi-disant flics et des faux machos. Des Tbm, des Tbg, etc. J'en ai marre, Ned. Il doit quand même y avoir une autre façon d'être pédé.

Ned jeta dans la poubelle son pot de yaourt vide avec un sourire moqueur.

— Tu pourrais être lesbienne, par exemple !

— Oui, je pourrais, rétorqua Michael. Elles font des tas de trucs qui me plaisent. Elles se donnent des rendez-vous et elles y *vont,* merde ! Elles s'écrivent des poèmes à chier. Écoute... On se fout d'elles parce qu'elles essaient de jouer aux mecs, mais qu'est-ce que tu crois qu'on fait, *nous* ? Quand j'étais au lycée et que je marchais dans les rues d'Orlando, je me prenais la tête à force de me demander si j'avais l'air... bon, suffisamment mec. Et maintenant, quand je me balade dans Castro, je me pose la même question. C'est quoi, la différence ?

— Ici, on ne te tabasse pas pour ça, dit Ned en haussant les épaules.

— Bien vu.

— Et personne ne *t'oblige* à aller à la gym, Mouse. Personne ne te demande de jouer les durs. Si tu veux être une folle poétesse et mourir de langueur dans un galetas, personne ne t'en empêche.

— Alors c'est le choix qu'on m'offre, hein ?

— C'est le choix qu'on offre à tout le monde.

— Alors pourquoi ils choisissent pas ?

— Ils ? demanda Ned.

— Eh bien, je veux dire...

— Tu voulais dire : « ils ». Tu voulais dire : « tout le monde sauf toi ». Tu es le seul écorché vif, hein, le seul individu à pouvoir se considérer comme totalement humain ?

— T'es vache, se plaignit Michael.

— Écoute, poursuivit Ned en passant un bras autour de ses épaules. Ne te ferme pas comme ça. Il y a deux cent mille pédés dans cette ville. Si tu fais des généralités sur eux, tu ne vaudras pas mieux que la Majorité Morale.

— T'as raison, mais je sais que tu sais ce que je veux dire.

— Oui, je sais.

156

— C'est juste que l'itinéraire est tout tracé, protesta Michael. Tu as un jeune qui débarque de Sioux Falls ou de je ne sais où dans la cambrousse. A peine arrivé, il s'achète sa panoplie de vrai petit mec, il apprend à s'adosser avec désinvolture contre un pilier dans un coin sombre du *Badlands* et sa vie se résume à des poses, du cinoche et de la baise-Kleenex. C'est trop facile. Y a plus de mystère.

— Y en a plus, pour toi ?

Michael sourit.

— Si, toujours, avoua-t-il.

— Alors peut-être que c'est pareil pour ton jeune mec. Peut-être que c'est de ça qu'il a besoin pour oublier Sioux Falls.

Après un long silence, Michael déclara :

— Je dois te donner l'impression d'être un peu réac', non ?

Ned secoua la tête.

— Tu fais juste une overdose après la tournée. Ça m'arrive, des fois. Ça arrive à tout le monde. Personne n'a jamais dit que ce serait facile, Michael.

Il le serra contre lui.

— Tu veux que je t'aide à faire ta robe ?

Michael ouvrit de grands yeux :

— Tu couds, toi ?

— Bien sûr. Quand je ne suis pas adossé à un pilier dans un coin sombre du *Badlands* !

Péché non originel

Prue se creusait la tête avec frénésie pour trouver les mots adéquats.

— Il est simplement... différent, mon père. Il est différent de tous les hommes que j'ai connus.

157

— Je ne sais pas pourquoi, fit le prêtre, mais je n'ai aucune difficulté à vous croire.

— C'est quelqu'un de gentil, d'attentionné et d'intuitif... Et il respecte tellement la nature... Il comprend Dieu mieux que personne.

— Et en plus, c'est une vraie affaire au pieu !

— Mon père !

— Bon, jouons cartes sur table, ma fille. Vous savez, nous ne sommes pas dans une cabine d'essayage chez Saks.

Prue resta un moment sans rien dire. Elle était assise dans l'obscurité et dans le silence, lequel n'était troublé de temps à autre que par un bruit de pas devant le confessionnal.

— Mon père, dit-elle enfin. Je crois qu'il y a quelqu'un qui attend.

Un soupir lui parvint par la grille.

— Il y a toujours quelqu'un qui attend, gémit le prêtre. C'est la mauvaise période du mois. Est-ce qu'on ne peut pas remettre ça jusqu'à notre déjeuner de mardi ?

— Non, je ne peux pas.

— Très bien.

— Vous êtes si gentil de...

— Revenons-en aux faits, ma chère.

— Bon...

Prue hésita, puis elle reprit :

— Nous avons couché ensemble, c'est vrai.

— Continuez.

— Et... c'était bien.

Le prêtre s'éclaircit la gorge.

— Est-ce qu'il est... propre ?

Silence de mort.

— Vous me comprenez, n'est-ce pas, mon enfant ? Je parle d'hygiène, pas de moralité. Tout de même, vous ne savez pas d'où il sort, non ?

Prue baissa la voix et chuchota, furieuse :

— Il est parfaitement propre !

— Tant mieux. On n'est jamais trop prudent.

— Je n'ai pas besoin de vous pour me dire à quel point il est... différent, mon père. Je le sais mieux que personne. Je sais aussi que j'ai terriblement besoin de lui. Je ne peux pas manger... Je ne peux pas écrire... Je ne peux plus retourner chez moi et m'occuper comme avant. Je ne peux plus, mon père. Vous comprenez de quoi je parle ?

— Bien sûr, mon enfant, dit-il plus gentiment cette fois. Comment est sa dentition, au fait ?

— Mais bon Dieu !

— Prue, baissez d'un ton. Mme Greeley est juste là-devant, n'oubliez pas.

Après un long silence, elle reprit :

— Comment voulez-vous que je vous fasse part de ce que je ressens, si vous n'êtes pas sérieux ?

— Mais je suis *parfaitement* sérieux, ma chère. Si je vous ai parlé de ses dents, c'est pour une bonne raison. Cela me permet de savoir s'il est... euh... présentable. Quel genre d'allure a-t-il, à part ses vêtements ? Je veux dire : est-ce qu'il faut l'arranger un peu ?

— Mais ce n'est pas vrai, je ne peux pas le croire !

— Contentez-vous de répondre à ma question, mon enfant.

— Il est... magnifique, bredouilla Prue. Il a la cinquantaine, il est beau, il a une très belle peau, de belles dents. Et il s'exprime mieux que moi.

— Donc tout ce qu'il lui faut, c'est du Wilkes ?

— Pour quoi ?

— Pour faire bonne impression. Mais enfin, cet homme a besoin d'un nouveau costume, ma chérie ! Nous avons tous dû faire bonne impression un jour ou l'autre. Henry Higgins, dans *Pygmalion,* a réussi cet exploit pour Eliza. Vous pouvez en faire autant pour Luke. C'est simple, non ?

Prue était horrifiée :

— Il est hors de question de... d'*arranger* Luke, mon père.

— Vous lui en avez parlé ?

— Je n'y songe pas. Il est tellement fier !

— Demandez-lui.

— Je ne pourrai pas.

Le prêtre soupira :

— Très bien.

— De toute façon, où pourrais-je la réaliser ?

— Réaliser quoi ?

— Cette transformation. Il ne voudra pas venir chez moi. Je le sais. Et qu'est-ce que je ferais ? Je lui demanderais de se cacher dans le placard si ma secrétaire arrive ? C'est tout à fait grotesque.

Le père Paddy sembla réfléchir un instant.

— Laissez-moi m'en occuper, ma chère. J'ai une idée.

— Laquelle ?

— Ça va prendre un peu de temps à mettre en place. Je vous rappellerai. Maintenant, filez. Faites confiance au père Paddy.

Prue prit ses affaires et quitta le confessionnal.

Tandis qu'elle sortait de la cathédrale, Mme Greeley la fusilla du regard.

Nuit blanche

Cinq jours avaient passé depuis leur dernière séance d'enregistrement.

— C'est merveilleux de vous revoir, déclara DeDe. Je commençais à devenir folle, chez moi.

Elles dînaient dans un restaurant de fruits de mer d'Half Moon Bay. DeDe portait un foulard Hermès sur la tête et d'immenses lunettes noires. On aurait dit Jackie O. harnachée pour aller faire son shopping en Grèce.

— Je pensais que vous auriez fini par vous y habituer, depuis le temps, dit Mary Ann.

— A quoi?

— A être enfermée. D'abord Jonestown, ensuite le camp de réfugiés cubains...

— Vous ne saurez jamais ce que c'est que d'être vraiment enfermée, grommela DeDe. Tant que vous ne vous serez pas retrouvée avec cent folles cubaines.

— Sinistre, non? demanda Mary Ann en souriant.

— Bruyant! Castagnettes jour et nuit. Et des piaillements à vous rendre dingue.

Mary Ann se mit à rire, puis elle se replongea dans ses coquilles Saint-Jacques. Était-ce le moment de poser sa question? Pouvait-elle aborder le sujet délicatement?

— Euh... DeDe?

— Oui?

— Vous allez bien? Je veux dire... Il y a quelque chose qui vous tracasse?

DeDe posa sa fourchette.

— Pourquoi cette question?

— Eh bien... Votre mère raconte que vous faites des cauchemars.

Silence.

— Si je suis trop indiscrète, dites-le-moi, reprit Mary Ann. Je pensais que cela vous soulagerait si nous en parlions.

DeDe baissa les yeux sur le dictaphone Sony que Mary Ann s'était acheté avec l'argent du premier versement de Mme Halcyon.

— Ça non plus, ça ne ferait pas un mauvais article! remarqua DeDe.

Mary Ann fut consternée. Elle éteignit l'appareil immédiatement.

— DeDe, je n'aurais jamais...

— Je vous en prie, ce n'est pas ce que je voulais dire.

DeDe porta une main tremblante à son front.

161

— Rallumez-le, je vous en prie.

Mary Ann obtempéra.

— Je suis sur les nerfs, avoua DeDe en se massant les tempes. Excusez-moi... Je ne devrais pas m'en prendre à vous... Surtout pas à vous. Oui, j'ai des cauchemars.

— A cause de... lui?

DeDe acquiesça.

— Vous aviez quelles relations, en fait?

DeDe hésita.

— Je ne faisais pas partie du cercle de ses proches, si c'est ce à quoi vous pensez.

— Qui en faisait partie?

— Eh bien, principalement celles qui couchaient avec lui. Il avait une espèce de harem de jeunes femmes blanches qui se faisaient toujours baiser au nom de la révolution. Parfois, il baisait jusqu'à une douzaine de fois par jour. Il en était très fier. C'était comme ça qu'il contrôlait les gens.

— Mais il n'a jamais...?

— Il était au courant, pour moi et D'orothea, et ça le rendait fou de rage. Pas parce qu'on était lesbiennes, mais parce qu'il ne pouvait pas nous avoir.

— C'était important, pour lui?

DeDe haussa les épaules.

— Il est facile de connaître la liste de ses exploits. Il a pris deux femmes à Larry Layton et il a eu un enfant de l'une d'elles. Il baisait tout ce qui était à sa portée, y compris certains des mecs.

— Je vois.

— Il a été... une fois seulement avec moi. Au Jardin Jane Pittman.

Mary Ann la regarda d'un air interrogateur.

— Notre dortoir, expliqua DeDe. Ils étaient presque tous baptisés du nom de femmes noires célèbres. J'étais malade, cette nuit-là. J'avais la fièvre. D'orothea et presque toutes les autres étaient parties pour une « nuit blanche ».

— C'est-à-dire ?

— L'entraînement au suicide. Quelqu'un d'autre devait assurer la direction de l'atelier, parce que Jones est entré dans le dortoir et il est venu dans mon lit.

— Mon Dieu !

— Il m'a dit très posément qu'il pensait que le moment était venu pour les jumeaux de savoir qui était leur père.

Mary Ann secoua la tête, effarée.

— Et puis... il m'a violée. Les jumeaux étaient dans le berceau juste à côté. Ils ont hurlé pendant tout ce temps. Quand il a fini par partir, il s'est penché sur eux et les a embrassés plutôt tendrement en disant : « Maintenant, vous êtes à moi pour toujours. »

— Quelle horreur !

— Et il est sincère.

Mary Ann posa la main sur celle de DeDe.

— Il l'*était,* dit-elle doucement.

DeDe détourna les yeux.

— Allons prendre un verre quelque part.

L'homme au Walkman

C'était la fin de l'après-midi, l'heure à laquelle les rayons du soleil traversaient les stores de plastique vert du *Twin Peaks* et donnaient aux clients des allures de poissons se débattant dans un aquarium bondé.

Michael s'assit près de la vitre. Il jouait le rôle de la limace de mer dans l'aquarium, se disait-il : passif, voyeur, allant à son rythme. Il portait encore la salopette verte des *Verts Pâturages*.

L'homme qui se trouvait à côté de lui avait un Walkman. Quand il remarqua que Michael le regardait, il ôta de ses oreilles les minuscules écouteurs et les lui tendit :

163

— Tu veux écouter?

Michael sourit de cette marque d'attention.

— Qu'est-ce que c'est?

— Abba.

Abba! Ce mec était foutu comme une armoire à glace, avec une moustache de Viking et des yeux de braise. Comment pouvait-il être accro à ce genre de guimauve? Par ailleurs, il portait aussi une chemise Qiana. Peut-être ne se rendait-il pas compte du décalage.

Michael éluda le problème.

— En fait, déclara-t-il, je ne suis pas très Walkman. Ça me rend un peu claustrophobe. J'aime bien pouvoir m'échapper de la musique de temps en temps.

— Je l'utilise surtout au boulot, expliqua le type. On a des tonnes de paperasses à remplir. Je me fais un joint au déjeuner, je reviens, je me mets le truc dans les oreilles et hop, ça passe tout seul.

— Je comprends.

Le type posa le Walkman sur la table.

— Tu fais partie du chœur, non?

— Mmm...

— J'ai assisté à la fête quand vous êtes revenus. Quel show!

— C'était génial, hein? dit Michael en souriant.

Cinq jours avaient passé, mais il était encore tout étourdi de l'accueil enthousiaste qu'ils avaient reçu. Plusieurs milliers de personnes avaient pris leur car d'assaut au coin de la 18ᵉ Rue et de Castro.

— Je t'ai vu embrasser le sol, reprit le type.

Michael haussa les épaules d'un air penaud.

— J'adore cette ville, c'est sûrement pour ça.

— Ouais... Moi aussi.

Il tripota son Walkman, cherchant manifestement quoi dire.

— Tu n'aimes pas Abba, hein?

Michael secoua la tête.

— Désolé, reconnut-il sur le ton de la plaisanterie.

— Tu écoutes quel genre de musique, alors ?

— Eh bien... Ces derniers temps, je me suis mis à la country, avoua Michael en riant. Je ne sais pas ce qui m'a pris.

— Musique de beaufs !

— Je sais. Je détestais ça, quand j'étais gosse, à Orlando. Peut-être que c'est le syndrome classique des pédés qui essaient d'imiter leurs oppresseurs. Comme ces mecs qui passent leur temps à dénoncer les brutalités de la police et qui s'habillent en flics pour sortir le soir.

— Tu n'as jamais fait ça, hein ? demanda le type avec un petit sourire.

— Jamais, affirma Michael. C'était mon avant-dernière chance ?

— Non. Je ne l'ai jamais fait non plus.

— Eh bien, alors... Voyons ce que nous avons en commun, proposa Michael en tendant la main. Je m'appelle Michael Tolliver.

— Bill Rivera.

« Un Latino », se dit Michael. C'était de mieux en mieux.

— J'ai un copain, continua Michael, qui allait au *Trench* pour les soirées en uniforme, parce qu'il adorait baiser avec des mecs qui avaient l'air de flics, de nazis ou de militaires. Un soir, il est allé chez un mec qu'il avait rencontré, et qui était habillé en flic, et l'autre avait un loft insensé au sud de Market, avec néons au-dessus du lit, ambiance high-tech et tout. Le genre d'endroit sur lequel tu t'extasies, tu vois. Sauf que mon copain ne pouvait pas dire un mot parce qu'il était censé être un détenu, l'autre un flic, et qu'un détenu ne dit pas à un flic : « Quel appartement splendide ! » Il m'a raconté qu'il n'avait qu'une envie, c'était d'en avoir fini avec la baise pour pouvoir demander au mec où il avait acheté ses spots... Moi, je suis sans doute incapable de ce genre de discipline. Je veux pouvoir dire : « Quel appartement splendide ! » dès le début. Est-ce trop demander ?

Bill Rivera sourit :

— Chez moi, *oui*.

— Je ne demande pas forcément que ce soit splendide, d'ailleurs, ajouta Michael en riant.

— Tant mieux !

— Ni même que ce soit chez *toi*. On peut aller chez moi.

— Tu habites où ?

— A Russian Hill.

— Viens chez moi, conclut le type. C'est plus près.

Il habitait à Mission sur la 17e Rue. Son minuscule studio était meublé dans le genre coquet, avec quelques traces touchantes de kitsch (un poster de Mike Mentzer, une lampe-tube qui faisait des bulles d'huile et une jardinière en plastique en forme de funiculaire où crevait un philodendron).

Michael fut incroyablement soulagé. Bill Rivera n'avait pas mauvais goût : il n'en avait pas du tout. Les pédés *sans* goût étaient souvent les plus chauds. Et puis, songea Michael, si jamais on emménage ensemble, il me laissera sûrement faire la décoration.

C'est alors qu'il repéra une paire de menottes sur la commode.

— Euh... C'est quoi, ça ? demanda-t-il.

Bill leva le nez. Il était assis sur le bord du lit pour enlever ses Hush Puppies.

— Quoi ?

Michael brandit les menottes comme s'il présentait une preuve accablante dans un tribunal.

— C'est le genre de plan qui te branche ?

— Non. C'est pour gagner ma vie.

— Hein ?

— Je suis flic. Est-ce que ça veut dire que tu vas vouloir partir ?

— Attends une seconde, là...

Michael était ébahi.

Bill se leva, prit quelque chose dans un tiroir de la commode et le tendit à son accusateur.

— Voilà ma plaque... OK?

Le regard de Michael alla de la plaque à Bill, puis revint à la plaque.

— OK? répéta Bill.

— OK.

Comme assommé, Michael s'assit sur le lit à côté du policier et commença à délacer ses chaussures.

— Quel appartement splendide! s'exclama-t-il.

Le plan Pygmalion

Prue avait déjà arraché trois fois la feuille de sa machine à écrire lorsque la secrétaire entra dans son bureau.

— C'est le père Paddy, annonça-t-elle. Il dit que ça ne prendra pas longtemps.

Prue grogna et décrocha le téléphone :

— Oui, mon père?

— Je sais que vous êtes en retard pour rendre votre chronique, ma chère, mais il faut que vous répondiez à quelques questions.

— Allez-y.

— A quoi ressemble votre emploi du temps, pour les trois prochaines semaines?

Prue hésita.

— Qu'est-ce que vous avez derrière la tête?

— Tss-tss. Voyez comme on est insolente, dès le matin... Contentez-vous de répondre à la question, mon enfant.

Prue consulta son agenda.

— Ça va, dit-elle. Je n'ai pas grand-chose, en fait.

— Très bien. Ne changez rien.

— Mon père?

— Et dites à votre Homme des Bois de ne pas remplir non plus son carnet de bal. J'ai des projets, pour vous deux.

— C'est-à-dire?

— Ne vous occupez pas de ça. Tout viendra en temps et en heure, mon enfant! En temps et en heure!

— Mon père, je ne sais pas ce que vous mijotez, mais il vaudrait mieux que vous sachiez que Luke n'est pas... Eh bien, ce n'est pas le genre à obéir aux ordres.

— Même aux vôtres?

— Bien sûr que non!

— Mais enfin, s'il tient *vraiment* à vous, Prue, s'il veut faire partie de votre vie, dans ce cas, il devrait accepter de faire... un geste envers vous.

— Nous en avons déjà parlé. Il n'y a pas de geste qui tienne.

— Ah, mais je pense bien que si! Quelque chose qui devrait parler à son amour de la nature et à votre sens des convenances. Pour l'amour de Dieu, ma fille... Êtes-vous heureuse?

Il y eut un long silence, puis :

— Non.

— Non, répéta le père Paddy. Non, vous ne l'êtes pas. Et *pourquoi* ne l'êtes-vous pas? Parce que vous êtes amoureuse de cet homme et que vous voulez partager sa vie nuit et jour.

Le prêtre marqua une pause théâtrale, puis il baissa la voix pour ménager ses effets.

— Et c'est ce que je vais vous offrir, ma chère. Je vais vous offrir exactement ce que vous désirez.

Prue soupira bruyamment :

— Si vous ne m'expliquez pas ce que c'est, comment voulez-vous que je...

— Très bien, très bien...
Et il lui expliqua.

Compte à rebours

La queue pour *Les Aventuriers de l'arche perdue*
était tellement longue que Mary Ann et Brian déci-
dèrent d'abandonner leur projet de sortie cinéma et de
retourner regarder la télévision ensemble chez eux.

— De toute façon, je préfère, déclara Mary Ann en
sortant son McChicken de son cercueil de polystyrène.
Ça fait des siècles que je n'ai pas passé une soirée télé
en mangeant des cochonneries.

Brian avala une énorme bouchée de Big Mac, puis il
s'essuya les lèvres d'un revers de main.

— En plus, ça n'est pas trop grave pour le budget,
dit-il avec un regard espiègle. Mais tu n'as plus à
t'inquiéter de ces détails, à présent, n'est-ce pas?

Mary Ann fronça les sourcils :

— Pourquoi passes-tu ton temps à me casser les
pieds avec ça?

— Pourquoi fais-tu tellement de mystères avec ça,
aussi? A qui veux-tu que j'en parle? Une vieille peau
bourrée de fric et gavée de gin te fait émarger chez elle
et voilà que tu te conduis comme s'il fallait que le FBI
fasse une enquête sur moi avant que je puisse t'adresser
la parole.

— Arrête, Brian. C'est toi qui remets constamment
le sujet sur le tapis.

— Donne-moi un indice, alors. Je me tairai.

Mary Ann hésita un instant.

— Si je te le dis...

Brian sourit triomphalement.

169

— *Si* je te le dis, Brian, il faut que tu me promettes que ça ne sortira pas d'ici. Je suis sérieuse, Brian. Hyper-sérieuse.

Brian prit un faux air solennel et leva la main droite :

— Je le jure. Sur ma tête.

— Je n'en ai même pas parlé à Michael.

— J'en suis très honoré, dit Brian en s'inclinant.

— DeDe est de retour chez elle, avoua Mary Ann.

— Attends, là...

— Oui. La fille de Mme Halcyon. Celle qui avait disparu au Guyana.

— Putain de merde ! s'exclama Brian après un sifflement.

— Elle était à Cuba depuis deux ans et demi.

— Et... comment s'appelle-t-elle, déjà ? Je veux dire : l'ancienne copine de Mona ?

— D'orothea. Elles vivaient ensemble, oui... Avec les jumeaux que DeDe a eus du livreur chinois du Jiffy's. D'orothea est encore à Cuba. DeDe se cache chez sa mère, en ce moment. C'est Mme Halcyon qui m'a engagée pour m'occuper de la presse quand DeDe annoncera la nouvelle.

Brian plissa le front :

— Et *quand* est-ce qu'elle compte l'annoncer ? Ça fait des semaines, depuis ta première visite à Hillsborough. Pourquoi n'a-t-elle encore rien dit ? Pourquoi se cache-t-elle ?

— C'est ce qui me laisse perplexe. Elle prétend qu'elle veut parler à des membres du Temple pour savoir quelque chose. Elle n'a pas encore voulu me dire quoi.

Les lèvres de Brian esquissèrent un sourire sardonique.

— Elle cherche sûrement un bon éditeur. La moitié des rescapés de Jonestown écrivent leur bouquin.

Mary Ann secoua la tête.

— C'est beaucoup plus sérieux que ça, insista-t-elle. D'autre part, c'est *moi* qui écrirai le livre, le moment venu.

— Très bien.

— Sauf que je ne sais pas *ce que* j'écrirai.

— C'est moins bien.

— M'en parle pas ! Il y a quelque chose d'énorme qui me reste caché, Brian... Quelque chose avec quoi elle vit nuit et jour. Je le sens presque dans la pièce quand on est en train de parler.

— Quoi, alors ?

— Je ne sais pas, dit Mary Ann en frissonnant brusquement. Mince, ça me file la chair de poule. J'ai accepté de me taire sur toute l'affaire jusqu'à la semaine prochaine. Mais ensuite, je serai libre de négocier avec la télé. Elle m'a promis de tout me raconter de ce qu'elle aura découvert... de ce qu'elle essaie de savoir.

— On dirait qu'elle a peur qu'on l'accuse.

— J'y ai pensé, admit Mary Ann. Mais ça n'est pas vraiment logique. Si les autres survivants du massacre font tous des télés, comme tu l'as fait remarquer, de quoi DeDe peut-elle avoir peur ?

— Elle est peut-être tout simplement siphonnée.

— Je ne crois pas, fit Mary Ann. C'est quelqu'un de très solide.

— Elle ? Cette mondaine avec un pois chiche dans le crâne ?

— Elle a beaucoup changé, Brian. Je crois que c'est à cause des enfants. Elle *vit* pour eux, maintenant. Elle est peut-être un peu parano quant à leur sécurité, mais ça semble parfaitement normal après ce qu'elle a subi.

— Je crois que c'est toi qui devrais être parano, répliqua Brian.

— Pourquoi ?

— Qu'est-ce qui va empêcher d'autres journalistes de traiter le sujet avant toi ?

Mary Ann frémit.

— Je sais, répondit-elle, mais elle fait le plus attention possible. Elle se cache dans la chambre d'amis
quand il y a du monde chez eux. Et elle ne sort pas tant
que ça de chez elle.

— Juste pour aller rendre visite aux membres du
Temple, hein?

Elle ne comprenait que trop bien ce qu'il voulait dire.

Ils étaient au lit en train de regarder Tom Snyder
quand le téléphone sonna. Mary Ann décrocha.

— Mary Ann?... C'est DeDe.

La voix semblait très faible et terrifiée. Mary Ann
regarda la pendule digitale de la commode : elle indiquait 1 h 23.

— Salut, dit Mary Ann. Est-ce que ça va?

DeDe devait encore avoir fait des cauchemars.

— Il faut que je vous voie, déclara-t-elle.

— Bien sûr. Quand?

— Demain matin?

— On ne pourrait pas plutôt l'après-midi? Brian et
moi avions prévu de...

— *Je vous en prie.*

Le mot résonna comme un cri dans un sépulcre. Mary
Ann n'eut pas besoin d'en entendre davantage.

— Où? demanda-t-elle.

— Ici. A Halcyon Hill. Je ne veux pas quitter la maison.

— DeDe, mais qu'est-ce qui...

— Venez, c'est tout. OK? Apportez votre magnétophone. On prendra le petit déjeuner ici. Je suis vraiment
désolée, je vous expliquerai tout demain matin.

Quand Mary Ann eut raccroché, Brian lui sourit gentiment.

— On peut tirer un trait sur notre partie de patins à
roulettes, hein? ironisa-t-il.

— J'en ai bien peur.

— Qu'est-ce qui se passe?

— Si seulement je le savais! soupira Mary Ann.

Rien à perdre

Il fallut exactement douze heures pour que Prue succombe totalement au romantisme débridé du plan du père Paddy. Le lendemain matin, elle se précipita au parc et se lança dans les explications, tendrement blottie dans les bras de Luke. Il fixa le plafond dans un silence de mort.

— Alors ? demanda Prue.

— Tu ferais ça ? dit-il enfin.

— Je le ferais si ça pouvait nous rapprocher.

— Tu crois que ça nous rapprocherait ?

— Je crois, oui.

Un autre long silence.

— D'ailleurs, si ça ne marche pas, où est le mal ? Nous n'avons rien à perdre, Luke.

— Je déteste la bourgeoisie, gronda-t-il d'un ton sombre. J'ai passé les trois quarts de ma vie à la combattre... ou à la fuir.

— C'est *moi,* la bourgeoisie ? demanda Prue, froissée. C'est ça que tu es en train de me dire ?

Il se pencha et lui embrassa le front.

— Contrairement à bien des aspects de ton monde, tu es plus agréable quand on te sort de ton environnement habituel.

— Mais *ça,* ce serait hors du contexte habituel. Rien que nous, si nous le voulons. Deux semaines qui seront à nous seulement, Luke.

— Et après ?

— Je ne sais pas. Est-ce important ? N'est-ce pas toi qui m'as dit d'oublier le sens du mot « toujours » ?

Elle l'avait coincé. Il lui concéda un sourire, puis il secoua lentement la tête.

— Prue, je ne possède pas les vêtements pour ce genre de choses, je n'ai rien de...

— Je peux m'en occuper.

— Je ne veux pas de ta charité.

— Considère que c'est un prêt, alors. Tu me rendras tout après les deux semaines. Bon sang, Luke, ce n'est pas ton *âme,* que tu es en train de vendre!

— Ça, c'est à voir.

— Écoute, rétorqua-t-elle sèchement, tu n'arrêtes pas de me dire que j'aurais honte qu'on me voie avec toi. Eh bien, alors... Donne-moi l'occasion de te prouver le contraire!

— Prue...

— La vérité, c'est que... c'est *toi* qui aurais honte qu'on te voie avec moi. Tu es le pire snob que j'aie jamais connu!

— Si ça te soulage de penser ça, alors pense-le.

— Mais qu'est-ce que tu as à perdre, Luke?

Il la lâcha, roula sur le lit et lui tourna le dos.

— Tu te souviens de ce que tu m'as déclaré le premier soir? Tu disais que tu m'aimerais sans conditions, à mon gré... Autant que je le voudrais. Eh bien... C'est ce que je veux. Fais ça pour moi, Luke.

— Je parlais d'*ici,* répliqua-t-il en s'adressant au mur.

Mais elle comprit qu'elle avait gagné.

L'histoire de DeDe

Mary Ann brancha le magnétophone.

— J'ai peur d'être un peu confuse, avoua-t-elle. Je ne sais pas exactement par où commencer.

— Ce n'est pas votre faute, la rassura DeDe. Je ne vous ai pas laissée voir toutes les cartes.

Elle avait des cernes tellement noirs, remarqua Mary Ann, qu'on aurait cru qu'elle venait de se faire refaire le nez. Mais qu'est-ce qui s'était donc passé?

— Où sont les enfants? demanda Mary Ann.

— En haut, avec maman et Emma. Je ne veux pas qu'ils me voient comme ça. Ni l'un ni l'autre.

— Je comprends.

— Franchement, je ne sais pas ce que vous pensez de moi depuis tout ce temps. J'imagine que vous avez toutes les raisons de croire que je suis folle à lier.

— Pas du tout.

— Eh bien, ça ne va pas aller en s'arrangeant, soupira DeDe. Je peux vous l'assurer. J'imagine que vous savez déjà que Jim Jones n'était pas quelqu'un de très sain.

— C'est un euphémisme.

— Physiquement, je veux dire. Il avait du diabète et de l'hypertension. L'une des femmes qui couchaient avec lui m'avait dit qu'il ne devait pas prendre plus de mille sept cents calories par jour, mais qu'il n'arrêtait pas de boire des sodas et de manger des bonbons. Il avait également des problèmes de toux chronique.

— J'ai lu ça, oui.

— Il toussait constamment. Mais beaucoup de membres du Temple croyaient que c'était parce qu'il prenait en lui leurs maladies.

— Je ne saisis pas.

— Eh bien, il soignait les gens, voyez-vous. En tout cas, beaucoup d'entre eux le considéraient comme un guérisseur, il leur jouait un petit numéro. Il faisait des séances de guérison, il priait pour quelqu'un qui avait... disons un cancer, puis il sortait de la pièce et y revenait cinq minutes plus tard avec des entrailles de poulet dans la main en disant que c'était le cancer.

— Vous voulez dire que...

— Il prétendait avoir extirpé le cancer de leur corps.

— Et ils le croyaient ?

— Certains, oui. Et d'autres faisaient semblant de le croire, parce qu'ils étaient d'accord avec sa philosophie.

— Comme un tas de personnalités dans le pays.

— Oui. Et un grand nombre de ces illuminés

croyaient qu'il prenait en lui leur maladie dès qu'ils étaient guéris. C'était son Calvaire à lui. Ses souffrances étaient d'autant plus dignes de pitié — c'est ce que l'on nous disait — que c'étaient les *nôtres* et qu'il les prenait en lui.

— Quelle horreur!

DeDe haussa les épaules.

— Vous n'imaginez pas la grandeur d'âme que ça laissait supposer à l'époque.

— Vous n'y croyiez pas, quand même?

— Le fait est, expliqua DeDe avec une sorte d'agacement, qu'il était malade. Tout le monde le voyait. C'est facile d'y repenser *maintenant* et de voir que c'était en grande partie psychosomatique, ou je ne sais quoi d'autre... Mais à ce moment-là, ça faisait sacrément vrai. Tout comme son arthrite. On voyait très bien les déformations de ses mains et de ses poignets. J'ai été bouleversée, la première fois que je les ai vues. Je suis entrée dans la pouponnière un jour et je l'ai trouvé avec les jumeaux...

— Il y avait une pouponnière?

DeDe réfléchit un instant :

— La pouponnière Cuffy, pour être précise.

— Cuffy? répéta Mary Ann.

— C'était un héros noir de la libération du Guyana.

— Ah, d'accord.

— Enfin toujours est-il que Papa... que Jones était là dans la pouponnière, tenant le petit Edgar dans ses bras en lui chantant quelque chose... avec ses mains énormes et tout enflées. C'était à la fois pitoyable et affreux. J'aurais dû être révulsée, j'imagine, mais tout ce que j'ai éprouvé, ç'a été une espèce de pitié... et de panique, évidemment. Je me suis approchée pour entendre ce qu'il chantait, mais ce n'était pas son hymne révolutionnaire, comme d'habitude. C'était une berceuse : *Byebye, mon bébé bécasse.*

Mary Ann faillit se laisser attendrir, mais elle se retint juste à temps.

— Il devait y avoir chez lui un côté séduisant pour que vous soyez restées aussi longtemps, D'orothea et vous. Vous n'aviez même pas projeté de vous enfuir, avant d'être mises au courant de l'histoire du cyanure?

DeDe secoua la tête :

— Non. En partie à cause de sa maladie, je crois. Ça lui donnait un air moins dangereux, plus vulnérable. Et en partie parce que... j'avais pris l'habitude. C'était un univers de merde, mais au moins, je savais comment il fonctionnait, vous comprenez?

Mary Ann hocha la tête en se rappelant brusquement qu'elle avait éprouvé la même chose à Halcyon Communications.

— Le fait est, poursuivit DeDe, que j'étais une idiote. J'ai même pleuré quand il nous a tous appelés pour nous annoncer qu'il avait un cancer.

— Quand ça?

— En août, je crois. Au début d'août. Un peu plus tard dans le mois, un médecin du nom de Goodlett est venu de San Francisco. Il a examiné Jones et lui a dit qu'il ne voyait aucun symptôme de cancer. Il a déclaré qu'il souffrait peut-être d'une mycose aux poumons. Quoi qu'il en soit, il a essayé de convaincre Jones de quitter la jungle pour passer des examens, mais Jones était terrorisé à l'idée de partir de Jonestown, même pour une journée. Charles Garry avait fait en sorte qu'il puisse se faire examiner à Georgetown — sans se faire arrêter, je veux dire —, mais Jones avait peur qu'il y ait une rébellion en son absence.

— Donc, il raisonnait encore avec lucidité.

— Quand il s'agissait de contrôler les gens, toujours, reconnut DeDe. Évidemment, vers la fin de l'été, il a commencé à devenir accro. Quaalude et cognac, Élavil, Placidyl, Valium, Nembutal, tout ce que vous voulez. Marceline le voyait se déglinguer sous ses yeux et elle s'est rendu compte qu'il fallait faire quelque chose.

— Qui était Marceline?

— Sa femme.

— Ah oui, dit précipitamment Mary Ann qui se sentait de plus en plus idiote. J'avais oublié qu'il était marié.

Potes

Brian et Michael passèrent leur samedi matin à faire du roller dans Golden Gate Park — une entreprise plutôt périlleuse, malgré les élégants patins d'allure très pro que Mme Madrigal leur avait offerts lors de la dernière fête de Noël.

— Tu t'es entraîné! cria Brian à Michael d'un ton accusateur alors qu'ils passaient en vacillant devant le De Young Museum. C'est contre le règlement, tu sais!

— Qui t'a dit ça?

— Mary Ann. Elle m'a dit que tu étais allé faire du roller mardi, avec ton copain le flic.

— C'était en terrain couvert. Ça ne compte pas.

— Où êtes-vous allés?

— Sur la piste d'El Sobrante. C'est rempli de sous-Farrah Fawcett, laquées comme des dingues...

— Des *filles*?

— Tu parles! Des tantes, oui! C'est ahurissant à voir. Il faudra que je vous emmène un jour, Mary Ann et toi. On pourra prendre le bus.

— Il y a un bus spécial?

— Oui. Il fait le tour d'une demi-douzaine de bars et il dépose tout le monde à El Sobrante. C'est super-marrant. Tu peux te faire quelqu'un dans le bus de retour.

Brian esquissa un sourire nostalgique.

— Ça me rappelle des choses, murmura-t-il.

— À moi aussi. Sauf que je ne l'ai jamais fait à

l'époque du lycée. Je ne l'avais jamais fait jusqu'à mardi dernier. Je me souviens, cependant. Tous ces mômes qui écoutaient Bread et qui se pelotaient dans le noir au fond du car quand on revenait de matches de football en extérieur...

Brian leva la main pour arrêter Michael à un carrefour.

— Attention, dit-il. Ne te laisse pas emporter par les souvenirs. C'est mortel, ici, le week-end !

— Oui, mais essaie de réaliser : il a fallu que j'attende d'avoir trente et un ans avant d'embrasser quelqu'un dans les transports publics. Je considère que c'est une étape capitale de ma vie.

— C'était plus que ça, le taquina Brian. Certaines personnes n'arrivent jamais à embrasser un flic, et encore moins dans un bus. Parce que c'était le flic, je me trompe ?

— Bien sûr que oui ! fit Michael avec une indignation feinte.

— Comment veux-tu qu'un pauvre *éleveur de mioches* le sache ?

— Où as-tu pris cette expression-là, toi ? demanda Michael avec un petit sourire.

Le feu changea. Ils s'élancèrent sans grâce et prudemment sur le macadam inégal.

— C'est celle d'un mec de chez *Perry,* répondit Brian. Il m'a affirmé que c'est comme ça que les homos nous appellent.

— Pas ton homo préféré, répliqua Michael.

— Je sais.

Brian se tourna vers lui et faillit perdre l'équilibre.

— Attention, du calme, fit Michael en le rattrapant par le bras.

— De toute façon, conclut Brian en se redressant, ça ne peut même pas s'appliquer à moi. J'ai trente-six ans et je n'ai jamais rien élevé de plus qu'un malheureux poisson rouge.

Quand ils arrivèrent sur le trottoir d'en face, Michael se dirigea vers un banc et s'assit. Brian vint s'affaler à côté de lui en expirant bruyamment.

— Tu voudrais? lui demanda Michael.

— Quoi?

— Avoir des enfants.

— Bien sûr. Mais pas Mary Ann. Pas tout de suite, en tout cas. Elle a sa carrière à gérer, ajouta-t-il avec un petit sourire. Au cas où tu n'aurais pas remarqué.

— Où est-elle, au fait? s'enquit Michael en délaçant ses rollers.

— Elle déjeune. Sur la péninsule.

— Mince! Mais pour quoi faire?

— Question... professionnelle.

Ils restèrent assis sans rien dire pendant un moment, pieds nus, à regarder le paysage.

— Je trouve que vous devriez vous marier, tous les deux, déclara finalement Michael.

— Tu trouves, toi?

— Mmm, mmm.

— Tu lui as dit?

— Pas aussi explicitement.

— Moi non plus, reconnut Brian.

— Et pourquoi?

Brian se baissa et arracha une touffe d'herbe.

— Oh... Parce que je crois que je sais quelle serait sa réponse... avoua-t-il. Et je ne veux pas l'entendre en ce moment. D'ailleurs, il y a des tas d'avantages à la vie de célibataire.

— Trouve-m'en un, le défia Michael.

Brian réfléchit un instant.

— On peut pisser dans le lavabo.

— Tu fais ça aussi? dit Michael en éclatant de rire.

Brusquement, il agrippa le bras de Brian.

— Tiens, regarde-moi ça!

— Quoi?

— Là-bas... Près de la serre. La blonde très habillée qui monte dans sa limousine.

— Ouais?

— C'est Prue Giroux.

— Qui ça?

— Mais si, tu sais... cette connasse mondaine qui écrit pour *Western Gentry*.

— Jamais entendu parler.

— Elle sourit comme le chat du Cheshire, remarqua Michael. Qu'est-ce qu'elle peut bien venir foutre ici, à ton avis?

Le problème avec Papa

— Quoi qu'il en soit, continua DeDe, Marceline savait à quel point il était malade. Elle se faisait du souci tout le temps.

— Vous la connaissiez?

— Nous étions amies, en quelque sorte. C'était une femme pas conne du tout.

— Et pourtant, elle ne...

— Attendez une seconde, OK? Je veux en finir avec ça, d'abord. Un médecin russe du nom de... Fedorovski, enfin je crois — il va falloir que je regarde mon agenda —, bref, ce médecin est venu durant l'automne à Jonestown et a dit que Jones souffrait d'emphysème. Marceline s'est rendue tout spécialement à San Francisco pour dire au docteur Goodlett que les fièvres de Jones empiraient. Il lui a répondu qu'il ne pouvait pas prendre la responsabilité de le traiter si Jones refusait de sortir de sa jungle. En d'autres termes, il s'en lavait les mains. Apparemment, à ce moment-là, Marceline a décidé de contacter un ancien membre du Temple qui habitait à San Francisco. Ce type était l'un des disciples les plus dévoués de Jones, mais c'était aussi un cinglé

181

de première... Tellement cinglé, d'ailleurs, que Jones avait refusé qu'il participe à la création de Jonestown.

— Comment s'appelle-t-il? demanda Mary Ann.

— Je ne sais pas. Marceline ne me l'a jamais dit. Le fait est... que le type ressemblait d'une manière frappante à Jones : même corpulence, même couleur de peau, mêmes traits anguleux. Il exagérait même la ressemblance en portant des favoris et des lunettes-miroirs.

— Mais... pourquoi?

— Tous les autres voulaient suivre Jones. Celui-là voulait *être* Jones.

— C'est Marceline qui vous a dit tout ça?

— Mmm, mmm. Je l'ai également constaté de mes propres yeux.

— *A Jonestown?*

DeDe acquiesça :

— Je les ai vus ensemble, un soir. Jones et le type. J'avais un mal fou à les distinguer. Le plan — selon Marceline — était de confier au remplaçant la direction de Jonestown le temps que Jones puisse aller à Moscou se faire soigner. Une semaine tout au plus, m'avait-elle dit. Il était censé surtout parler par la sono et se montrer de temps en temps pour maintenir l'ordre. Le type était au courant de *tout,* y compris de l'entraînement au suicide. Jones était tellement malade, évidemment, que tout le monde trouvait normal qu'il ait la voix changée... ou même qu'il ne participe plus aussi activement à la vie quotidienne du camp. Le type n'avait besoin que d'être là, c'était une marionnette qui servait à empêcher toute révolte.

— Ensuite, que s'est-il passé? *Jones est parti?*

— Je ne sais pas. Deux jours après l'arrivée du remplaçant dans le camp, le capitaine Duke m'a parlé du cyanure. Je ne suis pas restée pour en savoir plus. Pour une fois dans ma vie, j'ai manqué un bout du film, mais j'en suis bien contente.

— Donc vous êtes partie... quand?

— Deux jours avant que le député et les autres se fassent assassiner sur la piste d'atterrissage.

— Ce qui signifie que ce type... le remplaçant... pourrait être celui qui a ordonné le suicide collectif ?

— Oui.

— Et que c'est peut-être lui qui est...

DeDe termina la phrase :

— ... mort à sa place.

— *Mon Dieu !*

DeDe se contenta de cligner des yeux.

— C'est... Oh, DeDe... C'est *grotesque.*

— N'est-ce pas ?

— Mais enfin... Le gouvernement a sûrement dû identifier chaque corps, à l'époque. Quelqu'un a dû... Je ne sais pas... Qu'est-ce qu'ils font, dans ce cas-là ? Des analyses de sang, non ?

DeDe sourit patiemment :

— Il y avait neuf cents corps, je vous le rappelle.

— Je sais, mais...

— L'un de ces corps gisait devant le trône, la tête sur un coussin. Boursouflé comme il était, on aurait *dit* Jones... et il portait probablement ses papiers sur lui. Pensez-vous qu'on se soit en plus donné la peine de prendre ses empreintes ?

— Il n'y a pas eu d'autopsie ?

— Si, confirma DeDe. Et j'ai fait tout ce que j'ai pu pour retrouver le rapport. C'est pour ça que j'avais besoin de *temps,* vous comprenez, maintenant ? Si quelqu'un pouvait me prouver avec certitude qu'il est bien mort...

— Et ces membres du Temple ?

— Ils n'ont été d'aucune utilité, affirma DeDe avec amertume. Ils ne voulaient rien avoir affaire avec ça. Ils m'ont traitée comme si j'étais une dingue.

Mary Ann ne répondit rien.

— Mary Ann... Je vous en prie... Ne renoncez pas tout de suite.

Elle la regardait avec des yeux implorants et remplis de larmes.

— Je n'en suis même pas arrivée à l'anecdote la plus folle.

Mary Ann lui prit la main.

— Continuez. J'écoute.

— Je ne sais pas quoi faire, sanglota DeDe. Je suis tellement fatiguée de fuir...

— DeDe, je vous en prie. Ça ne peut pas être aussi dramatique que vous...

— Je l'ai *vu,* Mary Ann!

— *Quoi?*

— Hier. Au Steinhart Aquarium. Maman me rendait folle, alors je suis descendue en ville... juste faire un tour. Je suis allée à un concert dans le parc... Et ensuite, je suis passée à l'aquarium... Et je l'ai vu, dans la foule.

— Vous avez vu... *Jones?* demanda Mary Ann, frappée de stupeur.

DeDe hocha la tête, le visage tordu par la terreur.

— Qu'est-ce qu'il faisait?

— Il regardait...

Ses propos étaient presque incohérents, à présent. Mary Ann, qui sentait qu'elle se mettait elle aussi à trembler, serra la main de DeDe encore plus fort.

— Il regardait? demanda-t-elle prudemment.

DeDe acquiesça et essuya ses larmes de sa main libre :

— Oui. Les poissons. Comme moi.

— Il fait horriblement sombre, là-dedans. Êtes-vous sûre que vous...?

— *Oui!* Il était plus mince, et en bien meilleure santé, mais c'était lui. Je l'ai su à l'instant où j'ai croisé son regard.

— Il vous a *vue?*

— Il m'a même souri. C'était atroce.

— Qu'est-ce que vous avez fait?

— J'ai couru jusqu'à ma voiture et je suis rentrée. Je

n'ai pas quitté la maison depuis. Je sais l'effet que je dois vous faire, croyez-moi. Vous avez tout à fait le droit de...

— Je vous crois.

— C'est vrai?

— Je crois que c'était réel pour vous. Et ça me suffit.

DeDe cessa de sangloter. Elle fixa Mary Ann un moment, puis elle retira brusquement sa main.

— Vous me prenez pour une hystérique, n'est-ce pas?

— DeDe, je crois surtout que vous avez été incroyablement courageuse...

— *Courageuse?* Mais regardez-moi, bon sang! Je suis morte de trouille! Vous pensez que je ne sais pas ce que la police va dire si je lui raconte tout? Ce que le monde entier va dire de la pauvre petite fille riche qui s'est sauvée *in extremis* de Jonestown? Regardez comment vous vous conduisez avec moi, vous, alors que vous êtes censée être une amie.

— Je suis votre amie, murmura Mary Ann.

— Alors qu'est-ce que je vais faire? *Qu'est-ce que je vais faire de mes pauvres gosses?*

Magnie

Le petit Edgar et sa sœur Anna traversèrent en courant la pelouse jaunie d'Halcyon Hill et prirent d'assaut leur grand-mère sur la terrasse, chacun s'emparant joyeusement d'une jambe.

— Magnie, Magnie, regarde!

Frannie posa sa tasse de thé sur la table en verre et sourit aux enfants. Quatre ans déjà...

— Qu'est-ce qu'il y a, mes chéris? Qu'est-ce que vous voulez montrer à Magnie?

La petite Anna tendit son poing fermé et l'ouvrit. C'était une petite grenouille grise, palpitante comme un cœur, qu'on lui proposait d'examiner. Frannie fronça le nez, mais fit de son mieux pour avoir l'air d'apprécier l'attention.

— Eh bien, regardez-la ! Tu sais ce que c'est, Edgar ?

Edgar fit non de la tête.

— C'est une *guenouille,* déclara Anna, un peu prétentieuse.

Edgar jeta un regard de dédain à sa jumelle.

— C'est moi qui l'ai trouvée, lança-t-il avec un air de défi, comme pour faire valoir un plus grand mérite que celui d'un vocabulaire étendu.

— Eh bien, c'est tout simplement merveilleux ! conclut Frannie. Mais je crois que vous devriez la rapporter là où vous l'avez trouvée.

— Pourquoi ? demandèrent en chœur les jumeaux.

— Mais... Parce ce que c'est une créature de Dieu et que je crois bien que c'est un bébé. Sa maman lui manque sûrement. Vous ne voudriez pas que quelqu'un vienne vous enlever à votre maman, n'est-ce pas ?

Quatre yeux en amande s'écarquillèrent et deux têtes firent « non ».

— Eh bien, alors... courez vite la remettre exactement là où vous l'avez trouvée et Magnie vous fera une grosse surprise quand vous reviendrez.

Frannie les regarda retourner à toutes jambes vers la roseraie, ravie de la simplicité classique de la scène. Elle était certaine d'avoir prononcé les mêmes mots — au même endroit, en plus — lorsque DeDe avait leur âge.

— Je peux te parler, maman ?

Mme Halcyon se tourna et vit derrière elle la DeDe d'aujourd'hui, mince, belle et l'air plus décidé que d'ordinaire.

— Bonjour, ma chérie. Mary Ann va-t-elle se joindre à nous pour le thé ?

— Elle vient de partir.

Frannie donna à sa fille un baiser sur la joue, puis regarda en direction des jumeaux, tout attendrie.

— Quelle joie de les avoir ! Tu ne peux pas savoir...

DeDe eut un sourire las :

— On dirait qu'ils t'ont adoptée, en tout cas. Maman, on pourrait parler un instant ?

— Mais bien sûr, ma chérie. Quelque chose ne va pas ?

DeDe secoua la tête.

— Je crois que ça va te plaire. *J'espère* que ça va te plaire.

Emma occupa les enfants en leur faisant manger des glaces dans la cuisine, tandis que DeDe se trouvait avec sa mère sur la terrasse et lui expliquait ce qu'elle avait en tête :

— Mary Ann va publier l'histoire, mais pas tout de suite... Disons d'ici à une semaine, environ. Nous avons pratiquement mis ça au point. Seulement... je crois qu'il faudrait que toi et les enfants ne soyez pas en ville à ce moment-là.

— *Quoi ?*

— Réfléchis, maman. Quoi qu'on fasse, la publicité que ça va nous valoir sera insupportable. Je ne veux pas que toi et les enfants soyez obligés de subir ça.

— C'est très gentil, ma chérie, mais ça arrivera tôt ou tard, n'est-ce pas ?

— Oui. Dans une certaine mesure... Mais les choses se seront tassées, entre-temps, et je crois que tu seras plus reposée pour affronter la suite des événements.

DeDe tendit à sa mère la page « Voyages » du *Chronicle*.

— Je trouve que ce serait merveilleux. Il paraît que c'est le plus spacieux paquebot de croisière qu'il y ait et il part pour...

— DeDe, mais enfin...

— Écoute-moi bien, maman. Il part pour l'Alaska la semaine prochaine pour une croisière de deux semaines. Vous verrez les glaciers et les ravissantes petites maisons russes anciennes de Sitka...

— DeDe, je suis touchée par ton attention, mais... Eh bien, je me plais ici, ma chérie. Et je ne pense vraiment pas que la publicité sera trop pénible pour moi...

— Maman, je veux que les enfants quittent la ville !

Frannie fut décontenancée par la violence de cette phrase.

— Ma chérie, je ferai tout ce que tu voudras. C'est simplement que je ne comprends pas pourquoi c'est aussi... eh bien, *important* pour toi.

DeDe se ressaisit.

— Contente-toi de me faciliter les choses, maman. S'il te plaît. C'est un très beau voyage. Les jumeaux adoreront et tu ne les en connaîtras que mieux. C'est parfait, je t'assure.

Elle regarda Frannie d'un air presque suppliant.

— Tu ne crois pas ?

Frannie hésita, puis elle prit tendrement sa fille dans ses bras et dit :

— Cela me semble très bien.

A Starr is born

Les vêtements commandés chez Wilkes Bashford arrivèrent chez Prue une demi-heure avant le père Paddy.

— Qu'en pensez-vous ? demanda le prêtre sans reprendre son souffle. Daniel Detorie m'a aidé avec ses conseils. Je sais que j'en ai un peu trop fait pour les chemises Lacoste, mais les couleurs étaient tellement appétissantes que je n'ai pas pu résister.

— Elles sont très bien, répondit Prue, presque indifférente.

Elle se rendait compte qu'elle était bouleversée, parce qu'elle savait à présent que cela allait arriver. Cela allait *vraiment* arriver. Elle s'efforça de sourire.

— Je ne peux pas y croire, vous vous êtes donné tellement de mal!

— Pfft! fit le père Paddy. Tout le plaisir était pour moi, ma chère. C'était la première fois qu'on me laissait en liberté chez Wilkes.

Il sortit un blazer bleu de sa boîte.

— C'est un Brioni. J'ai eu du mal à choisir avec le blazer Ralph Lauren, qui était à quatre cents, mais pas aussi bien coupé que le Brioni. Et comme nous voulons produire de l'effet, huit cents m'a paru un chiffre raisonnable. Est-ce qu'il est allé chez le coiffeur?

— Je ne crois pas, avoua Prue.

Le père Paddy leva les yeux au ciel:

— Il ne peut pas monter sur ce bateau avec son look d'homme des bois de Bornéo, ma chère!

— Je sais, mais si on lui gomine les cheveux en arrière...

— Pas question. Je vais lui faire envoyer un coiffeur et une manucure pour dimanche.

Il poussa un soupir théâtral.

— Mon Dieu, comme c'est amusant, n'est-ce pas?

— Je suis encore tellement inquiète!

— Mais non. Ça ira comme sur des roulettes, répliqua le prêtre en sortant un étui de sa poche. Alors, voici les billets, mon enfant. Vous embarquerez entre trois heures et quatre heures et demie dimanche prochain. La suite de Luke est à côté de la vôtre, deux portes plus loin sur le même pont. Vous pouvez embarquer à une demi-heure d'intervalle, si vous voulez, pour que personne ne se doute de rien. Bon... Il passe la nuit de samedi ici, j'espère?

— Oui. J'ai donné congé à ma secrétaire.

— Très bien... Fine mouche !

Prue feuilleta les billets en plissant le front :

— Attendez un peu... Le billet est au nom de Sean P. Starr.

— Tout à fait, fit le père Paddy avec un sourire narquois. Votre serviteur.

— Mais... Luke ne peut pas se faire passer pour vous, mon père.

— Et pourquoi donc ?

— Mais c'est bien trop risqué. Et s'il faut qu'il montre ses papiers ?

— Il montrera les miens. C'est compris dans l'organisation du voyage, mon enfant.

— C'est très gentil, mais... Eh bien, Luke ne voudra pas, j'en suis sûre.

— Il ne voudra pas quoi ?

— Faire semblant d'être un prêtre.

Le père Paddy lui tendit ses papiers.

— Montrez-moi où il est précisé qu'il s'agit d'un prêtre. Il sera tout simplement Sean Starr, bon vivant et globe-trotter, un charmant célibataire de cinquante ans qui, pendant une croisière en Alaska, rencontre par hasard sur un paquebot une charmante chroniqueuse mondaine du même âge. Quoi de plus naturel ? Ou de plus *romantique,* pour le coup ? Ce sera du miel, pour vos lecteurs !

Prue éclata de rire pour la première fois de la journée :

— Vous êtes d'un machiavélisme, mon père !

Le prêtre accepta le compliment avec une petite courbette modeste.

— Le reste vous regarde, mon enfant. C'est tout ce que peut faire l'Église pour les questions séculières. Cela dit, si j'étais vous, je me reposerais totalement sur son passé de courtier en Bourse. C'est bien ce que vous m'avez dit qu'il était, autrefois ?

— Oui. Il y a très longtemps. Avant d'être prédicateur.

— Courtier, pour notre affaire, c'est ce qui convient le mieux. Et comme c'est vrai, ça peut toujours servir.

Il se pencha et donna à Prue un baiser fougueux sur la joue.

— Oh, Prue... C'est une telle aventure qui vous attend... Une telle aventure !

— N'est-ce pas ? gloussa-t-elle.

— Et vous offrez à ce pauvre homme un nouveau début dans la vie. C'est quelque chose dont vous pouvez être fière... et, par la même occasion, qui vous fournira matière à article. Je veux des détails *croustillants,* ma chère. C'est tout ce que je demande comme salaire pour mes services. Au fait, vous l'aimez ?

— Oh, oui !

— Dans ce cas, il le verra pendant deux pleines semaines, ma chère. Il le verra et il ne redeviendra plus jamais ce qu'il était. Certaines personnes sont faites l'une pour l'autre, mon enfant, et quand cela arrive, presque tout est possible. Bien... Maintenant, quel genre de coiffeur voudriez-vous ?

A Hillsborough, c'était DeDe qui donnait les dernières consignes avant le départ.

— Détends-toi, maman, c'est ça le plus important. Détends-toi et savoure la présence de tes petits-enfants... Mais pour l'amour du ciel, ne dis à personne qui ils sont ou tu ruineras tout notre plan.

— Alors, qu'est-ce que je suis censée dire ?

— C'est simple. Ce sont tes petits-enfants *adoptifs.* Des orphelins vietnamiens dont tu t'occupes pendant l'été.

— Mais personne ne va croire cela ! s'indigna Frannie.

— Ah bon ? C'est beaucoup plus vraisemblable que la vérité, non ?

Silence.

— Je sais que tu vas avoir envie de te vanter, maman. Mais il ne faut pas. Devant personne. Tu auras tout le temps de fêter cela avec tes amies une fois l'affaire dévoilée.

— Et si je rencontre quelqu'un que je connais?

— Ça n'arrivera probablement pas. Il y a des années que les croisières font trop petit-bourgeois pour tes amies. Mais si ça se produit, tu ne changes rien : tu ajoutes « adoptifs » chaque fois que tu prononces le mot « petits-enfants » et ça passera comme une lettre à la poste. OK?

Frannie hocha la tête à contrecœur :

— Je trouve cela quand même affreusement bête.

— Maman!

DeDe avait pris son ton de femme d'affaires.

— Peut-être que tu trouves que ça fait bête, mais c'est vital. Tu as bien compris? Il suffit d'un rien pour qu'il y ait une fuite. Même quelqu'un de bien intentionné risquerait de tout raconter à la presse avant qu'on ait eu le temps de dire ouf. Rappelle-toi ce que disait papa : « Les langues trop bien pendues font couler les navires. »

Frannie fronça le nez :

— Je me serais bien passée de tes métaphores de fuites et de navires qui coulent.

— Excuse-moi, c'est un choix de mots malheureux, s'exclama DeDe avec un petit rire nerveux. Oh, maman, j'espère que tu vas t'amuser comme jamais!

— Oui, oui, dit Frannie. On s'amusera, tous les trois.

Voyageurs

La passerelle d'embarquement du *Sagafjord* grouillait de passagers, mais Prue n'en voyait qu'un seul.

— Regardez-le, ronronna-t-elle. Avez-vous jamais rien vu d'aussi beau ?

Le père Paddy se signa, ce qui constituait une réponse tout à fait appropriée si l'on considérait l'objet de leur examen. En effet, l'individu en blazer Brioni *était* beau : il était si racé et élégant qu'on aurait pu le prendre pour un diplomate ou un financier international.

— J'ai envie de courir le prendre dans mes bras ! s'écria Prue.

— Du calme, murmura le prêtre. L'habit fait peut-être le moine, mais *vous,* vous ne pouvez rien faire tant que le bateau n'a pas largué les amarres.

— Vous êtes cruel, mon père, plaisanta nerveusement Prue.

— Luke a son billet ?

— Oui. Je lui ai donné la suite Olaf-Trygvasson. Je voulais prendre la Henrik-Ibsen : ça faisait tellement plus littéraire !

— Un choix tout à fait judicieux, commenta le père Paddy. Voulez-vous que je vous accompagne à bord, au fait ?

— C'est très gentil à vous, mais je crois que je me débrouillerai toute seule.

— J'ose l'espérer, dit le prêtre, haussant un sourcil.

— *Arrêtez,* mon père !

Le père Paddy gloussa et serra son amie dans ses bras.

— Amusez-vous bien, ma chère. J'espère que vous rencontrerez quelqu'un de *merveilleux* à bord.

— Mon petit doigt me dit que c'est ce qui va se passer, répliqua Prue avec un sourire.

— Mais ne le rencontrez pas tant qu'une occasion convenable ne se sera pas présentée.

— Je comprends.

— Et n'oubliez pas de l'appeler Sean en public.

— Je n'oublierai pas.

— Et pour l'amour du ciel, ne vous tracassez pas sous prétexte que Frannie Halcyon est à bord.

— *Quoi?*

— Je viens de l'apercevoir sur le quai. Cela dit, peut-être qu'elle accompagne simplement quelqu'un. De toute façon, vous avez tout à fait le droit de vous lancer dans l'histoire d'amour qui se... présentera. Luke est certainement plus que montrable désormais et je doute que Frannie...

— Où est-elle? demanda Prue. Mon Dieu, ce que ça m'angoisse!

— Oh, Prue... Laissez-vous aller. Ce sont des vacances, quand même!

— Je vais essayer, promit Prue avec un sourire résolu.

— Dieu vous garde, dit le père Paddy.

— Ciao!

Sur le quai, trois femmes étaient rassemblées avec deux petits enfants et bavardaient avec un évident manque de décontraction.

— Maintenant, exigeait DeDe en s'agenouillant près des jumeaux, promettez-moi que vous ferez tout ce que Magnie vous dira de faire.

La petite Anna s'accrocha au cou de DeDe comme un koala.

— Pourquoi tu viens pas, maman?

— Je ne peux pas, mon cœur. Maman doit s'occuper de plein de choses. Mais je serai là pour vous attendre dès que vous rentrerez, c'est promis.

— Est-ce que D'orothea sera là aussi?

— Peut-être, mon cœur. Maman ne sait pas encore.

Mary Ann s'agenouilla auprès de DeDe et s'adressa aux enfants :

194

— Vous allez tellement vous amuser ! Il y a des films, sur le bateau, vous savez ! Et vous allez voir des animaux merveilleux, en Alaska !

— Lesquels ? demanda Edgar.

Mary Ann fut prise de court.

— Lesquels ? murmura-t-elle à DeDe.

— Euh... des élans, non ?

— De *gros* animaux, résuma Mary Ann. Avec de grandes cornes.

Puis, voyant la tête que faisait la petite fille, elle s'empressa d'ajouter :

— Mais ils sont très gentils... Comme de gros chiens, tu vois ?

DeDe se releva et embrassa sa mère.

— Merci pour tout. Je t'adore. J'espère que tu le sais, au moins.

— Je le sais, déclara Frannie en se mettant à pleurer. Je l'ai toujours su, ma chérie.

DeDe trouva un Kleenex dans son sac et lui tamponna les yeux.

— C'est mieux comme ça, affirma-t-elle. Je sais qu'ils seront en sécurité avec leur Magnie.

— Mais comment pourraient-ils être plus en sécurité qu'à la maison ?

— Allons, allons... Tu sais bien que la publicité...

— Il n'y a pas que ces histoires de médias, n'est-ce pas ? demanda Frannie en fixant sa fille d'un regard qui exigeait la vérité.

DeDe se détourna et jeta le Kleenex.

— N'est-ce pas ? insista Frannie.

Un coup de sirène assourdissant du *Sagafjord* annonça le départ imminent.

— Et voilà ! chantonna DeDe d'un ton un peu trop enjoué.

— DeDe, je veux que tu...

DeDe la fit taire en la prenant de nouveau dans ses bras.

— Tout se passera très bien, maman. Très bien.

Stratégie

Ce n'est pas un rire mais un hennissement que poussa Larry Kenan lorsque Mary Ann formula sa demande.

— Alors ça, c'est le comble, cocotte! Le comble!

— Eh bien, excuse-moi si...

— *Réserver* du temps d'antenne?

— Pas la peine de répéter, Larry. J'ai pigé.

— Le temps d'antenne, ça n'est pas quelque chose qu'on réserve, comme une chambre au *Hilton* ou je ne sais quoi de ce genre...

— OK. J'ai compris.

— Le temps d'antenne, c'est quelque chose qu'on *crée*... et nous devons savoir ce que nous créons, OK?

— OK, acquiesça Mary Ann en se levant et en se dirigeant vers la porte.

Le directeur de l'information avait toujours la tête levée vers Bo Derek.

— Attends une seconde, ajouta-t-il.

Mary Ann s'arrêta, la main sur la poignée de la porte.

— Oui?

— Si tu es sur un sujet, tu dois nous en faire part. Tu as le *devoir* de nous en faire part. En tant que journaliste.

— Je ne suis pas journaliste, rétorqua sèchement Mary Ann. C'est toi-même qui l'as dit.

— J'ai dit que tu n'étais pas *encore* journaliste. Et quand bien même tu le serais, je ne t'accorderais pas du temps d'antenne sans savoir de quoi tu veux parler, merde!

— Je te l'ai déjà expliqué, répondit calmement Mary Ann. Je ne peux le divulguer que d'ici à une semaine.

— Alors pourquoi tu n'attends pas une semaine pour m'en parler, hein?

— Très bien.

— Seulement, n'imagine pas que tu en parleras à l'antenne.

— Larry...

— Je parle chinois ou quoi? On a des pros qu'on paie pour ça. Toi, c'est pas pour ça qu'on te paie. Je crois seulement qu'on pourra s'arranger pour mettre ton nom au générique. *Peut-être.* Je ne sais pas quel lièvre tu as levé, mais ne t'imagine pas que tu vas devenir une Bambi Kanetaka du jour au lendemain.

Elle réprima un « Dieu m'en garde! » et sortit.

« Et voilà pour le plan A, se dit-elle. Le plan B sera beaucoup plus amusant. »

DeDe semblait disposée à adopter l'idée.

— Peu importe comment on s'y prendra, dit-elle. Ce qui m'inquiète, c'est quand on le fait.

— Mardi, ça irait? demanda Mary Ann.

— Mardi en huit?

— Oui. Ça nous donnera une semaine pour faire le ménage avant le retour de votre mère et des enfants. Le voyage, c'était vraiment une bonne idée... au moins pour des questions logistiques.

DeDe se rembrunit :

— Vous trouvez quand même que je suis un peu parano, non?

— Je trouve que vous êtes très consciencieuse.

— Ne jouez pas sur les mots, Mary Ann.

— DeDe, je...

— Jim Jones est mort, n'est-ce pas? Il ne peut que l'être : vous l'avez entendu à la télé!

Cet éclat fâcha Mary Ann.

— Tout ce dont je me soucie, fit-elle remarquer d'un ton ferme, c'est que vous puissiez raconter votre his-toire... de la manière la moins dommageable possible. C'est un scoop qui défie l'imagination, DeDe. Point final. Mon opinion n'a strictement aucune importance à ce stade. Le tout, c'est de... poser les questions. Les réponses viendront d'elles-mêmes plus tard.

— Vous avez raison, concéda DeDe avec résignation.

— Ce ne sera pas facile, je le sais. Si vous voulez, vous pouvez vous contenter d'un communiqué et moi je m'occuperai des questions de la presse. Ensuite, les jumeaux et vous, vous pourrez disparaître, prendre des vacances et repartir d'un bon pied.

— Ça ne se passera sûrement pas comme ça, objecta tristement DeDe.

— Je sais que ce sera difficile pendant un certain temps, mais...

— Ce sera difficile tant que je ne serai pas fixée. J'ai vu ce type, Mary Ann. Je n'ai jamais été aussi certaine de quoi que ce soit.

Mary Ann la scruta un moment.

— Très bien, dans ce cas... disons que vous l'avez vu.

DeDe attendit.

— Admettons qu'il est parvenu à Moscou et que son sosie est mort à sa place. Le monde entier pense qu'il est mort, mais en réalité, il est vivant et il est à Moscou. Nom d'un chien, pourquoi reviendrait-il à San Francisco pour rôder autour du Steinhart Aquarium ?

Silence.

— Ce sont les questions qu'ils vont vous poser, DeDe, lui expliqua gentiment Mary Ann. Je veux que vous vous y prépariez.

— Je ne serai jamais prête, dit-elle tristement.

Mary Ann alla s'asseoir à côté d'elle et la prit maladroitement dans ses bras.

— Excusez-moi. Bon sang, je... Écoutez, nous allons laisser de côté cette histoire de sosie, si vous voulez. Nous pouvons simplement annoncer que vous êtes revenue et oublier tout le reste...

— Non!

DeDe secoua la tête, inébranlable.

— Je veux qu'on coince ce salaud. Je veux qu'on en finisse avec lui une bonne fois pour toutes. Je ne veux pas me terrer le reste de ma vie en me demandant s'il ne me guette pas... Si les enfants...

— Et si c'était le sosie, que vous aviez vu?

DeDe secoua tout aussi énergiquement la tête :

— Ce n'était pas lui.

— Comment pouvez-vous en être sûre?

— Je le suis, c'est tout.

— Il n'a pas du tout changé? Les gens devraient le reconnaître.

— Vous le reconnaîtriez, vous? Comment voulez-vous qu'on s'attende à tomber nez à nez avec *lui*?

— Oui, je vois ce que vous voulez dire.

— D'ailleurs, il avait quelque chose de différent. Le nez, peut-être... Je ne sais pas. Il a peut-être subi une opération chirurgicale à Moscou. Bon sang, si seulement vous me croyiez! Je me souviens du passé, Mary Ann. Je *refuse* d'être condamnée à le répéter!

DeDe s'effondra comme sous le coup d'une gifle.

— *Seigneur!*

— Qu'est-ce qu'il y a? s'inquiéta Mary Ann.

— Rien. Voilà que je me mets à marmonner ses âneries, c'est tout.

— Quelles âneries?

DeDe balaya la question d'un haussement d'épaules.

— Juste une citation idiote qui était accrochée au-dessus de son trône, précisa-t-elle.

L'épreuve du goût

— Désolé, je suis en retard, dit Bill Rivera en rejoignant Michael à une table du *Welcome Home*. Le mec du frère de mon ex vient de repartir.

— Une minute : le quoi ?...

— Le mec du frère de mon ex. Il a fait son *coming out* il y a une semaine. Et ce fils de pute a choisi mon appart' pour le faire. Il a débarqué chez moi avec toute sa panoplie.

— Cuir ?

— Cuir, santiags, bandanas dans chaque poche, pinces à seins, costumes trois-pièces. Tout ce que tu voudras.

— Et qui était censé faire faire la tournée des bars au monsieur ? ironisa Michael.

— Je l'ai à peine vu. Il passait juste le temps de se pieuter, de changer de costume ou de me piquer mon poppers et il repartait aussi sec. Il a écumé tous les bars, de l'*Alta Plaza* au *Badlands* en passant par *Le Chaudron* pendant que je restais chez moi à regarder la télé. Ce matin, en partant, tout d'un coup, il est devenu très sérieux et il m'a sorti : « Tu sais, Bill, cette ville est trop débauchée. Je ne pourrais jamais y habiter. » J'ai failli l'étrangler avec son harnais, ce con !

Michael éclata de rire et lui tendit le menu.

— Les mecs de L.A. sont les pires, affirma-t-il.

— Celui-là, il est de Milwaukee. Même les pédés de là-bas trouvent qu'on va trop loin.

Michael sourit soudain en se rappelant quelque chose :

— Tu as entendu parler de l'incendie qu'il y a eu à la station de métro de Castro Muni, la semaine dernière ?

Le policier secoua la tête.

— C'était pas grand-chose, continua Michael, mais ils ont quand même envoyé la grande échelle avec une dizaine de pompiers... plus sexy les uns que les autres ! Ils se sont garés devant le Castro Theatre, mais pour entrer dans la station, il a fallu qu'ils traversent le bal des Foggy City Squares.

— Traduis, fit Bill.

— C'est un groupe de danses folkloriques homo ! Ils faisaient leur grand numéro devant la Bank of America ! Braillements et *yipees,* tout en chantant des rengaines de western ! Rien que des hommes. Mais ce qui m'a le plus frappé, en fait, c'est la tête des pompiers : blasés comme jamais. Ils ont salué tout le monde gentiment et ils ont fait leur boulot... comme si à chaque fois qu'ils vont éteindre un incendie ils passaient au milieu d'une troupe de mecs qui dansent ensemble. Ça, ça n'existe nulle part ailleurs. C'est la raison pour laquelle j'habite ici, je crois. Ça et le fait que certains flics sont d'un genre un peu douteux !

— Et pas qu'un peu ! acquiesça Bill.

— Juste assez. T'es pas très branché country-music, hein ?

C'est ce qu'il avait déduit de la réaction de Bill à cette histoire de danses folkloriques. Le flic se contenta de répondre d'un grognement.

— Je te demande ça parce que... Eh bien, je me demandais si ça te plairait d'aller au rodéo avec moi.

— Le rodéo pédé ? s'enquit Bill en levant le nez.

Michael hocha la tête.

— Encore des folles qui font semblant d'être des cow-boys, c'est ça ?

— Pas toutes, répondit Michael. Il y en a qui font semblant d'être Dolly Parton.

Mary Ann ne cacha pas sa surprise lorsque Michael fit son apparition devant sa porte peu avant minuit.

— Je croyais que tu voyais l'Homme en Bleu, ce soir.

— Je l'ai vu : j'en viens.

— Je vois.

— Il n'aime pas avoir quelqu'un dans son lit, expliqua Michael. Pas toute la nuit, je veux dire.

— Ça a l'air d'être un marrant, dit Mary Ann.

— Je crois que ce qui nous intéresse, l'un et l'autre, c'est seulement le cul. Tant pis. C'est aussi bien. Il a des draps « Bonne Nuit ».

— Des *quoi* ?

— Tu sais, des draps où il y a marqué « Bonne Nuit » partout. C'est assorti aux serviettes marquées « Bonjour ». C'est atroce, Babycakes. Il a un goût... c'est à ne pas croire.

— Attends un peu ! J'ai eu les *mêmes* draps.

— Non ?

— Si ! Qu'est-ce qu'ils ont de drôle, ces draps ?

— C'est pas ça la question, dit Michael. La question, c'est que... on n'a pas grand-chose en commun.

— A part la baise.

— A part ça, oui. Mais ça, c'est *génial* ! Et la chose a pour curieux effet de me faire oublier ces draps à chier. Sans parler de la boucle de ceinture estampée BILL et du rideau de douche avec un mec à poil dessus.

— Moi, je trouve surtout que tu es affreusement snob ! le gronda Mary Ann.

— Peut-être que oui, mais au moins, ça m'empêche de trop m'enthousiasmer pour lui parce qu'il baise super-bien. S'il avait le moindre goût, je serais probablement déjà amoureux de lui depuis longtemps.

— Et tu ne veux pas ?

— Non.

— Pourquoi ?

Michael réfléchit un instant, puis déclara :

— C'est comme ce pull. Tu l'as vu, au fait, mon pull ?

— Il est très joli. La couleur te va bien. C'est du cachemire ?

— Oui. Quinze dollars à la friperie de Town School.

— Une bouchée de pain ! s'exclama-t-elle en caressant la manche. Il est presque neuf, Mouse.

— Pas si vite, dit Michael en levant le bras pour lui montrer un trou au coude gros comme une pièce d'un dollar.

— Tu pourrais le repriser, suggéra Mary Ann.

— Surtout pas. C'est de ça que je veux parler. J'aime ce trou, Babycakes. Il m'empêche de me soucier de mon pull en cachemire. J'ai le style, la sensation, le luxe du cachemire, sans avoir peur de l'abîmer. Il est déjà abîmé, tu vois ? Comme ça, je peux me détendre et l'apprécier tel qu'il est. C'est exactement ce que j'éprouve pour Bill.

— Et lui, qu'est-ce qu'il éprouve pour toi ?

— Il me considère comme un bon partenaire pour la baise, point final.

— Quel romantisme !

— Exactement. Donc, je me console en me disant qu'il a un goût de chiottes et que ça ne marcherait jamais entre nous de toute façon. Même s'il n'était pas aussi cruellement incapable de sentiments. Même s'il ne choisissait pas le dessus de la chasse d'eau pour exposer son « rayon charcuterie ».

— Je crois que je ne vais pas te demander de précisions sur ce dernier détail, fit Mary Ann.

— Ce sont des bouquins de cul.

— J'aime mieux ça. Raconte-moi quelque chose d'agréable, au moins. Tu as des nouvelles de Jon ?

Michael s'efforça de prendre un air agacé :

— Tu t'arranges toujours pour le remettre sur le tapis, celui-là, hein ?

— Ça m'est égal, si ça te vexe. C'était un ami à moi aussi. Il était généreux, superbe et... il te considérait comme le plus beau mec de la ville ! C'était du cachemire aussi, mais sans trou, Mouse. Ne me dis pas que c'était si désagréable que ça, quand même !

Michael eut un soupir de lassitude.

— J'ai pas de nouvelles de Jon, OK?

— OK. Désolée.

Il ne se donna pas la peine de dissimuler la lueur de regret qui passa dans ses yeux :

— Toi non plus?

Direction l'Alaska

Frannie remarqua que Prue Giroux était perchée sur des talons aiguilles avec lesquels elle déambulait d'une démarche précaire sur le pont promenade du *Sagafjord* glissant de pluie. Comme d'habitude, elle portait une robe qui ne convenait absolument pas à la circonstance : crème, à volants... En un mot, affreuse.

En revanche, avec son blazer bleu marine, sa chemise blanche impeccable et sa cravate en soie grise, son compagnon avait l'air aussi princier que le duc de Windsor. « Mon Dieu, se dit Frannie, mais comment fait-elle? »

Prue sembla hésiter un instant quand elle aperçut Frannie sur sa chaise longue. Puis elle sourit d'un air un peu trop expansif et agrippa le bras de son compagnon comme s'il s'agissait d'un trophée qu'elle s'apprêtait à exhiber.

— N'est-ce pas merveilleux? roucoula-t-elle en parlant du paysage.

— Mmm, fit Frannie. Féerique.

— Vous n'avez pas trouvé qu'Albert Bay était un endroit tout à fait fabuleux? On aurait dit l'un de ces petits villages en porcelaine qu'on trouve chez Shreve's à l'époque de Noël!

« Et parfois, songea Frannie, on est tellement commune qu'on paraît encore plus vulgaire en utilisant "on" à tout bout de champ. »

204

— Connaissez-vous M. Starr? demanda la chroniqueuse mondaine.

Toujours allongée et drapée dans un plaid, Frannie sourit de son air le plus royal et tendit la main.

— Très heureuse, dit-elle.

— M. Starr est courtier en Bourse à Londres, rayonna Prue.

« Cette femme est impossible, se dit Frannie. Mais qui d'autre déclamerait le CV de son compagnon avec autant d'empressement? »

— J'adore Londres, laissa-t-elle tomber distraitement.

Le pauvre homme semblait affreusement mal à l'aise.

— Je ne suis pas...

— Il n'est pas anglais, intervint Prue en lui serrant le bras encore plus fort. Je veux dire... Il n'est pas né là-bas. C'est un Américain qui travaille à Londres.

— Je vois, fit Frannie.

L'homme acquiesça comme pour confirmer la déclaration de Prue, manifestement humilié par son incorrigible snobisme. « En tout cas, se dit Frannie, voilà une romance de vacances qui ne tiendra pas jusqu'au bout de la croisière. »

— Où sont nos délicieux petits orphelins? demanda Prue.

Frannie s'efforça de ne pas faire la tête. Cette histoire de prétendus « orphelins », tout comme la mélancolie et un vague mal de mer, faisait partie du voyage.

— Ils sont au cinéma, dit-elle négligemment. Ils regardent Bugs Bunny.

Le sourire le plus chaleureux qu'on pût imaginer se peignit sur le visage aristocratique de M. Starr.

— Ce sont de beaux enfants, apprécia-t-il. Vous devez en être très fière.

— Oh, oui! s'exclama Frannie avant d'ajouter précipitamment : Ils ne sont pas vraiment à *moi,* bien sûr... Mais je suis seule au monde et ils sont une compagnie si agréable... Et puis, que voulez-vous que je fasse d'autre de tout ce temps que j'ai à ma disposition?

La réaction de M. Starr fut presque celle d'un intime, comme s'il avait connu Frannie depuis des années:

— Je trouve que c'est extraordinairement généreux de votre part.

Son interlocutrice rosit de plaisir.

— Eh bien, je... Je vous remercie, mais... Eh bien, j'en retire une immense satisfaction...

Sa phrase resta en suspens. M. Starr l'enveloppait d'un regard caressant. Frannie sentait déjà qu'elle avait en commun avec lui quelque chose qu'il ne partageait pas avec Prue Giroux.

— Il faudra que nous en parlions un jour, dit Prue.

— Euh... de quoi? demanda Frannie, toujours magnétisée par l'extraordinaire regard de M. Starr.

— De cette association de grands-parents adoptifs, expliqua Prue. Je suis certaine que mes lecteurs seraient ravis de lire votre position sur ce sujet.

— Oh, oui, murmura Frannie d'un air absent. Ce serait certainement... très intéressant.

— Je vois bien que vous les aimez beaucoup, reprit M. Starr, ignorant totalement la présence de Prue. Cela se voit sur votre visage. Et quand il y a de l'amour... il y a un lien, même si ce n'est pas celui du sang.

— Du sang? grimaça Prue.

Frannie eut un sourire indulgent. (Quelle crétine, cette Prue Giroux!)

— Je crois que M. Starr veut parler des liens de parenté, Prue.

Elle se retourna vers son admirateur.

— Je les aime, en effet, comme s'ils étaient à moi, monsieur Starr.

Il cligna imperceptiblement des yeux.

— Je le sais, déclara-t-il.

« Quelle réflexion charmante! » se dit Frannie, qui essayait toujours de discerner ce qui lui semblait si *familier* dans le visage de cet inconnu.

206

— Connaîtriez-vous par hasard un certain père Paddy Starr, à San Francisco? demanda-t-elle.

— Je lui ai déjà posé la question, bafouilla Prue. Je me demandais la même chose, moi aussi.

— Vous portez le même nom, remarqua Frannie. Je me disais... Il y a peut-être un...

— Non, dit M. Starr. Beaucoup de gens portent ce nom, probablement.

— Mmm, fit Frannie.

— Au fait, ajouta M. Starr, si vous avez besoin de quelqu'un pour faire du baby-sitting, je serais heureux de vous rendre ce service.

— Comme c'est aimable à vous! répondit Frannie avec un sourire rayonnant. Mais je crois que je saurai me débrouiller.

— Je suis très doué avec les enfants, ajouta-t-il.

Frannie hocha la tête : elle n'en doutait pas une seconde.

Aurore boréale

Ce soir-là, sur le pont Lido, alors que presque tous les passagers s'étaient rassemblés dans la salle de bal pour un concours de rumba, Prue et Luke se blottirent sous leurs plaids norvégiens et contemplèrent le miracle des cieux septentrionaux.

— Mon père avait bien raison, dit Prue, les yeux fixés sur le ruban bleu ciel qui bordait à l'horizon le velours noir du ciel. Maintenant, je comprends exactement ce qu'il voulait dire.

— A propos de quoi? demanda Luke.

— Oh... de la beauté, je suppose. Il me disait qu'on ne s'ennuyait jamais dans la vie, parce qu'il y a certains types de beauté qu'on ne comprend pas tant qu'on ne les a pas vus soi-même. J'ai entendu parler des aurores boréales toute ma vie, mais je... je n'y croyais pas vraiment... jusqu'à ce soir.

Luke répondit en posant une main sur son épaule.

— Je pense, ajouta Prue, que je n'ai jamais cru en *nous* jusqu'à ce soir. Je le voulais, oh oui, mais je ne me laissais pas aller totalement. Cela semblait tellement irréel, comme un conte de fées.

Luke prit son visage dans ses mains.

— C'est réel, Prue. Chaque instant, chaque détail en est réel.

Son sourire découvrit des dents blanches comme des icebergs sur une mer d'encre.

— Sauf peut-être ces vêtements stupides.

— Tu as une allure splendide, s'attendrit Prue. Je suis si fière de toi, Luke! As-tu vu comment te regardent toutes ces vieilles peaux quand on entre ensemble dans la salle à manger? Elles te dévorent tout cru! Si je ne te connaissais pas, ça m'inquiéterait un peu.

— Tu ne peux pas laisser tomber ces histoires d'apparence un instant? riposta Luke presque sèchement.

— Luke! fit Prue, blessée. Je te disais simplement ce que j'éprouve.

— Je sais, je sais, l'apaisa-t-il.

— Je suis *heureuse,* Luke. C'est un petit miracle en soi. Je ne savais même pas ce que ce mot signifiait avant de te rencontrer. Maintenant... j'ai envie de chanter à pleins poumons.

Elle sourit devant l'audace de sa propre fougue.

— Je me suis toujours donné un mal de chien pour que les gens me considèrent comme une femme libre. Et pour la première fois de ma vie, Luke, je me sens ivre de liberté. Je veux qu'il en soit ainsi pour l'éternité.

Il se détourna et contempla de nouveau le ciel.

— Deux semaines, ce n'est pas l'éternité.

Prue se rembrunit :

— Luke...

— Ne fais pas de projets, Prue. Sinon, tu ne pourras pas goûter l'instant présent.

— Et si je veux davantage que l'instant présent ?

— Tu ne peux pas. Nous ne pouvons pas.

— Pourquoi ? Il n'y a aucune raison au monde que cela ne puisse durer quand nous rentrerons à San...

— Il y a des tas de raisons.

— Lesquelles ? Pourquoi ne pouvons-nous pas simplement... ?

— Chut, ma chérie... chut.

Il l'attira à lui en lui caressant les cheveux comme à une enfant.

— Tu demandes tellement, mon amour... tellement !

Elle se dégagea de son étreinte, brusquement désorientée, cherchant désespérément des repères.

— Est-ce trop demander que de vouloir faire durer ce que nous vivons ? Mon Dieu, Luke... Est-ce que je me suis méprise ? N'est-ce pas de l'amour, que j'ai lu dans tes yeux ?

— Si, dit-il.

— Alors, qu'est-ce qu'il y a ?

Il la considéra un moment, puis il secoua lentement la tête :

— Nous ne trompons personne, Prue. Tes amis ne croiront jamais à cette comédie.

— Luke... Tu *charmeras* mes amies.

— Comme cette vieille chouette avec ses orphelins vietnamiens ? Non, merci. Je n'ai pas envie de charmer la bourgeoisie... Et ils s'en rendront compte en dix minutes.

Prue ne dissimula pas son aigreur :

— Si ça t'importe tant que ça, cette vieille chouette — comme tu dis — a perdu une fille et deux petits-enfants au Guyana. C'est clairement pour compenser cette perte qu'elle s'occupe de ces...

— *Comment s'appelle-t-elle ?*

La soudaine violence de la question la fit sursauter.

— Frannie Halcyon. Je te l'ai présentée, non ?

— Non, je veux parler de sa fille.

— Ah ! DeDe Day. DeDe Halcyon-Day. Les journaux en ont écrit des tartines sur cette histoire, à l'époque. Tu as bien dû lire... Luke, quelque chose ne va pas ?

Il était debout, raide comme un piquet, les mains agrippées au bastingage. Une veine battait sur son cou et sa respiration était devenue irrégulière.

Prue fit de son mieux pour réparer les dégâts :

— Luke, je sais que tu n'es pas insensible. Je ne voulais pas t'accuser de...

Il fit volte-face pour la regarder droit dans les yeux :

— Ça va... Ça va. Excuse-moi d'avoir haussé la voix. Tu me pardonnes, n'est-ce pas ? Tu veux bien ?

— Oh, Luke ! gémit-elle en se jetant dans ses bras pour pleurer sur son épaule. Je t'aime, chéri. Je te pardonnerais n'importe quoi.

— Je prie pour que tu n'aies pas à le faire.

Télépathie

Mary Ann avait ouvert un compte à l'agence de la Bank of America située sur Columbus Avenue. Elle fréquentait ce vieil immeuble charmant de North Beach parce que premièrement on le voyait dans le film de Woody Allen, *Prends l'oseille et tire-toi* ; deuxièmement parce que ses guichetières étaient aimables, italiennes et bavardes comme des pies.

Elles l'étaient d'ailleurs aujourd'hui tout autant que d'habitude.

— Mon mari et moi, on n'a jamais fait comme tout

le monde, lui déclara l'une d'elles, particulièrement agressive, qui approchait la quarantaine.

Elle lui avait annoncé cela avec beaucoup de sérieux, comme si Mary Ann le lui avait demandé.

— Ah bon? fit Mary Ann.

— Jamais. *Jamais*. Il y a des années, quand les filles et les garçons comme il faut ne vivaient pas ensemble sans être mariés, Joe et moi, on vivait à la colle. Et puis tout à coup, *tout le monde* s'est mis à vivre à la colle. Qu'est-ce qu'on a fait? On s'est mariés. OK. Ensuite arrive la pilule et *plus personne* ne fait d'enfants. Vous croyez qu'on a suivi? Vous avez tout faux : Joe et moi, on se met à faire des gosses à tire-larigot! Et puis maintenant, voilà que ça redevient très à la mode de faire des enfants. Du coup, des tas de femmes de mon âge vivent en même temps la maternité et la crise de la quarantaine. Joe et moi, nos gosses vont sur leurs vingt ans, ils sont relativement indépendants. On a eu tout le temps de *planifier* notre crise de la quarantaine. Il a décidé d'acheter une Porsche et d'avoir une maîtresse de dix-neuf ans. Moi, j'ai décidé de faire à peu près pareil. Laissez-moi vous dire que quand on voit ça, on ne peut pas s'empêcher de ricaner.

Ce charmant exposé chronologique (sans parler du chèque de Mme Halcyon qu'elle venait de déposer) mit Mary Ann de bonne humeur et elle sourit pendant tout le trajet du retour.

Ensuite, elle réfléchit aux choix qui s'offraient à elle.

Bien sûr, elle voulait avoir des enfants. Elle l'avait toujours prévu. Mais quand? Elle avait trente ans, désormais. *Quand?* Après que sa carrière serait lancée? Mais ce serait quand? Est-ce qu'avoir des enfants signifiait qu'il fallait se marier? Elle n'était quand même pas *aussi* moderne, si? Et Brian? Est-ce que le mariage ne renforcerait pas ses doutes sur son avenir de cadre raté? Et d'ailleurs, voulait-il se marier? Était-ce raisonnable de lui demander de patienter? Patienterait-il?

Qui devait faire le premier pas?

Ce soir-là, ils dormirent chez elle en cuillers (cuiller à thé contre cuiller à soupe). Juste avant l'aube, elle le sentit glisser de ses bras. Elle roula sur le côté, dormit encore un peu et se réveilla une demi-heure plus tard pour le trouver assis tout nu sur le fauteuil, en face du lit.

— Faisons-le, dit-il tranquillement.

— Quoi? demanda-t-elle en se frottant les yeux.

— Marions-nous.

Elle cligna plusieurs fois des yeux, puis elle sourit timidement.

— C'est de la télépathie, observa-t-elle.

— Ah bon?

— J'y ai pensé toute la journée d'hier. Je croyais, moi, que c'était à cause de mon horoscope. Comment t'expliques-tu la chose, toi?

— Je me suis dit qu'il valait mieux que je t'en parle avant que tu ne sois à la une de *People*.

— C'est pas pour tout de suite, répliqua-t-elle.

— Non. Je suis fier de toi. Je veux que tu le saches. Il va t'arriver de grandes choses, Mary Ann, et tu les mérites totalement. Pour moi, tu es quelqu'un de fantastique.

Elle le regarda avec amour pendant un long moment, puis elle tapota le lit à côté d'elle.

— Pourquoi n'es-tu pas ici, demanda-t-elle, à côté de moi?

— Ne change pas de sujet. Je peux tout aussi bien t'adorer de l'endroit où je suis.

— Comme il vous plaira, sire.

C'était vrai, cependant : elle le sentait presque de là où elle était.

— Quand a lieu la conférence de presse? s'enquit-il.

— Mardi.

Brian émit un petit sifflement.

— Dans pas longtemps!

— Ce n'est pas vraiment une conférence de presse. La chaîne ne veut pas me donner de temps d'antenne sans savoir pour quoi je le veux et je ne suis pas encore prête à leur dire.

— Alors comment vas-tu faire?

Une fois qu'elle le lui eut expliqué, Brian secoua la tête, admiratif :

— Waouh! C'est brillant!

Mary Ann accepta le compliment en inclinant gracieusement la tête.

— Combien de rescapés de Jonestown ont-ils la possibilité de refaire surface au beau milieu du film de l'après-midi? Je pense que je peux lâcher ma bombe et attendre que quelqu'un d'autre organise la conférence de presse.

— De quel genre de bombe s'agit-il? demanda Brian.

— Tu veux tout savoir?...

— Donne-m'en une petite idée, au moins.

Mary Ann réfléchit un moment à la question. Elle ne voulait pas encore dévoiler la théorie du sosie. Elle n'y croyait pas encore totalement.

— Pour commencer, déjà, DeDe a fui par la rivière, cachée dans un réservoir pour poissons tropicaux. Et Jones l'a violée, un jour qu'elle était clouée au lit.

— Mince! siffla Brian. Ça devrait les intéresser!

— Ça, c'est sûr! C'est du sensationnel.

— Et tu crois que tu vas pouvoir tout raconter en cinq minutes?

Mary Ann secoua la tête :

— On ne va même pas essayer. On va juste donner les grandes lignes et on vendra le reste au plus offrant. J'aime faire les choses comme je l'entends. Et puisqu'on en parle, tiens, reviens donc dans le lit.

— Tu n'as toujours pas répondu à ma question.

— Je sais.

— Tu n'es pas obligée d'y répondre, en fait. Je voulais juste te faire part de mes sentiments avant que tout ce cirque ne se mette en branle. Et je voulais que tu saches ce que j'ai en tête.

— J'en suis heureuse, dit-elle en lui souriant tendrement. Tu ne peux pas savoir à quel point.

Claire

— Où, Magnie, *où* ?

Le petit Edgar trépignait en essayant de voir les baleines qu'on avait signalées à tribord. Sa sœur Anna était à côté de lui, apparemment beaucoup moins impressionnée.

Frannie s'agenouilla auprès des enfants et tendit le doigt.

— Vous voyez ? Là-bas... La gerbe d'écume. C'est la baleine. C'est elle qui souffle toute cette eau par un trou qu'elle a sur le dos.

— Quelqu'un lui a tiré dessus ? demanda Edgar avec inquiétude.

— Mais non, mon chéri... Pourquoi veux-tu... ? Ah, le trou ! Eh bien, tu vois... Toutes les baleines ont un trou comme ça, pour pouvoir... pour pouvoir souffler l'eau.

Frannie étouffa un grognement et jeta un regard suppliant à Claire McAllister.

— Tirez-moi de ce pétrin.

Claire gloussa :

— Pourquoi les baleines ont un trou ? C'est une question assez dangereuse à poser à une personne comme moi, ma chère !

Frannie se mit à rire. Claire était une ancienne meneuse de revue d'un âge indéterminé, qui avait un faible pour les sous-entendus et les blagues épicées. Ses lèvres trop rouges et ses cheveux trop noirs rappelaient bizarrement Ann Miller, bien que Claire eût depuis belle lurette abandonné le showbiz. Elle était mariée à la troisième fortune de l'Oklahoma.

— Tant pis, dit Frannie. Oubliez la question.

Claire fit un grand sourire aux jumeaux et reprit :

— Ils sont mignons comme tout, Frannie. Comment est-ce qu'ils vous appellent ?

— Euh... Magnie, répondit Frannie en rougissant. C'est juste un surnom. Frannie est un peu trop intime... Et Mme Halcyon serait trop... formel.

— Magnie, répéta Claire avec une lueur espiègle dans ses yeux noirs. Ça ressemble bigrement à « Mamie », je trouve.

Frannie tripota nerveusement une boucle de ses cheveux sur son oreille.

— Eh bien... Je... euh, ça ne m'ennuierait pas du tout, finit-elle par déclarer. Je les adore comme mes propres petits-enfants !

— Mmm, mmm, fit Claire, toujours avec la même lueur espiègle.

— Bon ! s'exclama Frannie en se retournant vers les jumeaux. Nous avons vu les baleines, alors il est temps d'aller faire un petit dodo, vous ne croyez pas ?

Les enfants émirent un grognement de protestation.

Tandis que Frannie les prenait par la main et les emmenait, Claire lui adressa un clin d'œil complice.

— Je vous retrouve au *Garden*, chérie.

Le *Garden* en question était le bar très élégant du pont Véranda animé par un groupe de musiciens, le San José Trio. Frannie et Claire s'y retiraient tous les jours pour se repaître de leurs délicieuses versions de vieux refrains comme *Over the Rainbow* ou *Londonderry Air*.

— Où est Jimbo ? demanda Frannie à peine les Mai Tai servis.

Le mari de Claire les accompagnait presque toujours. Les attentions amoureuses dont il entourait Claire rappelaient parfois cruellement à Frannie sa solitude.

— Dans ce fichu casino, voyons! fit Claire en papillotant comiquement des paupières. Je sentais bien que ça le démangerait tôt ou tard. Je lui ai dit d'y aller et de jouer tant qu'il voudrait... et que je me trouverais un gigolo en attendant.

— Vous ne voulez pas dire qu'il y a vraiment...?

— Mais bien sûr que si, chérie! Évidemment, on ne les désigne pas comme ça, mais ces jeunes gens du personnel sont tous, dirons-nous, *censés* danser avec les vieilles dames... Et la dernière fois que j'ai vérifié, eh bien, croyez-moi, je me suis fichtrement rendu compte que j'étais dans la bonne catégorie!

— Mais ça s'arrête là, non? demanda Frannie en s'esclaffant.

— Vous en voudriez plus? dit Claire en rugissant de rire. Laissez tomber, chérie : la plupart sont pédés. Le type qui assure les cours d'aérobic est maqué avec le danseur de claquettes, le magicien n'a d'yeux que pour l'adorable petit sommelier, et je ne parle que du personnel! Ne me lancez pas sur les passagers, chérie! Cette Mme Clinton, par exemple... Celle qui a du diabète et qui voyage avec un ami qui est chargé de prendre garde qu'elle ne mange pas trop de sucre? Ami de mon cul, oui! Oh, je vous jure que c'est *gratiné*! Les ragots qui courent sur ce rafiot sont presque meilleurs que la cuisine. Je suis accro à ces croisières, mais ce n'est plus comme dans le temps. Cela manque un peu de glamour. Tenez, c'est bien simple : les vrais riches ont déserté le bord. Mais il n'y a rien de tel que d'être en mer, chérie... Rien! Oh, regardez le brouillard, sur cette montagne!

En fait, Frannie le regardait depuis longtemps. Son mari aurait adoré, se disait-elle. Il faisait toujours la tête quand ils étaient sous les tropiques, et il était tellement heureux quand l'air était vif et le ciel gris.

Elle posa son Mai Tai et esquissa un sourire d'excuse :

— Pardonnez-moi, Claire. Je me sens un peu... patraque.

— Chérie, quelque chose ne... ?

Frannie posa délicatement une main sur sa taille.

— Juste une... petite nausée, murmura-t-elle.

— Mon Dieu, mais c'est vrai : vous êtes verdâtre ! Et moi qui continuais à jacasser sans m'apercevoir de rien.

Claire consulta sa montre.

— Vous devriez faire provision de Dramamine, chérie. Vous avez de la chance. Le médecin est encore de service. Il crèche sur le pont B, près de l'ascenseur.

Frannie se leva et la remercia.

— Connaissez-vous son nom ?

— Fielding, répondit Claire. Vous ne pouvez pas le rater : il est sacrément bel homme !

Si votre ramage, etc.

S'il fallait en juger par ce qu'on trouvait à Reno, le chiffre 6 avait fini par vouloir dire : hôtel pas cher. Outre l'original (le *Motel 6* où les chambres, dans le temps, avaient vraiment été à six dollars la nuit), Michael et Bill eurent le choix entre le *Western 6 Motel* (à côté d'un restaurant *Denny's*) et le *6 Gun Motel* (à côté du champ de foire).

Ils optèrent pour le *6 Gun,* parce que Michael avait jugé que le thème western de ce week-end devait être exploité jusqu'au bout... Et il ne fut pas déçu. Sur les tables de chevet trônaient des lampes dont le pied était en forme de pistolet, canon vers le haut ; il y avait également, dans le vestibule, un énorme chapeau de cow-boy en plastique accroché sur le mur.

— Ah, l'Ouest ! s'exclama Michael en ouvrant les rideaux pour laisser entrer le soleil.

— Je te signale que tu habites déjà l'Ouest, précisa Bill en continuant de défaire ses bagages.

— Ouais, dit Michael, mais parfois, il faut aller un peu à l'est pour retrouver vraiment l'Ouest.

— Quelle vue on a ?

— Une vue imprenable sur la station-service Exxon et les collines au-delà.

— Génial ! grogna Bill.

— Il y a également sept — viens constater toi-même — sept homosexuels qui se dorent au soleil sur les trois mètres carrés de pelouse entre nous et la station-service. Je me demande si la ville est prête à accepter une telle invasion...

— Les machines à sous ne font pas la différence entre l'argent rose et l'autre.

— Je n'en suis pas sûr, dit Michael. Selon les journaux, le gouverneur n'est pas très enthousiaste. Et après la une de l'*Examiner,* la bonne société doit être un peu inquiète à l'idée de voir les pédales squatter le Nevada.

— Quelle une ?

— Tu sais bien... L'article sur le *MGM Grand Hotel* : Orgie gay — Tragique incendie au *MGM*.

— Ah oui !

— Réfléchis ! Tout Reno pourrait très bien finir en flammes, cette nuit !

Un panneau en plastique noir planté au bord de l'autoroute annonçait la manifestation aux automobilistes : Rodéo homosexuel à Reno. Tandis que Bill garait sa TransAm sur le parking poussiéreux, Michael commença à réfléchir à voix haute :

— Bon. Alors, d'après toi, combien de ces mecs sont de vrais cow-boys ?

La question le concernait personnellement. Avec ses bottes Danner, achetées une semaine auparavant, il avait l'impression d'avoir des semelles de plomb. Sa chemise de cow-boy crème (avec pour motifs des oies sauvages!) lui semblait aussi peu crédible qu'un smoking sur un marin en permission.

— Pour commencer... Celui-là, non! dit Bill en désignant du doigt un grand brun nerveux.

Le type arborait un T-shirt qui proclamait : TOUR DE MANÈGE — 5¢.

Michael remarqua d'autres signes d'usurpation d'identité. Trop de débardeurs couleur pastel. Trop de stetsons qui ressemblaient de manière louche à ceux qu'on achète chez All-American Boy. Trop de corps façonnés sur machines Nautilus, trop bien moulés dans leurs T-shirts qui, par exemple, annonçaient effrontément : CELUI QUI ME PREND AU LASSO A LE DROIT DE ME MONTER...

L'un des visiteurs, pour l'occasion, avait remplacé l'anneau qu'il portait au sein par un minuscule éperon en argent, mais Michael trouva que ce n'était pas très convaincant.

— Seigneur! s'étrangla-t-il en découvrant tous les pectoraux héroïques exhibés à l'entrée du terrain de rodéo. Mais d'où viennent-ils?

— Pas de leur ranch! ironisa Bill. Les vrais cow-boys ont du bide.

— Sois pas aussi blasé. Il y en a forcément un de vrai.

— Sûr, répliqua Bill. Il y a bien plusieurs authentiques coiffeurs.

Le défaitisme de Bill commençait à porter sur les nerfs de Michael. Une fois sur le terrain, il se concentra sur la manifestation elle-même : brutales démonstrations de capture de veaux au lasso, rodéo sur taureaux et traite de vaches sauvages. Cette dernière compétition devait rassembler une lesbienne, un travesti et un macho — un assortiment qui en soi était déjà un exploit.

Avant le milieu de l'après-midi, la plupart des spectateurs avaient tombé la chemise et leur nudité colorait les gradins d'une belle nuance d'acajou. La bière coulant à flots, presque personne ne put résister à l'envie de taper dans ses mains pour accompagner les *Texas Mustangs,* présentés comme le seul groupe de country pédé de l'État.

— J'aime bien ça, dit Michael. Tout le monde est détendu. Faire son cinéma paraît plus difficile.

— Ouais, fit Bill. Attends seulement ce soir !

— La fête, tu veux dire ?

Bill hocha la tête avec suffisance :

— Quand ils se seront débarrassés de toute cette poussière, tu vas les voir, les folles disco !

Michael ne voulut pas partager cette opinion.

Guéris-toi toi-même

Frannie put voir sur le beau visage du médecin blond qui la reçut dans son cabinet sur le pont B qu'elle n'était pas la seule à être étonnée.

— Madame Halcyon ! Quelle surprise !

Frannie sourit en tendant la main :

— Docteur Fielding !

— Comme cela me fait plaisir de vous voir ! dit le médecin. Je ne savais pas du tout que vous étiez à bord. Je n'ai pas regardé la liste des passagers, cette fois, et... Eh bien, cela fait longtemps, n'est-ce pas ?

Frannie acquiesça, percevant l'extrême délicatesse de la situation. Après tout, c'était l'homme qui avait mis les jumeaux au monde... Allait-elle être forcée de lui mentir à lui aussi et de prétendre qu'elle avait adopté des « orphelins » ? Allait-il la croire ?

— Je me sens tellement bête, se plaignit-elle faiblement.

Quand il souriait, la dentition du médecin paraissait du même blanc éclatant que celui de son uniforme.

— Pour quelle raison? demanda-t-il.

— Mes petits problèmes, répondit Frannie en posant la main sur son ventre. Les femmes d'âge mûr ne sont pas censées avoir le mal de mer, si?

— Je crois que le mal frappe sans discrimination. Je ne suis pas non plus vraiment immunisé contre, et cela fait un an que je navigue! Vous êtes loin de la proue?

— Je ne comprends pas...

— Où est située votre suite?

— Sur le pont Terrasse.

— Je m'en doutais, déclara le médecin.

— Pourquoi?

— Eh bien... Le roulis se fait plus facilement sentir, là-haut. En général, ça n'a pas d'importance, mais si la mer commence à être un peu mauvaise, les occupants des appartements de luxe sont les premiers à s'en rendre compte, expliqua-t-il avec un sourire affable. Pour nous autres, pauvres manants entassés à fond de cale, c'est un peu moins pénible.

— Il n'y a pas grand-chose à faire, j'imagine? demanda Frannie qui se sentait verdir de minute en minute.

— Nous allons vous remettre sur pied avec un peu de Dramamine.

Il ouvrit une petite armoire en métal laqué blanc, puis tendit à Frannie un cachet et un gobelet d'eau.

— Vous voulez me tenir un petit peu compagnie? La journée n'en finit pas. Il est probable que personne ne viendra nous déranger.

Frannie accepta volontiers, réalisant soudain pourquoi DeDe avait tant apprécié cet homme.

Tandis que Frannie s'allongeait, le médecin s'assit auprès du lit. Après avoir passé des jours en mer avec les enfants, elle trouvait agréable qu'il y eût à ses côtés quelqu'un qui pensât à s'occuper *d'elle*.

Ils restèrent un long moment silencieux, puis il s'aventura :

— Je suis désolé de ce qui est arrivé à DeDe et aux enfants, madame Halcyon. Je ne l'ai appris que... eh bien, un certain temps après la catastrophe.

Sur le coup, elle crut que son cœur aller lui jouer un mauvais tour. Elle brûla d'envie d'apprendre la vérité à cet interlocuteur si gentil et si compréhensif.

— Merci, docteur Fielding, préféra-t-elle répondre. Vous savez, DeDe vous adorait.

— Quand j'ai lu la nouvelle dans les journaux, je travaillais à Santa Fe, précisa-t-il après un petit silence.

— Ah bon ? fit-elle, sautant sur l'occasion de changer de sujet.

— Pendant un certain temps, j'ai eu là-bas un cabinet de gynécologie, puis je suis revenu à la médecine généraliste et j'ai trouvé ce poste. Ma vie était devenue un peu... confuse, et c'est tout ce que j'ai trouvé de plus ressemblant à un engagement dans la marine.

— Depuis le temps, vous avez dû faire le tour du monde ! Je vous envie.

— Ce n'est pas si mal, avoua le médecin.

Son ton de légère amertume intrigua Frannie.

— L'Alaska est extraordinaire, reprit-elle. C'est tellement vaste... Et puis ces fjords ! On dirait un décor pour Wagner, tellement c'est grandiose ! On en a le souffle coupé. Mon seul regret, voyez-vous...

— Oui ?

Frannie s'abîma dans ses pensées en fixant le plafond.

— Excusez-moi : j'oubliais que vous ne l'avez jamais connu.

— Qui ?

— Mon mari : Edgar. J'aurais aimé qu'il fût là avec moi. Quand on est veuf, docteur, la chose qui fait le plus souffrir, c'est d'avoir perdu l'ami qui pouvait contempler une montagne avec vous et savoir ce que vous pensiez... L'ami qui partageait vos silences. Il faut longtemps pour en arriver à cela... et c'est pénible de devoir y renoncer.

— Je sais, compatit-il.

— Vous n'êtes pas marié, si ?

— Non.

— Avez-vous déjà eu dans votre vie quelqu'un qui... ?

— Une fois. Ça m'est arrivé une fois.

— Alors vous savez ce que c'est.

— Oui.

Frannie hésita, soudain inquiète de paraître un peu trop inquisitrice. Puis elle demanda :

— Comment avez-vous perdu... cette femme ?

Silence.

— Excusez-moi, souffla-t-elle. Je ne voulais pas...

— Ce n'est rien, dit le médecin. Je comprends très bien ce que vous vouliez exprimer à propos des montagnes : elles ne vous paraissent plus pareilles, c'est cela ?

La guinche

Une botte de cow-boy d'un mètre cinquante avec éperons, recouverte de minuscules morceaux de miroirs, tournait lentement au-dessus de la piste de danse du champ de foire, projetant ses rayons comme une aspersion de goupillon sur la foule assemblée. La soirée avait été baptisée *Stand By Your Man* — et c'est ce que faisaient la plupart des danseurs.

Michael leva les yeux vers l'icône scintillante et soupira.

— Est-ce que ça n'est pas inspiré? demanda-t-il à Bill.

Le flic regarda la botte une demi-seconde, puis soudain il jura :

— Merde!

— Qu'est-ce qu'il y a?

— J'ai oublié de prendre du poppers.

— C'est de la country, pas de la disco : réfléchis! plaisanta Michael.

— Non, insista Bill. Je voulais dire... pour après.

— Ah.

— Peut-être qu'ils en vendent à la *Chute*.

— Ce n'est pas vraiment...

— Il y aura bien quelqu'un là-bas pour me dire où en trouver.

— Moi, je n'en ai pas besoin, déclara Michael. Mais si tu en as envie...

— J'en ai pas *besoin,* aboya Bill. J'en ai envie, c'est tout.

Michael ne voulait pas d'engueulade.

— Très bien, dit-il calmement. On fait quoi, alors?

— Je vais prendre la voiture et descendre en ville, répondit Bill, moins agressivement. Tu n'as qu'à veiller au grain en attendant. Je ne serai pas long.

Michael acquiesça, charmé par l'involontaire accès de rusticité de Bill. « Descendre en ville. » « Veiller au grain. » On aurait dit le remake d'un film avec John Wayne.

— OK, fit-il. Je t'attends.

C'était un prétexte pour filer, Michael s'en rendit compte. Bill détestait cette musique. Il avait réussi à supporter le rodéo grâce à son Walkman et à sa cassette d'Air Supply. Mais il n'était manifestement pas prêt à passer une soirée entière à écouter Ed Bruce, Stella Parton, Sharon McNight ou d'autres chanteurs country.

Michael éprouva un certain soulagement. Il se sentait ce soir-là fragile et sentimental — douloureusement sentimental — et il savait que ces sensations ne pouvaient s'accommoder longtemps de l'implacable premier degré de Bill. Ce n'était pas l'histoire du poppers en elle-même qui avait ennuyé Michael — il y prenait suffisamment goût lui-même —, mais sa façon de réduire parfois l'amour à un parcours du combattant qui exige planification, synchronisation et agilité.

« Combien d'heures ont été gâchées dans le monde, se demanda-t-il, à chercher ce stupide petit flacon marron perdu dans les draps ? »

Ce n'était pas la faute de Bill, vraiment pas. Il *aimait* s'envoyer en l'air avec Michael. Il aimait ça comme il aimait aller au cinéma avec Michael, faire des virées avec Michael ou s'empiffrer de pizzas avec Michael. Il n'avait apparemment jamais éprouvé le besoin d'embellir cela avec un peu de romance. Ce n'était pas le problème de Bill : c'était celui de Michael.

Michael s'approcha du bord de la piste et regarda les couples se croiser en dansant le quadrille. Il se rendit compte qu'il régnait dans la salle une vraie joie — une allégresse née de circonstances inattendues. Des pédés en pleine danse folklorique. Qui l'eût cru ? Des mecs qui avaient passé leur enfance à Galveston, Tucson ou Modesto, en train de danser enfin le quadrille de leur province natale, *enfin* avec le partenaire de leur choix.

Cela n'avait pas beaucoup d'importance, en fait, que les ados postés sur l'autoroute braillent « tapettes » à chaque nouvel arrivant. A l'intérieur, il régnait une fraternité suffisante pour éloigner le diable.

Ed Bruce grimpa péniblement sur la scène. C'était un grand bonhomme qui avait la quarantaine, genre Marlboro Man ; il se lança dans un discours où il était question de golf et de petites pépées comme s'il faisait son show à une convention d'anciens combattants à Oklahoma City. Devant un public aussi peu orthodoxe, son grand tube, *Mamas, Don't Let Your Babies Grow Up to Be Cowboys,* se colorait d'une savoureuse ironie.

Vingt ans auparavant, songea Michael, les pédés se contentaient de piailler devant Judy Garland au Carnegie Hall. Maintenant, ils pouvaient danser enlacés pendant qu'un cow-boy de Nashville leur jouait la sérénade. Il ne put s'empêcher de sourire à cette pensée.

Comme par magie, de l'autre côté de la piste, quelqu'un lui rendit son sourire. Il était immense, bâti comme un ours, avec un sourire qui semblait si timide que c'en était désarmant pour un homme de sa taille, et il leva sa boîte de bière pour saluer gentiment Michael.

Michael en fit autant, le cœur battant.

L'homme vint le rejoindre.

— C'est chouette, hein? fit-il en parlant de la musique.

— Merveilleux, dit Michael.

— Tu danses le slow?

— J'adore ça, mentit Michael.

C'est moi qui conduis

Avec son mètre soixante-quinze, Michael avait l'air d'un nain auprès de celui qui l'avait invité à danser.

Pour ne rien arranger, ce colosse s'attendait clairement à conduire tandis que Michael devait suivre — un concept qui n'avait pas effleuré l'esprit de Michael depuis le bal de fin d'année d'Orlando High en 68. Et à l'époque, naturellement, c'était Betsy Ann Phifer qui avait suivi.

Il y avait un secret pour réussir, se rappela-t-il. Ned l'avait appris lors des soirées country de Trinity Place : *tendre légèrement le bras droit et chevaucher la jambe droite de son partenaire — avec élégance, évidemment — de façon à pouvoir suivre le mouvement.*

Premier essai.

Pour l'instant, tout allait bien. Ça faisait un peu drôle de tout faire à l'envers comme ça, mais en même temps, c'était divin. Michael posa la tête sur le vaste paillasson brun qui recouvrait la poitrine de son cavalier et se laissa aller sur le rythme de la musique.

Ed Bruce était toujours en scène. La chanson s'intitulait *Everything's a Waltz.*

L'homme marcha sur le pied de Michael.

— Oh, pardon ! s'excusa-t-il.

— Ça ne fait rien, dit Michael.

— C'est un peu nouveau, pour moi.

— Pour qui ça ne l'est pas ? plaisanta Michael.

Il se rendit compte qu'il n'y avait pas si longtemps, les hommes *dansaient* des slows à San Francisco. Il se souvenait de la fin de cette époque, vers 1973. Ce simple spectacle l'avait révolté : des hommes adultes en train de danser au *Rendez-Vous,* joue contre joue, main moite dans main moite, tandis que Barbra Streisand se pâmait avec *People.*

Puis la disco était arrivée, inaugurant une décennie de corps sans visages se convulsant dans un rite tribal mystique qui enchantait et intimidait tout à la fois Michael. Ce qui manquait à cette époque, certains le trouvaient à présent dans la country : le romantisme.

— D'où tu es ? demanda Michael.

— De l'Arizona.

— D'un endroit que je pourrais connaître ?

— Je ne crois pas. Ça s'appelle Salome. Cinq cents habitants.

Alors c'était donc un *vrai* cow-boy ? Ce qui expliquait les mains ! Au toucher, on aurait dit de la peau d'éléphant. Bill pouvait aller se faire foutre.

— Salome, répéta Michael en reprenant la prononciation du type (Sa-lôm). Comme le personnage d'Oscar Wilde ?

— Qui ?

Le cœur de Michael se mit à battre encore plus vite. *Ce mec n'avait jamais entendu parler d'Oscar Wilde !* Merci, mon Dieu ! Était-ce un vrai de vrai ?

— Aucune importance, dit-il. Ça n'a aucune importance.

En effet. Il se sentait si bien dans les bras de cet homme ! Même son manque de grâce était attendrissant. Ce n'était pas à cause de l'homme, se disait-il, mais des circonstances. Deux types d'intolérance, l'une ultra-hétéro, l'autre ultra-gay, l'avaient successivement privé de ce plaisir tout simple. Il avait envie d'en pleurer de joie.

— Est-ce que tu... euh... as participé au rodéo ? s'enquit-t-il.

— Ben non, je suis juste ouvrier dans le bâtiment.

Juste ouvrier dans le bâtiment ! « Mon Dieu, se demanda Michael, est-ce que je suis mort et arrivé au paradis ? » Pourquoi personne ne lui avait jamais dit qu'il existait un endroit où on pouvait danser un slow avec un ouvrier du bâtiment ?

— Comment tu fais pour... ça... à Salome ? voulut savoir Michael.

L'homme se recula juste assez pour laisser deviner son sourire.

— Je vais à Phoenix.

Il se pencha et embrassa maladroitement Michael sur le coin de la bouche.

— Je t'aime bien, ajouta-t-il.

— Moi aussi, dit Michael.

Ils dansèrent encore un peu sans rien ajouter. Puis le type chuchota d'une voix rauque à l'oreille de Michael :

— Dis, tu voudrais... faire l'amour avec moi, ce soir ?

Faire l'amour ! Pas baiser, pas tirer : faire l'amour ! Michael parvint à peine à articuler :

— En fait... je suis venu avec un ami. Il est... juste sorti un moment.

— Ah.

La déception qu'il entendit dans sa voix alla droit au cœur de Michael.

— Je peux te donner mon téléphone, si tu veux. Au cas où tu viendrais à San Francisco...

— Non, ça ne fait rien.

— Tu n'y vas jamais, n'est-ce pas?

— J'y suis pas encore allé.

— Je crois que ça te plairait. Je pourrais te faire visiter.

— Je voyage pas des masses, dit le type.

Michael abandonna l'idée d'une expédition à Salome.

— Écoute, reprit-il. Tu me croiras si je te dis que danser avec toi, ça a été encore mieux que tout ce que j'ai vécu avec les mecs cette année?

— Ah bon? murmura l'homme en souriant.

— Infiniment.

— Mais je te marche tout le temps sur les...

— Je m'en fous. J'adore.

Son partenaire partit d'un rire qui fit vibrer son poitrail.

— C'est parfait comme ça, continua-t-il. Serre-moi dans tes bras, OK?

— OK

Et Michael reprit la pose, perdu dans les bras de cet inconnu, jusqu'au retour de Bill avec son poppers.

Sur le glacier

Lorsque le *Sagafjord* atteignit Juneau, Prue et Luke descendirent à terre avec les autres passagers pour visiter la minuscule ville frontière — un endroit que la chambre de commerce locale présentait pompeusement comme « la plus grande capitale d'Amérique ».

— Ce doit être une blague, dit Prue en considérant avec perplexité la brochure qu'elle avait en main.

— Ils veulent parler de l'étendue du territoire, expliqua Luke.

— Mais en quoi... ?

— Elle couvre plus de kilomètres carrés que toute autre capitale. Tout est à des kilomètres, ici. Il y a plus de distance entre l'endroit où nous sommes et les Aléoutiennes, à l'autre bout de l'État, qu'il n'y en a entre San Francisco et New York.

Prue réfléchit un instant.

— Ça fait un petit peu peur, avoua-t-elle.

— Pourquoi ?

— Je ne sais pas. Ça donne tellement l'impression d'être minuscule, sans doute. Comme si le paysage pouvait... vous engloutir. On pourrait disparaître sans laisser la moindre trace.

— C'est ce que font certains, observa Luke. C'est le but.

— Pas pour moi, répliqua Prue. Sûrement pas.

— Attends de voir le glacier.

— Quel glacier ?

Luke lui passa un bras autour de la taille.

— J'ai pensé, dit-il, qu'on pourrait louer un hydravion et se promener au-dessus de la banquise. Il paraît que quand tu vois ça, c'est comme si tu approchais Dieu.

— Parce qu'Il ne peut pas tout simplement venir à nous ? demanda Prue, l'air troublé.

Luke lui toucha le bout du nez.

— Qu'est-ce qu'il y a, mon amour ?

— Rien... Je... Eh bien, ces minuscules avions et mon petit ventre, ça ne va pas très bien ensemble.

— Ça ne dure que quarante-cinq minutes.

Il la serra contre lui jusqu'à ce qu'elle cédât. Elle se

rendit compte qu'il était à bien des égards devenu le talisman qui la protégeait de tout danger.

L'hydravion rasa la surface de l'eau comme une libellule, puis il s'éleva dans le ciel gris ardoise au-dessus de Juneau. En dehors de Luke et de Prue, il y avait quatre autres passagers : un couple assez jeune qui venait de Buenos Aires et deux dames bibliothécaires qui voyageaient ensemble.

Luke s'assit juste derrière le pilote et discuta avec lui tandis que Prue, qui n'entendait rien, regardait le paysage inconnu passer du bleu foncé au vert foncé, puis au blanc. Non, au *gris*. Un plateau gris pâle qui s'étendait aussi loin que portait le regard, une masse vivante, sinueuse sur les bords comme un flot de lave, brutale, belle et inexplicablement terrifiante.

Elle fut quelque peu soulagée de constater que le glacier avait des limites. Il se fendait en gémissant et s'enfonçait dans la mer sombre dont les flots crépitaient comme de l'électricité. Alors que l'hydravion descendait, Prue aperçut des crevasses d'un bleu si brillant qu'elles lui semblèrent surnaturelles, bleues comme le cœur empoisonné d'une centrale nucléaire.

— Regarde, Luke... cette couleur !

Mais son amant était absorbé par sa conversation avec le pilote et leurs voix étaient couvertes par le bourdonnement du moteur.

— Luke... répéta Prue en se penchant.

Il ne l'entendait pas. L'air fasciné, il continuait à poser des questions au pilote. Prue parvint tout juste à saisir deux mots. Curieusement, le pilote les répéta.

Elle se rassit dans son fauteuil et se renfrogna. Ce moment aurait dû n'appartenir qu'à eux seuls : Luke et elle. Ces bavardages entre hommes lui paraissaient d'un égoïsme et d'une désinvolture inexcusables. Quand Luke se radossa et lui prit la main, elle lui fit bien comprendre qu'elle faisait la tête.

— Ça va ? demanda-t-il.

— Mais qu'est-ce que c'était que tout ça ? gronda Prue après un silence.

— Quoi, tout ça ?

— Mais enfin, tu n'as pas arrêté de bavarder avec le pilote !

Il serra sa main dans la sienne.

— Excuse-moi. On parlait... d'avions. Je n'ai pas vu le temps passer.

— Qu'est-ce que c'était que cette histoire de remèdes ?

— Hein ? fit Luke, interloqué.

— Tu lui as parlé de dix remèdes.

— Non, pas du tout, répondit-il, l'air sincère.

— Luke, je vous ai entendus. Tu as dit quelque chose, quelque chose... dix remèdes. Et le pilote l'a répété. C'était il y a une minute.

Il la considéra un moment, puis il sourit et secoua la tête :

— Tu as mal compris, ma chérie. Nous parlions de géographie.

Il leva la main.

— Parole de scout. Tu n'as rien manqué.

Prue laissa tomber. Déjà, les autres passagers avaient commencé à s'intéresser à leur discussion. En outre, elle voulait que ce moment fût spécial, exempt de toute angoisse terrestre. Luke aussi, apparemment. Il lui consacra toute son attention pendant le reste de l'excursion, sauf à un certain moment où il griffonna quelque chose sur une pochette d'allumettes.

— Qu'est-ce que tu fais ? demanda-t-elle. C'est quelque chose que tu veux te rappeler ?

Luke leva le nez, l'air distrait.

— Je fais ça aussi, ajouta-t-elle pour ne pas avoir l'air trop curieuse. J'ai la mémoire comme une passoire.

Il lui décocha un petit sourire et rangea la pochette d'allumettes dans sa veste, en proposant :

— Allons danser, ce soir.

Le premier au courant

Revenu aux *Verts Pâturages,* Michael déversa le récit de ses aventures au rodéo dans l'oreille d'un Ned toujours aussi indulgent. La saga en perdit toute sa saveur : le bref épisode du slow avec l'ouvrier en bâtiment apparaissait à présent comme un fantasme masturbatoire éculé, sans le côté merveilleux et privilégié qu'il avait eu sur le moment.

Ce soir-là, il tenta d'invoquer l'esprit de son weekend en écoutant de la country sur la station de radio KSAN, mais Willie Nelson sonnait bizarrement creux dans une pièce remplie de meubles en bambou et de kitsch Art déco. Les cow-boys ne collectionnaient pas les bibelots en porcelaine.

Du coup, il descendit fumer un reste de joint dans la cour, sur le banc. L'herbe, le silence et le mince croissant de lune qui brillait entre les arbres le rendirent encore plus contemplatif que d'habitude.

Contemplatif ? Mon cul : il était tout bonnement déprimé, oui !

Rien de bien grave, évidemment. C'était une dépression mineure, causée par l'ennui, la solitude et le sentiment aigu d'avoir une vie incroyablement ordinaire. Ça passerait, il le savait. Il ferait en sorte que ça passe.

Mais par quoi ce sentiment de vide serait-il comblé ?

La pendule indiquait 3 h 47 lorsque le téléphone sonna.

Il sortit de son lit en titubant et plongea sur l'appareil.

— Ça a intérêt à être important, dit-il.

— Ça l'est.

Le petit rire de Mary Ann était reconnaissable entre mille. Michael s'installa dans un fauteuil.

— Qu'est-ce qu'il y a, Babycakes ?

— Brian et moi, on se marie !

— *Là, maintenant ?*

Un autre gloussement.

— Le mois prochain. Tu es furieux, non ?

— Furieux ?

— Que je t'aie réveillé. On voulait que ce soit officialisé. Et la seule chose qu'on ait trouvée pour ça, c'était de t'appeler.

Michael était tellement touché qu'il faillit en pleurer. Mais en fait, il ne trouva rien à répondre.

— Mouse ? Tu es encore là ? Tu vois que tu *es* furieux ! Écoute, on se parlera...

— Tu rigoles ? C'est *fabuleux,* Babycakes !

— N'est-ce pas ?

— Il était temps. Tu es enceinte ?

— Même pas ! s'exclama Mary Ann. C'est à ne pas croire, hein ?

— Et Brian ?

Il l'entendit parler à Brian — manifestement, ils étaient couchés :

— Il demande si tu es enceint.

Brian prit l'appareil.

— Cette salope m'a foutu en cloque ! hurla-t-il.

— Il fallait bien que quelqu'un le fasse ! plaisanta Michael.

— Tu es tout seul ?

— Ben non, répondit Michael. Je vais te passer Raoul pour que tu lui dises bonjour.

— Non, pas la peine...

— Du calme, dit Michael. Je déconne.

— Andouille !

— Excuse-moi...

— Je m'imaginais déjà un Québécois mal rasé.

— C'est drôle, s'esclaffa Michael, moi aussi ! Bon sang, Brian... C'est tellement génial !

— Ouais... Eh bien, on voulait juste que tu sois le premier au courant.

— Vous avez eu parfaitement raison !

— On t'embrasse, mec. Je te repasse Mary Ann. Elle a d'autres histoires à te raconter.

— Mouse?

— Oui?

— Tu as une télé, au boulot?

Michael réfléchit un instant.

— Ned a un poste portable qu'il apporte de temps en temps.

— Bon. Dis-lui de l'apporter mardi. Je veux que tu regardes l'émission.

— *Les Bonnes Affaires?*

— Est-ce que j'en ai une autre? Pas la peine de regarder le film... Juste mon petit truc au milieu. Je crois que ça t'amusera un peu.

— J'imagine. Tu as découvert une astuce pour utiliser les bouteilles d'eau de Javel vides?

— Contente-toi de regarder l'émission, et ne fais pas le malin.

— Compte sur moi.

— Et dors bien. On t'aime.

— Je sais.

Mais connaissant la nouvelle, il n'en dormit que mieux.

Ce charmant monsieur

Comme le mari de Claire McAllister était encore fourré au casino, l'ancienne meneuse de revue aux cheveux noir corbeau partit retrouver Frannie sur le pont promenade du *Sagafjord*. Frannie fut enchantée de la voir.

— Approchez un fauteuil, dit-elle en abandonnant un roman de Danielle Steel. Cela fait une éternité que je n'ai pas parlé à un adulte.

— Où avez-vous vu un adulte ? répondit Claire du tac au tac.

— Vous ferez l'affaire. Croyez-moi.

Claire installa sa grande carcasse dans un fauteuil en aluminium et poussa un soupir théâtral.

— Alors, où sont-ils, ces petits amours ?

Frannie posa un doigt sur ses lèvres.

— Ne m'en parlez pas, Claire... C'est presque trop beau pour être vrai.

— Quoi ?

— Ça, dit Frannie en désignant le paysage d'un grand geste. La solitude. Ce calme. C'est une bénédiction. J'*adore* les enfants, comme vous le savez, mais...

— Vous avez trouvé une baby-sitter !

Frannie hocha triomphalement la tête.

— *Un* baby-sitter. C'est lui qui s'est proposé, le cher homme ! J'espère qu'il n'aura pas surestimé ses forces.

— Je le connais ? demanda Claire en déployant une couverture sur ses genoux.

— Je crois : c'est M. Starr.

Claire fit celle qui voyait mal de qui il s'agissait.

— Mais si, vous savez ! dit Frannie. Ce courtier en Bourse américain qui vit à Londres.

— Cette splendeur de mâle qui voyage avec la blonde chichiteuse ?

— Ils ne voyagent pas exactement ensemble, fit remarquer Frannie avec un sourire réservé.

— Mon cul !

— Ils se sont rencontrés sur le bateau, expliqua-t-elle, rougissant de la vulgarité de son interlocutrice. Je la connais... vaguement, disons. Elle est chroniqueuse mondaine dans un magazine de San Francisco. Je la trouve malheureusement un peu commune.

— On dirait la reine de Saba, ricana Claire. Elle se donne des airs, c'est quelque chose ! Mais qu'est-ce que ce type si élégant fiche avec elle ?

Frannie haussa les épaules.

— Elle est plutôt jolie, vous ne trouvez pas ? Je sais qu'elle est très douée pour écouter, aussi. En tout cas, je ne vais pas me plaindre : c'est elle qui m'a présentée à lui. Je crois que je vais pouvoir me détendre pour la première fois depuis San Francisco.

— Les enfants l'apprécient ?

— Ils l'idolâtrent ! Il n'est jamais à court d'histoires merveilleuses et de blagues.

Frannie réfléchit un instant.

— Vous savez, il est plutôt taciturne, avec les adultes... Ce n'est pas qu'il fasse la tête ou qu'il soit désagréable, non... Je dirais qu'il est plutôt pensif. En revanche, avec les enfants, il a une de ces énergies ! Il fait tout ce qu'il peut pour les impressionner. On dirait un gamin qui essaie d'attirer l'attention des grands, et pas l'inverse !

— Il est parfait, dites-moi.

— Oui. Je crois que c'est important pour les enfants de bénéficier d'une présence masculine.

Elle n'alla pas plus loin sur ce terrain, mais elle était contente d'en parler avec une femme aussi sensée et peu compliquée que Claire. Les jumeaux n'avaient jamais eu de père, après tout... à part cette femme qui vivait avec DeDe en Guyana et à Cuba, ce qui n'était pas très naturel. Dieu merci, ici il y avait M. Starr !

— Dites, fit Claire après un silence, Jimbo a des trucs à faire cet après-midi quand on débarquera. Ça vous plairait qu'on aille visiter Sitka toutes les deux ? Il y a une petite église russe mignonne comme tout et des boutiques d'artisanat merveilleuses. Une virée entre filles... Ça vous tente ?

— Eh bien, hésita Frannie. Je...

— Je sais que c'est une proposition follement excitante, chérie, mais cachez votre joie !

— Je pensais seulement... Eh bien, et les enfants ? dit Frannie avec un sourire désolé.

— Votre M. Starr ne peut pas vous en soulager un petit peu ?

— Il l'a proposé, effectivement, reconnut Frannie en plissant le front.

— Merveilleux ! Alors c'est d'accord !

— Je ne veux pas non plus les lui imposer, tout de même !

— Écoutez, chérie, si ce type est gaga avec les gosses, c'est *son* problème, pas le vôtre. Vous n'allez pas cracher sur un don du ciel quand il vous tombe dessus !

— Vous avez raison, concéda Frannie avec un sourire. Après tout, je suis censée être en vacances...

— Exactement !

Une demi-heure plus tard, quand Frannie alla chercher les enfants, elle les trouva en train de piailler de joie dans une « maison » que M. Starr leur avait construite avec deux fauteuils et une couverture. Edgar aussi faisait souvent cela avec DeDe — mais c'était il y avait si longtemps !...

Discrètement, Frannie s'arrêta non loin pour savourer les babillages joyeux de ses petits-enfants.

Ce fut alors que M. Starr se mit à chanter :

— *Bye-bye, mon bébé bécasse. Papa s'en va à la chasse, il rapportera une peau de lapin pour te faire un beau manteau...*

En entendant cette vieille berceuse si familière, l'intruse fut tout à fait rassurée.

Cela faisait du bien de voir qu'il y avait des choses qui ne changeaient jamais.

238

Version non coupée

En s'emparant de la grande poêle à frire en fonte, ce qui était le signal du petit déjeuner au 28 Barbary Lane, Mme Madrigal arborait un sourire encore plus rayonnant que d'habitude.

— Je n'arrive toujours pas à le croire, fit-elle. Deux œufs ou trois, mon garçon ?

— Trois, dit Michael. Moi non plus. Ça faisait des mois que je le leur disais, mais je ne pensais pas qu'ils pourraient sauter le pas si tôt. Mary Ann encore moins que Brian, je crois.

Mme Madrigal cassa trois œufs dans la poêle, jeta les coquilles et essuya ses longs doigts sur son tablier à fleurs.

— C'est moi qui les ai présentés l'un à l'autre. Tu le savais ?

— Non.

— Mais si, poursuivit la logeuse. Juste après l'emménagement de Mary Ann. J'ai fait un petit dîner un soir et Mary Ann m'a confié qu'elle trouvait qu'il n'y avait pas assez d'hétéros à San Francisco.

Mme Madrigal sourit avec nostalgie.

— C'était avant qu'elle soit mise au courant pour moi, évidemment. Si elle l'avait su à ce moment-là, je suis sûre qu'elle serait retournée à Cleveland et que nous l'aurions perdue pour toujours.

— Donc, vous l'avez présentée à Brian ? demanda Michael en souriant.

— Pas exactement. J'ai raconté à Brian qu'elle avait besoin d'aide pour porter ses meubles. Je les ai laissés faire le reste. Pain blanc ou pain de seigle, mon petit ?

— Blanc, s'il vous plaît.

— Évidemment, ç'a été un échec total. Brian était un coureur de jupons impénitent, ajouta Mme Madrigal en secouant la tête avec un certain amusement. Et à l'époque, Mary Ann était folle amoureuse de Beauchamp Day, la malheureuse ! Ensuite, elle a commencé à sortir avec le détective que la mère de Mona avait engagé pour m'espionner... Celui-là, je ne l'ai jamais regretté, et toi ? s'enquit-elle avec un sourire machiavélique. Je me demande ce qui lui est arrivé, quand même.

Michael se sentit mal à l'aise. Il évitait le sujet le plus possible. Seule Mary Ann avait assisté à la chute mortelle du détective du haut de la falaise du Bout du Monde, et elle n'avait partagé son secret qu'avec Michael. Il y avait entre eux des choses que même Mme Madrigal n'aurait jamais le droit de savoir.

— Et puis est arrivé Burke Andrew, poursuivit Michael. Et ce fut l'affaire des cannibales de la Grace Cathedral.

Mme Madrigal leva théâtralement les yeux au ciel :

— Elle collectionne les oiseaux rares, hein ?

— Ouais. Mais je crois qu'elle a enfin fait le bon choix.

— Moi aussi, dit la logeuse. Mais je suis un peu surprise, franchement.

— Pourquoi ?

— Je ne sais pas vraiment. J'ai juste le sentiment qu'elle a quelque chose derrière la tête. Elle a l'air préoccupée, ces derniers temps. J'aurais cru que le mariage était la dernière chose dont elle se souciait.

— Alors, demanda Mme Madrigal une fois qu'ils se furent attablés. Qu'a fait notre vagabond, ces jours derniers ?

Michael fit semblant d'être absorbé par le pot de confiture.

— Oh... soupira-t-il. Pas grand-chose.

Il savait qu'elle voulait parler de sa vie sentimentale, mais il n'avait pas envie d'aborder la question.

— Je fais une crise de célibat, je crois. Je reste à la maison et je regarde beaucoup la télé.

— Et c'est comment?

— C'est comment quoi?

La logeuse chassa d'une pichenette une miette au coin de sa bouche.

— La télé! précisa-t-elle.

— Ce qui m'a le plus amusé cette semaine, c'est une émission consacrée à la circoncision.

— Vraiment? fit Mme Madrigal en beurrant un autre toast.

— C'était à pleurer de rire. Ils ont interviewé un spécialiste de la chose, un certain Don Wong.

— Non!

— Croix de bois, croix de fer! jura Michael en levant la main droite.

— Et qu'est-ce qu'il avait à dire?

— Juste qu'il n'y avait plus de raison valable pour qu'on mutile les petits garçons dès la naissance. Eh bien! Combien de temps il aura fallu aux gens pour s'en rendre compte? Ma mère n'est pas exactement ce qu'on pourrait appeler une avant-gardiste, mais ça fait trente ans qu'elle sait *ça*!

— Tu devrais lui écrire un mot pour la remercier.

— Le plus drôle, c'est que... je détestais ça quand j'étais môme. J'étais toujours le seul sous la douche qui n'était pas circoncis et ça me tracassait. Maman disait : « Tu n'as qu'à bien rester propre, Mikey, et tu me remercieras plus tard. Il n'y a rien de mal dans ce que le bon Dieu t'a donné. »

— Pas sotte, cette femme!

Michael hocha énergiquement la tête.

— On m'a invité à une partouze, cette semaine.

La logeuse posa sa tasse de thé.

— C'était pour mecs non circoncis exclusivement.

Elle cligna des yeux.

— Ne vous inquiétez pas, reprit-il. C'était en réalité une fête caritative.

— Vraiment?

— Oui. Pour le chœur.

— Ah, un festival du prépuce, fit Mme Madrigal, impitoyablement pince-sans-rire. Et on vérifie à l'entrée que vous êtes en règle ?

— Je sais que c'est complètement idiot, avoua Michael en riant. Mais quand même... Je suis content que l'opinion ait changé. A mon sens, il n'y a aucune raison au monde pour jouer du bistouri de ce côté-là.

La logeuse baissa les yeux vers sa tasse, réprimant un petit sourire, et Michael ajouta précipitamment :

— ... Sauf, évidemment, quand on a opté pour une solution plus radicale.

Mme Madrigal leva la tête et lui lança un clin d'œil :

— Encore du café, mon cher ?

Papa est parti

Le florissant commerce des peaux au siècle dernier avait donné à Sitka une allure russe caractéristique : il y avait un blockhaus russe, des caractères cyrilliques partout, des cosaques qui dansaient pour les touristes, et même une jolie petite église orthodoxe au centre de la ville.

Prue en adora le moindre détail.

— C'est incroyable, Luke, non ? Quand on pense qu'on est en Amérique !

Luke, lui, était occupé avec les enfants. Il était à genoux à côté d'eux dans la rue et arrangeait les parkas bordées de fourrure qu'il leur avait achetées une demi-heure auparavant. La capuche sur la tête, on aurait dit de petits Eskimos, presque trop adorables pour être vrais.

— Il ne fait pas un peu chaud pour ça ? demanda

Prue. Il fait pratiquement le même temps qu'à San Francisco.

Il leva le nez distraitement.

— Je suis à toi dans une seconde, dit-il.

Il ne l'avait même pas entendue. D'habitude, cela l'aurait ennuyée, ou bien elle aurait été un peu jalouse. Prue en voulait aux gens — Frannie Halcyon ou son amie Claire, par exemple — qui exigeaient de Luke tellement d'attention qu'ils l'obligeaient à rogner sur la part d'amour à laquelle elle pensait avoir droit prioritairement.

Mais les enfants, c'était différent. En les voyant avec Luke, Prue se souvint de ce qui l'avait captivée chez ce fantôme d'homme crasseux et mal habillé qui s'était occupé de son barzoï dans le Golden Gate Park. Luke considérait les enfants de la même manière qu'il considérait les animaux : comme des semblables dont il respectait les sentiments.

La petite fille l'avait très bien compris.

— Monsieur Starr, babilla-t-elle en lui tirant la manche. Emmène-nous sur un bateau qui vole, *s'il te plaît*. Emmène-nous sur un bateau qui vole.

— Tu leur as parlé de notre petite excursion en hydravion, observa Prue en souriant.

— Ils comprennent vite, répliqua Luke sans lever les yeux.

— Ils parlent tellement bien anglais, fit remarquer Prue. Pour des Vietnamiens, je veux dire.

Luke remonta la fermeture Éclair de la parka d'Edgar.

— Ce sont des réfugiés. Ils ont peut-être été élevés par des Américains, qui sait?

Il y avait dans sa voix un rien de causticité qui laissait entendre qu'il valait mieux que Prue s'occupe de ses affaires. Tout à coup, elle eut l'impression d'avoir interrompu une conversation privée.

Le petit garçon se mit de la partie :

— Le bateau qui vole ! Ouais ! Emmène-nous sur le bateau qui vole !

Luke le regarda sévèrement :

— Edgar... Pas tout de suite.

Le petit garçon fit la moue.

— Tu avais promis ! se plaignit-il.

— Il s'appelle Edgar ? interrogea Prue.

Luke sembla ne pas avoir entendu la question.

— Le mari de Frannie aussi s'appelait Edgar. Tu crois que c'est elle qui les a baptisés ?

— Prue, tais-toi, s'il te plaît ! J'ai déjà suffisamment de mal avec ces enfants-*là* !

La violence de sa sortie la laissa un instant sans voix, mais elle se rendit compte que les enfants étaient effectivement vexés. Ils boudaient un peu, pas comme de sales gosses capricieux, mais comme si leur confiance avait été trahie.

— Luke, dit-elle prudemment. Si tu leur as promis une excursion en hydravion, je veux bien y retourner, je t'assure.

Luke se redressa. Il était crispé par la colère. Une grosse veine, sur son cou, avait commencé à enfler.

— Je ne leur ai rien promis du tout, murmura-t-il. Allez, viens, nous n'avons rien mangé depuis le petit déjeuner.

Prue répondit d'un ton conciliant :

— Oui, manger un petit peu nous fera le plus grand bien à tous.

Elle sourit aux enfants.

— Je suis sûre qu'ils font des glaces délicieuses, en Alaska. On va voir ?

Les yeux humides, ils levèrent sur elle, du fond de leur capuche en fourrure, leurs petits visages tristes, et tendirent la main.

Luke les précéda en affichant sa mauvaise humeur.

Il était nettement mieux disposé lorsqu'ils arrivèrent au restaurant, une gargote en pin et formica située près de l'église.

— Le rôti de bœuf est correct, commenta-t-il. Que vaut ta salade?

C'était une bien mince tentative pour se faire pardonner, mais au moins, il faisait des efforts.

Prue préféra lui sourire :

— Affreuse. Ça m'apprendra à commander une salade en Alaska.

Elle se tourna vers les enfants.

— Eh bien, ces hot-dogs sont passés comme une lettre à la poste!

Les deux orphelins lui firent deux grands sourires barbouillés de moutarde. Elle s'émerveilla que les enfants oublient aussi vite une situation pénible. Puis elle tendit la main et prit celle de Luke.

— Penses-tu que je puisse oser essayer le petit coin?

— Vas-y, dit-il avec un clin d'œil. C'est une expérience qui te sera utile.

Les toilettes se révélèrent étonnamment propres, mais elles empestaient l'odeur âcre du désinfectant. Elle y resta cinq minutes et remercia qui de droit que ce premier conflit avec Luke se fût dissipé avant d'exploser.

Cependant, quand elle retourna dans la salle, il n'y avait plus personne à leur table. Luke et les enfants n'étaient plus là.

— Excusez-moi, demanda-t-elle au serveur. Mon ami et les enfants, sont-ils... ?

— Ils ont payé et ils sont partis, l'interrompit l'homme.

— *Quoi?* Partis? Mais où? Ils vous l'ont dit?

— Je pensais que vous le sauriez, répliqua le serveur en haussant les épaules.

Panique à Sitka

Le serveur vit la stupéfaction se peindre sur le visage de Prue et s'efforça de sourire aimablement.

— Peut-être attend-il que vous... le rejoigniez, hasarda-t-il.

— Il n'a *rien* dit ?

— Non, madame. Il a juste payé la note et il est parti.

Prue le fixa, mortifiée, puis elle regarda de nouveau les chaises vides. Elle remarqua que Luke avait laissé un pourboire. Mais au nom du ciel, que se passait-il ? Était-ce sa façon de la punir ? Cette petite querelle à propos de l'hydravion ne justifiait tout de même pas ce genre de tour puéril !

Et de quel droit entraînait-il les orphelins dans ce... cette... ? Peu importait. Prue était défaite, rouge d'humiliation. Il allait devoir fournir une bonne explication justifiant sa conduite !

Elle quitta le restaurant et regarda des deux côtés de la rue. A droite, la petite église russe gris et blanc offrait refuge à un flot ininterrompu de touristes. Peut-être était-ce cela ? Peut-être les enfants s'étaient-ils impatientés pendant qu'elle était aux toilettes et Luke les avait-il emmenés à l'étape suivante de la visite de Sitka ?

Peut-être pensait-il qu'elle s'en douterait...

Elle entra dans l'église, laissa deux dollars dans le tronc et resta au fond à scruter la salle. Elle reconnut plusieurs personnes, dont la brune si voyante qui accompagnait souvent Frannie Halcyon, mais Luke et les enfants n'étaient pas là.

Elle ressortit et réfléchit aux choix qui se proposaient à elle. Si en fait Luke essayait de lui faire comprendre quelque chose, eh bien, il n'avait qu'à aller se faire voir. Elle pouvait très bien visiter la ville toute seule, si besoin était. D'un autre côté... Si quelque urgence imprévue avait *forcé* Luke à quitter le restaurant ?

Une urgence dans les cinq minutes ? OK... Mais de quelle nature ?

Elle retourna à grands pas au restaurant et, par la vitrine graisseuse, explora l'intérieur du regard.

Rien.

Reste calme, s'ordonna-t-elle. *Il y a une explication.* S'il avait décidé de la mettre dans tous ses états, il avait parfaitement réussi. Cela dit, elle ne le lui avouerait jamais. Elle ne lui donnerait pas le plaisir de la voir pleurer.

Elle rebroussa chemin et retourna vers le bateau, lançant de temps à autre des regards obliques dans les rues voisines. Une fois parvenue à trois pâtés de maisons de l'église, elle passa devant une ruelle où une petite silhouette en fourrure attira son regard.

C'était l'un des orphelins. La petite fille.

Elle était au bout de la ruelle, gentiment debout devant un bâtiment en bois.

— Hé ! s'écria Prue.

La petite resta un instant immobile, l'air hésitant, puis elle agita la main.

Son nom ! songea Prue. *Comment s'appelle-t-elle, déjà ?*

S'en souvenant, elle s'écria :

— Anna ! C'est moi ! M. Starr est là ?

La réponse lui vint sous la forme d'une ombre immense... puis de Luke lui-même, qui apparut sur la gauche et plongea pour s'emparer de l'enfant effrayée.

— Luke ! Mais bon sang, qu'est-ce que tu fais ?

Il tourna la tête en un mouvement saccadé et mécanique, comme un robot, plongea son regard dans le sien... Et elle fut terrifiée. La fureur qu'elle lut dans ses yeux lui glaça la moelle. Qui était cet homme ? *Mais qui donc était-il ?*

Elle courut vers lui en criant :

— Qu'est-ce que j'ai fait, Luke? Dis-moi au moins ce que j'ai fait?

Mais il avait disparu. Il avait détalé dans une autre ruelle, Anna sous le bras.

Prue continua à courir, le cœur battant à tout rompre. Elle vit Luke traverser un terrain vague, puis disparaître dans un taillis de hautes herbes et de fleurs. Où était l'autre enfant? se demanda Prue. *Mais qu'avait-il fait d'Edgar?*

En essayant de le suivre, elle se prit le talon dans un ressort rouillé et s'étala de tout son long. Elle resta allongée sur le sol, incrédule, s'étouffant de ses sanglots tandis que le sang ruisselait déjà sur sa cheville.

— Luke! hurla-t-elle. S'il te plaît, Luke, je suis blessée... Je t'en prie... Je t'en prie!...

Mais il n'y eut pas de réponse.

Toujours à plat ventre, Prue trouva un bout de chiffon sale qui traînait par terre et en tamponna frénétiquement sa cheville.

Elle se redressa et s'assit en s'appuyant contre un mur, pétrifiée à l'idée de la gravité de ce qui venait de se produire :

Un homme sans nom de famille, un homme qu'elle avait aimé, un homme qui portait les papiers du père Paddy Starr, venait de kidnapper les petits-enfants adoptifs de Frannie Halcyon dans une ville du sud-est de l'Alaska. Et le *Sagafjord* allait appareiller dans moins de deux heures.

Le moment était venu d'assumer les conséquences de ses erreurs.

Atrocité

Se souvenant de ce qu'elle avait appris dans le temps chez les guides, Prue se fit un garrot avec un autre bout de chiffon.

Trois minutes après, elle le desserra et constata qu'elle avait arrêté de saigner. Elle se remit sur pied avec précaution. Une goutte de sang, sombre comme un rubis, perla immédiatement dès qu'elle fit porter son poids sur sa cheville. Elle se tamponna avec circonspection, en geignant, le temps de se sentir à nouveau en état de marcher. Puis elle prit le chemin du bateau.

Alors qu'elle sortait du terrain vague, une voix courroucée l'interpella :

— Hé, madame !

Elle frémit, puis elle se retourna et vit un rouquin trapu âgé d'une cinquantaine d'années. Il était vêtu d'une salopette et brandissait une binette comme une lance.

— Il était avec *vous,* ce fils de pute ?

Prue dut faire un effort pour recouvrer sa voix.

— Je... Si vous voulez parler de... euh...

— Écoutez, madame... Je le tue, ce salaud, s'il le faut ! Je trouverai bien qui c'est et je...

Il se tut en voyant la cheville ensanglantée de Prue.

— Qu'est-ce qu'il y a ? demanda-t-il sur un ton un peu moins surexcité.

— Je suis tombée, gémit-elle. Je me suis coupée sur un ressort de matelas. S'il vous plaît, ne criez pas.

Elle se mit à pleurnicher.

— Je n'en peux plus. *Je n'en peux plus.*

L'homme lâcha sa binette et s'approcha d'elle :

— C'est lui qui vous a fait ça ?

— L'homme en blazer bleu ?

— Ouais. Vous le connaissez ?

Prue hocha la tête, la mine défaite :

— Je le... poursuivais. Vous avez vu de quel côté il est parti ?

— Par là-bas, dit l'homme en désignant du doigt une palissade à laquelle manquaient deux planches. Par mon jardin, ce fils de pute !

L'espace d'un instant, Prue songea à le prendre en filature, mais elle n'avait plus le cœur à cela et elle savait que Luke et les enfants étaient loin, désormais. Elle remercia l'homme et s'apprêta à reprendre son chemin en ajoutant en guise d'excuse :

— Je suis désolée s'il a abîmé votre jardin.

L'homme explosa :

— *Mon jardin ?* Merde !

Il l'agrippa par le poignet et l'entraîna vers le trou dans la palissade.

— Il faut que vous voyiez ça, madame !

« Voir quoi, nom d'un chien ? Mais qu'a donc fait Luke ? »

Ils passèrent par l'ouverture et arrivèrent dans une petite cour, laquelle était en fait impossible à distinguer du terrain vague jonché de détritus qu'elle bordait. Une rangée de pneus de tracteur peints en blanc et plantés de pétunias constituait la seule et unique concession à l'esthétique. Au fond, le long de la clôture, se dressait une espèce d'appentis divisé en... en quoi ? se demanda Prue. En cages ?

L'homme l'y conduisit.

— Voilà, dit-il. Maintenant, vous allez m'expliquer ce que ça signifie !

Ce qu'elle vit la fit hurler, puis s'étrangler, puis vomir sur l'herbe derrière l'appentis.

L'homme resta là, un peu mal à l'aise, puis il finit par lui proposer son mouchoir.

— Votre ami, c'est un cinglé, madame ! Qu'est-ce que vous voulez que je vous dise ?

250

Une demi-heure plus tard, Frannie Halcyon, inquiète, faisait les cent pas sur le pont promenade du *Sagafjord*. Comme il y avait déjà deux autres paquebots à Sitka, le leur était ancré dans le port, et les passagers faisaient l'aller-retour dans des vedettes. Frannie avait les yeux fixés sur les navettes.

— Si quelque chose est arrivé, je ne me...

— Rien n'est arrivé, la rassura Claire. Détendez-vous, chérie. Vous êtes pire qu'une jeune mère.

— Mais nous appareillons dans une heure !

— Ils le savent.

— Et moi, je connais cette Giroux. Cette bonne femme est une tête de linotte. Elle a probablement traîné le pauvre homme dans une boutique sans se soucier le moins du monde de...

— Regardez ! s'écria Claire en désignant le quai. Voilà une autre vedette qui arrive !

— Dieu merci, soupira Frannie, soudain soulagée.

Claire la gronda gentiment :

— Vous êtes vraiment la pire des angoissées !

— Sur quel pont donne la passerelle ?

— Le pont A, je crois.

— Je vais aller les retrouver, dit Frannie.

— Voulez-vous que je vienne ?

— Je sais que vous me trouvez idiote, déclara Frannie. Mais je suis comme ça, parfois. Sans la moindre raison.

Ses craintes s'évanouirent dès qu'elle reconnut les tresses blondes de la chroniqueuse dans la vedette.

— Vous voyez ? triompha Claire.

La seconde suivante, elles voyaient surtout que Prue était toute seule.

Jour J pour DeDe

Mme Madrigal était en train de tailler le lierre de la cour lorsque Mary Ann sortit pour se rendre à son travail. La logeuse l'accueillit en ces termes :

— En route pour les studios, ma chérie ?

— Oui. C'est le jour J. Le *grand* jour.

Mme Madrigal posa ses cisailles et se redressa.

— Ta petite surprise, c'est ça ?

— Vous êtes au courant ?

— Michael m'en a parlé, avoua Mme Madrigal. Mais il n'a pas dit quoi... juste quand. Je ne vois vraiment pas ce que c'est.

— C'est une merveilleuse surprise, en fait. Et matière à scoop, si je puis dire.

— Une déclaration de mariage *et* un scoop. Mais combien d'étapes ne franchis-tu pas en une seule semaine ?

La logeuse prit Mary Ann par l'épaule et lui posa un baiser sur la joue.

— Je te félicite à l'avance, ma chérie. J'ai toujours su que tu réussirais.

— Merci, déclara Mary Ann avec un grand sourire.

— Et je veux à cette occasion donner une petite fête pour toi. Pour toi et pour Brian.

— En fait, confia Mary Ann, j'espérais que vous organiseriez le mariage.

Le visage de la logeuse s'illumina :

— J'en serais ravie ! Ici, tu veux dire ?

Mary Ann acquiesça. Mme Madrigal parcourut la cour du regard.

— Voyons voir. Vous pourriez prononcer vos vœux sous le porche. Un petit coup de peinture et ce sera parfait. Nous pouvons faire venir un violoncelliste, peut-être... ou un harpiste... Un harpiste, ce serait splendide.

Elle battit des mains comme une petite fille.

— C'est tellement merveilleux... Ma petite famille...
La vie est si généreuse avec nous, Mary Ann!
— Je sais, répondit-elle.
Et cette fois, elle le disait avec conviction.

Sa vengeance, elle commençait à s'en rendre compte,
serait encore plus délicieuse qu'elle ne l'avait jamais
rêvé. Larry Kenan y contribua en étant encore plus con
que d'habitude.
— Alors, comment va notre petite journaliste en
herbe, aujourd'hui?
Mary Ann ne leva pas le nez de son bureau. Elle travaillait ses fiches sur DeDe, coupant çà et là et
recomposant le tout pour tenir dans les cinq minutes qui
lui étaient imparties. Ce n'était pas facile.
Le directeur de l'information resta sur le seuil, les
pouces dans la ceinture de son jean. Elle devinait son
sourire sans avoir besoin de lever les yeux.
— Dis donc, fit-il. Denny veut voir tes accessoires
pour l'émission d'aujourd'hui.
— Très bien, dit Mary Ann, qui continuait à consul-
ter ses fiches.
— *Tout de suite.*
Mary Ann leva les yeux et le fixa d'un regard impas-
sible :
— C'est juste une connerie d'éponge végétale,
Larry.
— Pour faire quoi? ricana-t-il.
Mary Ann retourna à ses fiches en répondant :
— Pour remplacer les tampons périodiques.
Il y eut un silence, puis Larry se mit à glousser
comme un imbécile.
Mary Ann prit un crayon et gribouilla une note sans
importance sur son calendrier. Puis elle lança :
— Le choc anaphylactique, ça te fait rigoler, Larry?
— Pas du tout, dit le directeur de l'information en

s'apprêtant à partir. Je suis juste ravi que tu te décides à faire un peu d'analyse *approfondie*. Bon courage.

Le film du jour était *Pousse-toi, chérie,* titre dont l'ironie n'échappa pas à Mary Ann : Doris Day, après avoir été abandonnée pendant sept ans sur une île déserte, rentrait chez elle sans prévenir et trouvait son mari, James Garner, sur le point d'épouser Polly Bergen... Et DeDe Day, elle, allait faire son apparition au moment de la coupure de pub : c'était vraiment trop drôle.

Mais à deux heures et quart, le téléphone de Mary Ann sonna.

— Mary Ann Singleton. J'écoute.

— C'est DeDe, Mary Ann. Faites bien attention à ce que je vais vous dire. Leur avez-vous révélé quoi que ce soit ?

— Où êtes-vous, DeDe ? Il faut que vous soyez là avant le...

— *Leur avez-vous révélé quoi que ce soit ?*

Mary Ann fut ébranlée par le ton pressant de DeDe.

— Évidemment non, répondit-elle. Rien ne filtrera tant que nous ne serons pas à l'antenne.

— Je ne peux pas le faire, Mary Ann. On ne peut pas.

— Attendez un peu, là !

— Maman vient de m'appeler. Les enfants ont été kidnappés !

— Quoi ? En *Alaska* ?

— C'est lui qui les a enlevés, Mary Ann. J'en suis pratiquement certaine.

— Mon Dieu... Êtes-vous...? Comment est-ce possible ?

— Nous n'avons pas le temps de parler. Je prends l'avion pour Sitka dans une heure. Venez-vous avec moi ?

— DeDe, je...

— Je paierai tout.

— Ce n'est pas ça. Je suis censée être à l'antenne dans...

— J'ai besoin de vous, Mary Ann. *Je vous en prie.*

— OK. Bien sûr. Où se retrouve-t-on?

— A l'aéroport. Prenez un taxi. Et pas un mot à quiconque, Mary Ann... *Pas un mot!*

Amoureux de l'amour

Le bruit courait que les plus beaux mecs du City Athletic Club allaient désormais au Muscle System, plus bas sur Market Street, mais Michael avait du mal à le croire.

Aujourd'hui, par exemple, le club était comme à l'accoutumée bondé de belles bêtes : on ne comptait plus les superbes torses bronzés qui souffraient héroïquement sous la tyrannie high-tech des appareils Nautilus. Finalement, c'était un spectacle tout à fait décourageant.

Car Michael avait besoin de se retaper. Et sacrément!

Après trois douloureux quarts d'heure d'ischios, de presse inclinée, de développés nuque et de *super-seven,* il alla se replonger dans l'immense jacuzzi où Ned se languissait déjà comme un gladiateur vieillissant.

Michael se glissa dans l'eau bouillonnante en disant :

— C'est aussi imparable qu'un axiome.

— Quoi donc? s'enquit Ned.

— Quand je suis dans une forme parfaite, je ne suis pas amoureux. Et quand je suis amoureux, je me traîne.

Ned lui pinça la nuque en riant.

— Qui est l'heureux élu?

— Salaud, dit Michael.

— Je pensais que tu voulais dire...

— Laisse tomber. Il n'y a pas d'heureux élu, de toute façon, et je suis juste à la recherche d'un... d'un moment agréable.

Ned étendit ses jambes et se laissa flotter sur le dos.

— Et ton copain le flic ? se renseigna-t-il. Je croyais qu'il te faisait grimper aux rideaux ?

— Juste au plumard, rien de plus.

Ned éclata de rire.

— D'ailleurs, j'en ai marre d'être amoureux de l'amour. Je fais beaucoup plus attention maintenant qu'avant.

— Très bien.

Toujours sur le dos, Ned tourna la tête et sourit d'un air narquois.

— C'est vrai, je t'assure ! insista Michael. Il faut faire attention. Il y a des mecs qui ont complètement laissé tomber l'amour et qui ont décidé de se contenter d'un cheptel de dix mecs avec qui la baise est géniale. Tu crois que tu flirtes avec le prince charmant, alors qu'en fait t'es simplement en train d'auditionner pour faire partie du troupeau. Tu trouves un sens à tout ça ?

— Tu as réussi à faire partie de son Top 10 ? ironisa Ned.

— Je ne parlais pas particulièrement de Bill.

— Ah.

— Je crois que maintenant j'ai trop l'air d'une vieille rengaine, pour entrer dans le Top 10 ! Ce n'est pas grave. J'en ai un peu marre de la baise entre copains. Mais pourquoi est-ce que je *te* raconte tout ça, d'ailleurs ? Tu n'as pas toi-même tout un cheptel ?

Ned changea de position et se rassit.

— C'est cent fois mieux que d'écumer les bars et de collectionner les coups sans lendemain. Il y a beaucoup d'avantages à coucher avec ses copains, Michael.

— Peut-être. Mais un brin de romance n'a jamais fait de mal. Un peu de sentiment, je veux dire.

— Bien. Alors, va en chercher, Bubba.

— J'essaie, je te jure ! s'exclama Michael.

— C'était ce que tu faisais au *Glory Holes,* la semaine dernière ?

— Oui, à ma façon... Merde, je ne sais pas. Je traverse des cycles, sûrement. Parfois, je me dis que je suis le mec le plus obsédé du monde, qu'il ne me faut rien de plus qu'un inconnu sexy qui me travaille les seins et m'appelle « Mec » dans le noir... C'est vrai : parfois la baise anonyme est tellement merveilleuse que ça prouverait presque l'existence de Dieu.

Ned l'éclaboussa.

— Tu penses ça sur le moment parce que t'es à genoux comme à l'église, bonhomme !

Michael se mit à rire.

— Mais ça ne dure pas ! Suffit qu'on change de lune, ou je ne sais quoi de ce genre, et j'ai de nouveau envie de me marier. Je rêve d'être assis en peignoir sur le canapé à regarder la télé avec mon mec. Je veux faire des *projets* : balades en montagne, dîners à Chinatown, abonnements au théâtre... Je veux que ma vie soit en ordre, je veux compter sur quelqu'un qui m'apporte mon tranquillisant quand je suis déprimé. Et pourtant... Je sais que ça va me passer. En tout cas, de temps en temps. Je *sais* qu'il y aura des moments où j'aurai envie de repartir en chasse. J'aime trop l'aventure. Je panique à l'idée de rester avec la même personne pendant le reste de ma vie. Alors c'est quoi, la réponse, merde ?

— Trouve quelqu'un qui comprenne tout ça. Et qui t'aime pour ça ! rétorqua Ned en haussant les épaules.

Michael regarda un instant son ami, puis il se laissa couler.

— Pourquoi je me mets à faire de l'introspection comme ça dans le jacuzzi ? demanda-t-il à Ned lorsqu'il ressortit de l'eau. Ça doit être à cause de ce sacré mariage !

— Celui de Mary Ann et de Brian ?

— Non : de Charles et Lady Di, banane !

— C'est aujourd'hui ?

— Demain matin. A trois heures, heure locale.

— Je crois que je vais déclarer forfait.

— Pas moi. Je la trouve géniale. Lui est un peu trop ringard, sûrement, mais elle, c'est un ange. Et je suis tellement romantique !

Ned considéra Michael avec affection, puis il lui pressa gentiment le genou.

— *God save the Queen,* dit-il.

— Allez ouste ! lança Michael en sortant de l'eau. C'est presque l'heure de l'émission de Mary Ann.

Les recherches commencent

Le vol d'Air Alaska jusqu'à Seattle prit presque deux heures. Celui jusqu'à Sitka, environ trois, avec une brève escale à Ketchikan, juste après la frontière de l'Alaska. DeDe et elle n'étaient pas arrivées à Sitka que Mary Ann était déjà épuisée.

En revanche, DeDe faisait preuve d'une stupéfiante résistance.

— Comment faites-vous ? s'enquit Mary Ann alors qu'elles montaient dans un taxi à l'aéroport de Sitka.

— Comment je fais quoi ? demanda DeDe avec un sourire las.

— Eh bien... Je serais en pleine crise, moi, rien que d'y penser !

DeDe chercha un bonbon à la menthe dans son sac.

— J'ai fait ma crise avant, expliqua-t-elle. J'ai hurlé pendant cinq bonnes minutes après le coup de fil de maman. Rien de plus... Ça a suffi.

Elle fourra le bonbon dans sa bouche.

— Si je m'énervais, ça m'empêcherait de faire ce que j'ai à faire.

Le côté vaguement John Wayne de cette dernière réplique inquiéta légèrement Mary Ann.

— Vous êtes sûre que nous ne devrions pas en parler

à quelqu'un ? demanda-t-elle. Je veux dire : sinon à la police, au moins à quelqu'un qui saurait...

— Non. A personne. Si c'est lui, la presse est la dernière chose dont nous avons besoin. Ce type n'aime pas être acculé dans un coin. Ça risquerait tout au plus de lui faire perdre les pédales.

— Mais tout de même, une protection serait...

— Quand on l'aura trouvé ! répondit DeDe. Seulement quand on saura qu'on peut le coincer sans risque pour les enfants. Pas avant.

Quand, releva Mary Ann, et non pas *si.* Elles n'avaient aucune preuve que les enfants étaient encore à Sitka, mais DeDe gardait la foi. C'était difficile d'imaginer démonstration plus courageuse de pensée positive.

— Où on va ? demanda le taxi.

— Au *Potlatch House.*

DeDe se tourna vers Mary Ann.

— Le bateau est reparti cet après-midi, à ce que je sais. Maman et Prue Giroux ont pris des chambres dans cet hôtel, dit-elle avec un sourire sardonique. On n'imagine pas un couple plus mal assorti...

— Qu'est-ce qu'elles ont raconté aux gens du bateau ?

— Rien. C'est ce que je leur ai dit de faire. Elles sont simplement descendues en expliquant qu'elles avaient envie de passer plus de temps à Sitka. Pas très convaincant, comme excuse, je m'en doute, mais on n'avait pas le choix. A ce stade, la *moindre* mention de l'enlèvement serait fatale.

Mary Ann eut la chair de poule. Elle n'avait jamais entendu utiliser le mot « fatal » d'une manière aussi littérale.

— Je suis étonnée que votre mère n'ait pas appelé la police, avoua-t-elle.

— Et moi, donc ! s'exclama DeDe. Heureusement, c'est sa fille qu'elle a appelée en premier. Je suis sûre que c'est Prue qui l'a encouragée à le faire. C'était *son* amant, après tout. La dernière chose qu'elle souhaitait, c'était mêler la police à cette histoire. Ce n'est pas le genre de choses dont elle pourrait parler dans sa rubrique mondaine.

— Mais elle l'a rencontré sur le bateau. Nous ne pouvons pas vraiment la tenir responsable de...

— Elle *prétend* qu'elle l'a rencontré sur le bateau.

— Excusez-moi, je ne vous suis plus, là...

— Je crois qu'elle en sait plus qu'elle n'en a dévoilé à maman, expliqua DeDe. Et je crois que maman en sait plus qu'elle ne nous le dit.

— Sur quoi ?

— Je ne sais pas, soupira DeDe. Disons... Eh bien... Quelque chose chez son cher M. Starr a fini par la convaincre qu'il était complètement marteau.

— J'en suis certaine, dit Mary Ann.

— C'est à propos d'autre chose que l'enlèvement.

— Ah.

— Elle a commencé à m'en parler, puis elle s'est tue. Je crois qu'elle veut me protéger. Nous le saurons bien assez tôt, n'est-ce pas ? ajouta DeDe avec un sourire ironique et si héroïque qu'il fendait le cœur.

Mary Ann lui prit la main pour s'empêcher elle-même de pleurer.

— Ne rendez pas les choses pires qu'elles ne sont, dit-elle.

— Parce que ça pourrait être pire ? demanda DeDe.

Le taxi passa sur un étroit pont tout blanc tandis que le conducteur attirait leur attention sur un volcan éteint qui présidait majestueusement aux destinées de cet archipel d'îles minuscules. La ville s'étendait devant elles, nette et compacte comme Disneyland. En guise de décor pour un scénario aussi tragique, ce n'était guère probant.

Mary Ann regarda sa montre. Il était 21 h 13. La nuit tombait.

DeDe scruta le port.

— C'est plutôt mignon, non?

— Oui... sûrement.

— Je suis morte de trouille, souffla DeDe.

— Je n'en mène pas large non plus, laissa échapper Mary Ann.

Interrogatoire

Sur la suggestion de Mary Ann, DeDe retrouva d'abord sa mère en tête à tête. La journaliste patienta en faisant une petite sieste dans sa chambre du *Potlatch House,* secrètement soulagée d'avoir échappé au malaise de la confrontation.

Une heure plus tard, DeDe revenait dans la chambre et s'effondrait dans un fauteuil près du lit de Mary Ann. Celle-ci se redressa en se frottant les yeux.

— Dur, hein?

DeDe hocha la tête.

— Comment va-t-elle?

— Mieux, soupira DeDe. Je lui ai donné un Quaalude.

— La pauvre...

DeDe se frotta le front du bout des doigts.

— Elle en sait moins que nous, dit-elle. Je n'arrive pas à croire qu'elle puisse être parfois inconsciente à ce point.

— Et Prue?

DeDe tripotait distraitement le bras du fauteuil.

— C'est la prochaine étape, répondit-elle. Je ne veux pas l'interroger devant maman. Je pense qu'elle serait intimidée. On aura déjà assez de mal comme ça pour obtenir la vérité.

— Vous la connaissez bien?

— Pas tellement, précisa DeDe avec un rire amer. Je me suis confessée à elle une fois, mais c'est tout.

— Que voulez-vous dire?

— Elle organise des déjeuners, expliqua DeDe. Elle appelle ça le Forum — grandiose, non? Tout le monde est assis autour d'une célébrité de passage et lui dévoile son âme. Psychothérapie pour arrivistes. Prétentieux et ignoble. Je suis allée à celui qu'elle organisait sur le viol. « Variations sur le viol » — c'est comme ça qu'elle l'avait intitulé.

DeDe secoua la tête, dégoûtée.

— Mon Dieu!

— Mais vous avez dit que vous vous étiez confessée?

— Je lui ai dit que j'avais été violée.

— Quand ça?

— Oh... il y a cinq ans.

— Je ne savais pas que vous aviez été violée *avant* l'épisode de Jonestown.

— Je ne l'avais pas été. Je l'ai juste prétendu.

— Pourquoi?

— Je ne sais pas. La pression du groupe, peut-être. Et puis, je venais de coucher avec Lionel et j'avais besoin de rejeter la faute sur quelqu'un. Révoltant, non?

— Lionel, c'est...?

— Bien vu : le père des jumeaux.

— Le livreur de l'épicerie? hasarda Mary Ann.

— Plus maintenant. Le magasin est à lui, d'après maman. Entre-temps, j'ai été violée pour de bon en Guyana par le chevalier servant de Prue Giroux.

— S'il s'agit bien du même : nous n'en sommes pas encore certaines, répliqua Mary Ann.

Elle avait décidé qu'il fallait que quelqu'un joue l'avocat du diable dans cette affaire.

— Allons-y, conclut DeDe. J'ai besoin que vous me donniez un coup de main.

Elles en apprirent moins qu'elles n'avaient espéré.

— Je vous l'ai dit, insista Prue. Tout ce qu'il m'a raconté, c'est qu'il était américain, courtier en Bourse, et qu'il habitait à Londres. Enfin, nous étions en croisière!... On ne pose pas aux gens plus de questions que ça.

— Sean Starr? répéta DeDe.

La chroniqueuse mondaine acquiesça, mais elle évita le regard de DeDe.

— Il était apparemment fou des enfants et *tout le monde* l'appréciait. J'ai trouvé tout à fait naturel que votre mère lui confie les petits. Il était très poli, séduisant... C'était un homme élégant.

Elle secoua la tête d'un air affligé, les yeux encore rouges d'avoir tant pleuré.

— Ça n'a absolument aucun sens.

Mary Ann s'assit à côté de Prue.

— Écoutez, dit-elle gentiment, ce n'est pas qu'on ne vous croie pas.

Ce n'était pas du tout vrai, évidemment : DeDe ne faisait pas grand-chose pour cacher son scepticisme.

— C'est simplement que cela nous rendrait énormément service si vous pouviez vous rappeler des détails... *n'importe lesquels.*

— Eh bien... Il approchait de la cinquantaine, je crois. Il était très bien habillé.

— Pardon? demanda DeDe.

— Vous voyez bien ce que je veux dire : blazers, cravates en soie... ce genre de choses! Discret, quoi.

— Avez-vous des photos de lui? s'enquit Mary Ann.

— Le photographe du bateau en a pris une ou deux.

Mary Ann jeta un coup d'œil enthousiaste à DeDe, puis elle se retourna vers Prue.

— On peut les voir?

— Je ne les ai pas retirées. Elles sont restées sur le bateau.

DeDe avait l'air prête à gifler Prue d'un instant à l'autre.

— Et vous n'avez rien remarqué d'inhabituel dans son comportement? Rien du tout?

— Non, il n'a commencé à se conduire bizarrement que lorsqu'on est arrivés à Juneau.

— Bizarrement? C'est-à-dire?

— Je ne sais pas : de mauvaise humeur, distrait... Nous avons pris un hydravion pour faire une excursion au-dessus des glaciers et il ne m'a pas adressé la parole une seule fois. Il a passé son temps à bavarder avec le pilote.

— De quoi? poursuivit DeDe, féroce.

— Il n'arrêtait pas de dire : « dix remèdes », fit Prue.

Les yeux de Mary Ann s'agrandirent :

— Peut-être qu'il est toujours malade?

— « Dix remèdes »? marmonna DeDe. Pourquoi dix et pas autre chose?

— Je ne comprends pas, fit Prue.

— Il a prononcé : « *dix* remèdes ». C'est une curieuse expression. Pourquoi dix et pas trois, ou un, par exemple?

— C'est pourtant bien ce qu'il me semble. J'ai entendu le pilote répéter. Mais il y avait le bruit des moteurs, aussi.

— Et c'est tout? insista DeDe.

— Que voulez-vous dire?

— Rien d'autre de louche?

— Non, du moins jusqu'à Sitka! dit Prue, le visage convulsé par l'horreur. Jusqu'au moment où... il les a emmenés, et...

Elle porta ses mains à ses lèvres pour étouffer un sanglot.

— Et *quoi*? demanda DeDe.

— Les... les lapins.

— *Les lapins?* explosa DeDe.

— Votre mère ne vous a rien dit? lui demanda Prue, en la fixant avec des yeux hagards.

— Non.

— Oh, mon Dieu!

Une question délicate

— *Quels* lapins? répéta DeDe.

Prue détourna les yeux, les lèvres tremblantes.

— Quand il a emmené les enfants, raconta-t-elle, nous étions dans un restaurant, non loin d'ici. Je suis allée aux toilettes et... quand j'en suis ressortie, il avait disparu.

DeDe hocha la tête avec impatience :

— Maman nous a déjà dit ça.

— Bref, continua Prue, j'ai cherché dans la rue...

— Et vous avez vu Anna dans une ruelle, l'interrompit Mary Ann qui essayait de faire avancer Prue, voyant que l'exaspération de DeDe ne faisait que croître.

Prue acquiesça d'un air funèbre :

— Quand je l'ai vu l'emporter, je me suis assise par terre...

— *Quoi?* tonna DeDe.

— J'étais *blessée*. Je lui ai couru après, mais je me suis ouvert la cheville, expliqua-t-elle en levant la jambe pour prouver sa bonne foi. Un type est arrivé et a commencé à me crier dessus parce qu'il croyait que j'étais avec Lu... M. Starr. Je lui ai dit que...

— Attendez un peu, là! Qu'est-ce que vous venez de dire?

Prue cligna pathétiquement des yeux.

— Rien, se défendit-elle.

— Oh si, nom d'un chien! Vous avez prononcé le début d'un autre nom!

Mary Ann croisa le regard de DeDe et intervint :

— Si nous la laissions finir?

Prue prit cela pour un encouragement à poursuivre :

— Donc il m'a entraînée dans sa cour...

— Qui?

— Le type... Celui qui...

— OK, OK.

— Il avait des cages à lapins, des clapiers... Et il y avait du sang partout... Et il m'a forcée à...

Quelque chose sembla se coincer dans sa gorge. Elle porta la main à sa bouche et ferma les yeux.

Quand elle les rouvrit, elle continua en gémissant :

— Il m'a forcée à regarder ces deux petits lapins qui avaient été... écorchés.

— Mon Dieu ! murmura Mary Ann.

DeDe restait imperturbable.

— C'est votre ami qui avait fait ça ? voulut-elle savoir.

Prue hocha la tête, retenant ses larmes.

— C'est tellement affreux ! s'exclama-t-elle. Je n'ai jamais rencontré personne qui puisse...

— Et les peaux étaient encore sur place ? demanda DeDe.

Mary Ann frémit : où voulait-elle en venir ?

Prue réfléchit un instant, puis répondit :

— Je ne crois pas. Il y avait tellement de sang que...

— Et vous ne savez rien de plus sur cet homme *élégant,* comme vous dites, hormis que c'était un courtier en Bourse américain qui habitait Londres ? Qu'est-ce qu'il fichait sur ce bateau, d'ailleurs ?

— Je ne comprends pas, dit Prue.

— Vous ne trouvez pas ça un tantinet bizarre pour un courtier ?

— Non, je veux dire... Il semblait avoir assez d'argent pour...

— C'était votre amant ?

Prue resta bouche bée.

— C'était votre amant ou pas ? insista DeDe.

— Je ne vois pas en quoi cela vous...

— *J'ai de bonnes raisons de vous poser la question. Est-ce que vous l'avez vu sans ses vêtements ?*

266

L'indignation de Prue était à son comble :

— Écoutez... tout de même ! Je suis désolée de ce qui est arrivé à vos enfants, mais vous n'avez aucun droit de...

— Vous le serez encore plus quand nous aurons averti la police. Sans parler de la presse.

Prue se mit à pleurnicher.

— Je ne pouvais pas savoir qu'il ferait une chose pareille... laissa-t-elle échapper.

— Je sais, accorda DeDe, radoucie.

Elle se baissa et prit la main de la chroniqueuse mondaine.

— Personne ne le sait jamais.

Prue continua de pleurer, jusqu'au moment où elle comprit.

— Vous le *connaissiez* ? demanda-t-elle, stupéfaite.

— Je crois, déclara doucement DeDe avant de se tourner vers Mary Ann. C'est un peu délicat. Pouvez-vous nous laisser seules un moment ?

Mary Ann bondit sur ses pieds.

— Bien sûr !... dit-elle. Je... A quelle heure nous... ?

— Je vous retrouve dans notre chambre. Dans une demi-heure ?

— Très bien.

En fait, il lui fallut près d'une heure.

Quand DeDe vint retrouver Mary Ann, elle avait l'air totalement épuisée.

— On peut aller prendre un verre quelque part ? proposa-t-elle.

— Bien sûr. Ça va ?

— Oui, oui.

— Avez-vous pu découvrir si...

— C'est lui.

— Comment le savez-vous ?

DeDe s'approcha de la fenêtre et contempla le spectacle nocturne.

— C'est important? demanda-t-elle.

Mary Ann hésita.

— Tôt ou tard, ça le sera.

— Alors... On peut attendre jusqu'à... plus tard?

Un silence inconfortable s'ensuivit. Puis Mary Ann continua :

— J'ai réfléchi à cette histoire de lapins.

— Alors?

— La berceuse qu'il chantait : *Bye-bye, mon bébé bécasse, Papa s'en va à la chasse...*

DeDe la termina :

— *... il rapportera une peau de lapin pour te faire un beau manteau...*

— Vous y avez pensé? demanda Mary Ann.

— Oui, répondit DeDe d'une voix atone. J'y ai pensé.

A l'arrière

Le téléphone de Mary Ann sonnait à n'en plus finir.

Debout devant la porte, Brian s'interrogeait sur ses responsabilités. Elle ne lui avait pas demandé de s'occuper de ses affaires en son absence. Qui plus est, elle ne lui avait même pas dit où elle allait et il lui en voulait plus pour cela qu'il ne l'aurait avoué.

En tout cas, celui qui appelait était insistant.

C'est donc la curiosité plus qu'autre chose qui le conduisit à remonter dans son petit studio où il se lança dans une recherche éperdue des clés de l'appartement de Mary Ann.

Les ayant trouvées, il dégringola l'escalier quatre à quatre, ouvrit la porte et fondit sur le téléphone mural de la cuisine.

— Oui?

— Qui est-ce? demanda une voix d'homme.

— Sid Vicious. Et vous?

Les gens qui ne se présentaient pas au téléphone avaient le don de l'agacer.

Long silence, puis :

— Je suis bien à l'appartement de Mary Ann Singleton?

« Le type est embêté », remarqua Brian avec un certain plaisir.

— Elle n'est pas en ville en ce moment, expliqua-t-il. Je vous suggère de rappeler dans quelques jours.

— Vous savez où elle est partie?

Ce fut la goutte d'eau qui fit déborder le vase.

— Dites donc... Si vous me disiez qui vous êtes, vous?

— Larry Kenan, répliqua la voix. Le patron de Mlle Singleton.

La voix était dégoulinante d'ironie.

— Ah, je vois. Mary Ann m'a parlé de vous. Le directeur des programmes, c'est ça?

— C'est ça.

— Je suis Brian Hawkins. Son fiancé.

C'était la première fois qu'il employait ce mot pour se situer. Le terme avait un côté curieusement désuet, mais il l'adora. Les choses, se dit-il, étaient désormais officielles.

— Bien... commença le directeur de l'information. Alors vous allez pouvoir lui apprendre qu'elle est dans une sacrée merde.

— Quel est le problème? demanda Brian, essayant d'adopter un ton responsable et concerné.

— Le problème, aboya Larry, c'est qu'elle nous a lâchés, hier, vingt minutes avant l'antenne! Voilà le problème, monsieur Hawkins!

Brian réfléchit rapidement.

269

— Elle ne vous a rien dit? risqua-t-il.

— A quel propos?

— Sa grand-mère est décédée. A Cleveland. Personne ne s'y attendait.

Brian eut honte d'user d'un alibi aussi éculé. Il n'y a pratiquement aucune faute au monde qui n'ait été excusée par le providentiel décès d'une grand-mère.

— Eh bien... J'en suis navré, mais elle n'a rien dit à personne... Pas le moindre mot. Il y a quelque chose qu'on appelle professionnalisme, après tout. On a été coincés. Il a fallu qu'on demande au père Paddy d'annoncer le film.

— J'ai vu, déclara Brian. Je l'ai trouvé plutôt bien.

— Bon, vous direz à votre future femme qu'elle ferait bien de venir me voir vendredi sinon elle va se faire tanner le cul. Vous saisissez?

Brian mourait d'envie de lui répondre d'aller se faire foutre. Mais il se retint :

— Je suis sûr qu'elle sera rentrée avant. Elle devrait m'appeler, alors je lui transmettrai le message. Je suis confus, je sais qu'elle ne l'aurait pas fait intentionnellement...

— Vendredi, répéta Larry Kenan. Sinon... *finito*!

Brian était vert de rage quand il raccrocha. Alors que c'était surtout envers Larry Kenan qu'il était remonté, il était également furieux que Mary Ann ne lui eût pas donné assez d'informations pour qu'il pût la couvrir correctement.

Mais au fait, qu'est-ce qui pouvait bien l'avoir amenée à un départ aussi subit? Il se douta que cela devait avoir un rapport avec l'affaire du retour de DeDe. Cela pouvait même signifier qu'elle était encore en ville... à Hillsborough, peut-être, en train de mettre la touche finale à son sujet.

« Je m'en vais » : c'était tout ce qu'elle lui avait dit.

270

« Je serai probablement partie plusieurs jours, alors ne t'inquiète surtout pas. Je t'appelle dès que je peux. Je suis tellement contente qu'on se marie bientôt ! »

Génial. Mais où était-elle ?

Il trouva son carnet d'adresses et chercha le numéro des Halcyon à Hillsborough. Il tomba sur une bonne qui avait l'air tout droit sortie d'*Autant en emporte le vent*.

— Il n'y a personne, lui déclara-t-elle.

A peine eut-il raccroché que le téléphone sonna. Il répondit en essayant d'être un peu plus aimable cette fois-ci.

— Mary Ann est-elle là ? demanda une voix.

Celle-ci parut à Brian étrangement familière.

— Elle est à Cleveland, répondit-il, préférant rester cohérent dans le mensonge. Elle sera de retour vendredi.

— Vous pouvez lui transmettre un message ?

— Bien sûr.

— Dites-lui que j'ai trouvé les notes qu'elle a laissées au bureau. C'est d'une importance capitale que je puisse lui parler.

— Très bien. C'est de la part de qui, je vous prie ?

— Bambi Kanetaka. Vous voulez que j'épelle ?

— Non, rétorqua Brian. Je sais comment ça s'écrit. Vous êtes la présentatrice, c'est ça ? Vous êtes très connue.

— Dites-lui que si je n'ai pas pu avoir son feu vert vendredi, je m'assois dessus. Elle comprendra.

Brian réprima son fou rire. D'après ce que lui avait raconté Mary Ann, Bambi Kanetaka était une experte dès qu'il s'agissait de s'asseoir sur quelque chose.

— Dites-lui que je n'en parlerai pas à Larry jusqu'à son coup de fil... mais qu'elle *doit* m'appeler dès que possible. De Cleveland, s'il le faut. Vous comprenez ?

— Je crois, oui, répliqua Brian.

« Et maintenant... se dit-il. *Que faire ?* »

Dix remèdes

Mary Ann eut du mal à dormir dans sa chambre du *Potlatch House.* A deux reprises dans la nuit, elle fut réveillée par les cris de DeDe et, le reste du temps, elle fut la proie de cauchemars à peine s'était-elle rendormie. La sonnerie du réveil à sept heures et demie constitua presque un soulagement.

DeDe était déjà debout et examinait une carte tout en buvant son café noir. Quand elle se rendit compte que Mary Ann avait les yeux ouverts, elle eut un sourire d'excuse :

— *La Nuit des morts-vivants,* hein ?

— On s'en sortira, dit Mary Ann en lui rendant son sourire.

— Du café ?

— Je crois que je vais attendre. Je suis déjà assez énervée comme ça.

DeDe se replongea dans sa carte.

— Nous prenons le petit déjeuner avec Prue, si vous n'y voyez pas d'inconvénient. Je veux qu'elle nous conduise auprès de l'homme aux lapins. Ensuite, je crois que nous devrions enquêter auprès des agences de location de voitures et des compagnies aériennes.

Un long silence s'ensuivit durant lequel Mary Ann réfléchit à la tâche monstrueuse qui les attendait. Puis elle se jeta à l'eau :

— DeDe... Vous ne pensez pas que... ?

Elle s'interrompit, soudain gênée à l'idée de paraître manquer de loyauté dans l'entreprise.

— Oui... ? l'interrogea DeDe. Parlez !

— Eh bien... Il me semble que nous perdons du temps, en faisant tout nous-mêmes. Si nous en parlions à la police, elle pourrait publier un signalement, ou quelque chose de ce genre.

— Publier un communiqué dans la presse, oui, c'est plutôt ce qu'ils feront !

— Mais nous ne sommes pas obligées de leur dire qui nous pensons qu'il est... Simplement dire qu'il a enlevé les enfants.

Pour Mary Ann, c'était ce qui importait le plus : *quelqu'un* avait kidnappé les jumeaux.

DeDe se resservit du café.

— Le problème, expliqua-t-elle, ce n'est pas la police : c'est plutôt *lui* !

— Mais il ne s'attend tout de même pas à ce que nous...

— Je le *connais*, Mary Ann. Vous l'oubliez toujours.

— Mais comment pouvez-vous être sûre qu'il ne va pas... Il est évident que les lapins sont une preuve suffisante de sa...

— Les lapins, c'est un geste de mauvais goût, rien de plus. Il a une faiblesse pour les grands symboles. C'était juste sa façon de montrer qu'il est toujours... Papa.

— Mais qu'est-ce qui vous fait croire qu'il ne fera pas de mal aux enfants ?

— Il les aime !

— Vous n'êtes pas sérieuse...

— En tout cas, c'est comme ça qu'il le voit, *lui*. Qu'est-ce qui s'est passé à Jonestown, d'ailleurs ? Quand le massacre a-t-il commencé, hein ? Au moment précis où le monde extérieur a envahi son petit univers égocentrique d'amour et de paix. J'ai échappé au carnage, Mary Ann, et je ne permettrai pas qu'il se reproduise. Si je veux récupérer mes enfants en vie, il faut que je les retrouve avant que les médias découvrent que c'est Jones. C'est aussi bête que ça.

Le petit déjeuner fut accablant. Prue était défaite et Mme Halcyon ne valait pas mieux. DeDe — « Il faut lui rendre cette justice », pensa Mary Ann — resta calme pendant tout ce temps, et déchargea sa mère et la chroniqueuse de toute culpabilité en échange de leur silence absolu sur l'affaire. Prue n'eut aucune difficulté à se plier à cette condition. Mme Halcyon n'accepta qu'à contrecœur.

Bien entendu, DeDe ne leur laissa pas voir qu'elle savait qui était le ravisseur.

Sur le chemin de l'aéroport, Prue leur montra la maison de l'homme aux lapins. Mary Ann griffonna l'adresse avec l'impression que cette histoire était de plus en plus absurde. Une demi-heure plus tard, Prue et Mme Halcyon étaient à bord d'un avion pour San Francisco, tandis que Mary Ann et DeDe discutaient avec le dernier témoin de l'enlèvement.

— Quand ça s'est passé, j'étais dans la cuisine, dit l'éleveur de lapins. Il était là, avec les gosses : dehors, devant les clapiers. J'ai pas pu me rendre compte de ce qui se passait jusqu'au moment où je me suis approché, et il était déjà trop tard.

Mary Ann prit une mine de circonstance.

— Nous sommes vraiment désolées de...

— Il n'a rien dit ? coupa DeDe. Rien du tout ?

— Ben non. Il n'a pas traîné. J'ai trouvé une pochette d'allumettes un peu plus tard. Il a dû la perdre. Elle venait du *Red Dog Saloon,* de Juneau. Ça vous dit quelque chose ?

— Vous l'avez encore ? demanda DeDe.

— Attendez.

L'homme rentra dans la maison et revint un instant plus tard avec la pochette. DeDe la retourna, puis l'ouvrit. A l'intérieur était inscrit au feutre un seul mot : Diomède.

— « Diomède » : vous savez ce que ça signifie ? demanda-t-elle à l'homme.

— Non. Désolé.

DeDe fronça les sourcils et jeta la pochette.

— Ça ne signifie probablement rien du tout, lâcha-t-elle.

— Attendez ! s'écria Mary Ann.

— Oui ?

— Diomède !... C'est *ça* que Prue a entendu : pas
« dix remèdes », mais *Diomède* !

Définitions

Diomède.
Le mot avait une consonance vaguement scienti-
fique : celle d'un produit chimique, peut-être. Il faisait
aussi penser à un personnage de l'Antiquité, comme
Diogène ou Archimède. Cependant, Mary Ann songea
que le mot avait trait aussi à la géographie, puisque
M. Starr l'avait utilisé dans sa conversation avec le
pilote.
— Vous devez avoir raison, reconnut DeDe en
ramassant la pochette. Mais ce n'est pas du tout son
genre de laisser imprudemment des indices. Je crois
qu'il vaudrait mieux enquêter d'abord auprès des
sources les plus logiques.
Leur première étape, en taxi, fut une agence de location de voitures près du port. DeDe s'adressa à une
jeune femme sur son trente et un qui portait un uniforme vert, et l'interrogea avec une indifférence remar-
quablement feinte.
— Un ami à nous a dû louer une voiture chez vous,
hier. Nous voulions savoir si vous pouviez vérifier... A
moins que ça ne vous ennuie.
Le sourire de la jeune femme disparut.
— Normalement, nous ne donnons pas ce genre de
renseignements.
— Et pourquoi ça, merde ?
Mary Ann s'avança d'un pas derrière DeDe et
appuya un doigt sur ses reins.
— Euh... C'est idiot, en fait : il nous a dit qu'il fallait
que nous prenions la même agence que lui et nous

avons oublié de lui demander laquelle, expliqua DeDe.
C'est bête, hein?

La jeune femme refusa de mordre à l'hameçon.

— Les dossiers de nos clients sont confidentiels. Si
je vous donnais ce renseignement, j'enfreindrais le
règlement. Mais si vous voulez louer une voiture, je
serai heureuse de...

— Dites donc, attaqua DeDe qui devenait de plus en
plus irascible, c'est une agence de location de voitures,
pas une base de missiles, bordel!

Cette fois, Mary Ann lui prit un bras.

— En fait, nous n'avons pas besoin de consulter
votre ordinateur, mademoiselle. Ils sont faciles à
reconnaître.

— *Ils sont...?* Je croyais que c'était une personne
seule?

— Il y avait un adulte, oui, corrigea Mary Ann avant
que DeDe ne pût intervenir. Un monsieur bien mis,
d'environ cinquante ans, mais accompagné de jumeaux
âgés de quatre ans. Un garçon et une fille.

— Eurasiens, ajouta DeDe.

— Ils sont à moitié chinois, poursuivit Mary Ann. Ils
portent des parkas bordées de fourrure. Je pense que
vous vous en souviendriez s'ils...

La jeune femme se raidissait comme un obélisque.
C'était une perte de temps. Mary Ann se retourna vers
DeDe qui fulminait.

— On ferait mieux de voir ailleurs.

En sortant, DeDe lança un regard assassin en direction du comptoir.

Elle alla ensuite dans l'agence suivante tandis que
Mary Ann cherchait un dictionnaire dans un motel voisin. Le réceptionniste lui donna un exemplaire élimé
que Mary Ann consulta debout dans le hall. Et voici ce
qu'elle trouva :

Diomède (en gr. **Diomêdês**). *Myth.* 1. Fils de Tydée,
rival d'Achille durant le siège de Troie. 2. Roi de

Thrace qui nourrissait ses juments de chair humaine et fut tué par Hercule, qui le donna en pâture à ses chevaux.

Quand DeDe sortit de l'agence, Mary Ann l'attendait sur le trottoir.
— Alors? demanda DeDe.
— Rien de bien utile, je le crains.
— Ils n'avaient pas de dictionnaire?
— Si, mais je n'y ai pas trouvé de Diomède intéressant.
— Il y a une librairie là-bas. Peut-être qu'ils sauront.
Mary Ann secoua la tête.
— Je crois qu'on se donne beaucoup de mal en pure perte, répondit-elle.
— L'enseigne indique : « Spécialisé dans le folklore d'Alaska », insista DeDe. S'il y a ici quelqu'un qui sait, ce sera eux. De toute façon, ça vaut la peine. Allons-y.

Des centaines de livres qui sentaient le moisi étaient empilés partout dans le minuscule magasin : sur des étagères, sur des tables, et par terre. Mais il n'y avait pas de libraire en vue.
— Il y a quelqu'un? vociféra DeDe.
Pas de réponse.
— Je crois qu'on ferait mieux d'aller voir les compagnies aériennes, dit Mary Ann en se tournant vers la porte.
— Attendez... J'entends venir quelqu'un.
Le propriétaire, un sosie d'Ichabod Crane, sortit de l'arrière-boutique.
— Bonjour, mesdames. Que puis-je faire pour vous?
— Nous avons besoin d'un renseignement, commença DeDe. Savez-vous ce que signifie le mot « Diomède »?
L'homme sourit immédiatement, dévoilant une brèche importante dans sa dentition de devant.
— Vous voulez dire « les Diomède ».

On aurait dit qu'il parlait de vieux copains, comme les Martin ou les Brown.

— Que voulez-vous savoir dessus?

— D'abord, se renseigna DeDe, de quoi s'agit-il?

— Un archipel, répondit le libraire.

— Ouf! soupira Mary Ann.

DeDe se détourna et la dévisagea :

— Pourquoi « ouf »?

— Je... Eh bien... dit en rougissant Mary Ann, je suis simplement contente que quelqu'un sache ce que c'est.

— Où est-il situé, cet archipel? demanda DeDe au libraire.

— Très loin au nord. Dans le détroit de Béring. Ces îles sont pleines de charme. Il y a la Petite Diomède et la Grande Diomède. La petite fait dans les six kilomètres carrés. L'autre... oh, trente, environ. Pas d'arbres. Des tas de rochers et quelques Eskimos. Les deux sont très proches l'une de l'autre.

— Est-ce qu'il y a quoi que ce soit de... particulier, là-bas? demanda Mary Ann.

L'homme sourit comme une lanterne d'Halloween.

— Ça ne tient pas à ces îles en particulier, mais à l'endroit où elles se trouvent.

— C'est-à-dire? s'enquit DeDe.

— Eh bien, dit l'homme, la Petite Diomède appartient aux États-Unis et la Grande à la Russie.

Plan de vol

— Ce fils de pute! maugréa DeDe quand elles furent revenues dans leur chambre du *Potlatch House*. Ce fils de pute de bolchevik à la noix! Bon sang... En Russie!

Mary Ann se sentait plus inutile que jamais.

— J'avais oublié qu'on en était si proches, avoua-t-elle.

— Il doit probablement *habiter* là-bas, ajouta DeDe. Il a ce qu'il veut et maintenant il retourne chez lui.

— Mais c'est *vous* qui avez eu l'idée du voyage, DeDe. Comment aurait-il pu savoir que les enfants partaient? Comment pouvait-il...?

— Peut-être qu'il a profité de l'occasion. Comment voulez-vous que je le sache? Et puis à quoi ça sert de se poser toutes ces questions? Si ça se trouve, il est déjà à Moscou!

— Pas vraiment, dit Mary Ann qui consultait la carte de DeDe. Sauf s'il y a des liaisons aériennes fantastiques, là-bas. La grande ville la plus proche des Diomède est Nome et elle est à plus de mille cinq cents kilomètres d'ici. Ensuite, il aura fallu qu'il prenne un petit avion pour aller aux Diomède. Sans compter qu'il doit y avoir des contrôles sévères pour passer de la Petite à la Grande Diomède. C'est un itinéraire très compliqué.

— Si quelqu'un peut le faire, c'est bien lui.

— Il faudrait de l'argent.

— Prue a dit qu'il en avait beaucoup. Il en avait des tonnes à Jonestown — des malles remplies —, suffisamment pour vivre le restant de ses jours. Il pourrait payer tous les bakchichs qu'il faut pour aller d'ici à Tombouctou.

Mary Ann se creusa la tête pour trouver quelque chose qui pût la consoler.

— D'une certaine manière, vous savez, ça nous aide. Je veux dire... Nous savons où chercher. Le type de la librairie nous a appris que la Petite Diomède ne faisait que six kilomètres carrés. Un avion qui essaierait d'y atterrir se ferait immédiatement remarquer... s'il tentait de passer en Russie.

— Oui, fit DeDe. Je suppose.

— Donc, si nous appelions les autorités de Nome, elles pourraient...

— Non. Pas la police !

— Nous ne serions pas obligées de leur dire que...

— Non. Je vous ai dit ce que j'en pensais.

DeDe s'empara de son sac de voyage et s'apprêta à sortir.

— Il y a une agence de voyages à deux pas d'ici. Je vais me renseigner sur les vols pour Nome. Je reviens dans vingt minutes.

— DeDe...

— Notre seule chance, c'est de le battre là-bas. Nous pouvons engager des gens, s'il le faut. Une fois qu'il aura atterri sur cette île, il sera à notre merci. Bon sang, il faut qu'on se dépêche !

DeDe s'arrêta devant la porte.

— Oh... J'imagine que vous venez avec moi ?

Mary Ann hésita, puis elle s'efforça de sourire de son air le plus assuré.

— Bien entendu, répondit-elle.

A peine DeDe fut-elle partie que Mary Ann appela Brian chez *Perry*.

— C'est moi, annonça-t-elle d'un ton peut-être un peu trop enjoué. Tout va bien.

— Où es-tu ?

Il était agacé, et c'était compréhensible.

— Excuse-moi, Brian. Je sais que ce n'était pas prévu.

Après un long silence, il ironisa :

— J'avais bien entendu parler de fiancées qui reculaient au dernier moment, mais là, c'est grotesque.

— Tu sais bien que ça n'a rien à voir, dit-elle avec un rire embarrassé.

— C'est ton histoire de... Jonestown ?

— Oui.

— Bon Dieu ! Tu n'es pas à Jonestown, au moins ?

— Mais non! Tout va bien. DeDe est avec moi et nous devrions être rentrées dans quelques jours. Je suis désolée de faire autant de mystères, mais j'ai promis que je ne dirais pas un mot pendant un certain temps.

— Je ne te dis pas à quel point tu me manques...

— Tu me manques à moi aussi.

Pendant un moment, elle crut qu'elle allait pleurer.

— Ça va être merveilleux d'être Mme Hawkins! reprit-elle sur un mode plus enthousiaste.

— C'est vrai?

— Tu penses!

— Tu n'es pas obligée de prendre mon nom, tu sais.

— Laisse tomber, fit-elle. Je suis de Cleveland, n'oublie pas.

Il finit par rire.

— Bon, tu rentres bientôt, hein?

— Juré! Des nouvelles des autres?

— Ils vont bien, je crois. Michael prétend qu'il ne baise plus, ces derniers temps. Mais il n'est pas le seul! Oh, zut! J'allais oublier: le connard de la télé a appelé. Il a dit que... attends que je me souvienne de ses termes... que tu te ferais tanner le cul si tu ne rappliquais pas au boulot vendredi.

— Larry Kenan?

— Mmm, mmm. Et je crois qu'il est sérieux.

— Ça me fend le cœur.

— J'étais sûr que tu réagirais comme ça. Il y a eu aussi Bambi Kanetaka qui a appelé pour dire que tu avais laissé des notes dans ton bureau et qu'elle les donnerait à Larry si tu ne la rappelais pas immédiatement. Qu'est-ce que c'est que cette histoire?

Il fallut à Mary Ann un moment pour évaluer l'ampleur du désastre.

— Oh, *non*! geignit-elle. C'étaient mes notes sur DeDe et toute l'affaire... Oh, mon Dieu, c'est affreux! Écoute, Brian, il faut que je la contacte tout de suite. Je te rappelle, OK?

— Oui, mais...

— Je t'aime. Bye-bye.

Traitement de choc

C'était une telle bêtise ! Vraiment, la bêtise classique et dangereuse ! Même dans la panique et l'excitation, comment avait-elle pu filer en Alaska en laissant au bureau les notes qui la trahiraient ?

Au moins, ce n'était pas Larry qui les avait trouvées. C'était déjà une consolation. Que ce fût Bambi, c'était déjà assez embêtant, évidemment, mais il y avait un espoir de pouvoir jouer sur sa sottise et sa vanité pour l'empêcher de divulguer l'affaire au monde entier.

Elle réfléchit au problème pendant un instant, puis elle chercha le numéro de Bambi dans son carnet et l'appela aussitôt.

— Allô ?

La voix de Bambi, plus insipide que jamais, était accompagnée du fausset d'Andy Gibbs en fond sonore.

— Bambi ? C'est Mary Ann.

— Ah ! Tu es toujours à Cleveland ?

Cleveland ? Est-ce que c'était ce que Brian lui avait raconté ?

— Euh... oui. Tu souhaitais me joindre pour quelle raison ?

— Ton mec ne t'a pas raconté ?

— Eh bien... Il a parlé de notes, mais je ne sais pas très bien ce que ça signifie.

— Et Jonestown, ça te dit quelque chose ?

Mary Ann compta lentement jusqu'à quatre.

— Oh ! s'écria-t-elle ingénument. Mon scénario ? Ce que je suis gênée ! J'espère que tu ne l'as pas lu. C'est tellement ringard !

— Ton *scénario*?

— Oui, pour un film. J'ai eu une idée idiote pour une histoire à suspense et un copain à moi qui connaît un producteur à Hollywood m'a conseillé de rédiger des notes pour le présenter en bonne et due forme.

— Ah.

— Bon, c'est du travail au noir, je sais... Je te serais reconnaissante de ne pas en parler à...

— Tu as *inventé* un scénario sur Jim Jones?

— Pourquoi pas? Des tas de scénaristes écrivent sur... Jack l'Éventreur, par exemple. C'était l'ogre de l'époque. Jones est celui de la nôtre.

— Et cette histoire de sosie...?

— Tu trouves que c'est nul?

Silence.

— Bah! fit Mary Ann. C'était un brouillon. J'espère que je m'améliorerai au fur et à...

— J'aime bien la distribution, dit Bambi.

— Hein?

— DeDe Day dans le rôle de la rescapée du Guyana avec ses jumeaux à la remorque... C'est ingénieux, vraiment, d'avoir utilisé l'identité d'un personnage réel. C'est tellement irrationnel que ça pourrait être vrai, tu ne crois pas?

Silence.

— *Tu ne crois pas?*

Manifestement, elle avait vu clair dans son jeu.

— Bambi, écoute...

— Non, c'est *toi* qui vas m'écouter. Je suis dans l'obligation de communiquer ces notes à Larry, Mary Ann. Je voulais que tu le saches. Franchement, je suis étonnée que tu gardes sous le coude une information de cette ampleur sans chercher le moindre conseil auprès de professionnels.

C'est évidemment d'*elle* qu'elle voulait parler.

— J'avais prévu de consulter le service des infos, dit Mary Ann. En fait, je pensais que tu serais la meilleure personne à qui...

Le mensonge s'arrêta dans sa gorge.

— Le sujet est pour toi, Bambi, je t'assure. Mais il faut simplement attendre... un petit peu.

— Laisse tomber. L'information n'attend pas. Le procès de Larry Layton bat son plein en ce moment. Penses-tu que ça pourrait avoir un *quelconque* rapport avec ton histoire?

— Pas vraiment, répondit Mary Ann. Il est accusé du meurtre du député sur la piste d'atterrissage. DeDe était partie avant que ça ne se produise.

— Ah... Le scénario est de plus en plus intéressant.

Désespérée, Mary Ann abandonna toute prudence et se jeta à l'eau :

— Bambi... Les enfants de DeDe sont en grand danger. Si ce fait est rendu public... cela pourrait avoir leur mort pour conséquence directe. Je voudrais bien te donner des détails, mais je ne peux pas. Je t'en supplie... Donne-moi une semaine pour...

La présentatrice éclata d'un rire sardonique.

— Trois jours, alors.

— Mary Ann... Il va *falloir* que tu apprennes à faire un peu moins de sentiment, si tu veux vraiment devenir une journaliste. Si ces mômes courent le moindre danger, c'est dommage, mais le public a le droit de savoir. Quand il est question d'information, on ne peut pas choisir.

C'étaient de vastes conneries, et Mary Ann le savait très bien. Les journalistes avec qui elle travaillait passaient leur temps à choisir.

— On ne peut pas *au moins* en discuter avant que tu mettes Larry au courant? supplia-t-elle.

— C'est ce qu'on est en train de faire.

— Je voulais dire en tête à tête.

— Géniale, comme idée. Tu es à Cleveland.

— Mon avion repart demain après-midi, mentit Mary Ann. Je peux te retrouver chez moi à... disons : trois heures. Ça te rendra *service,* d'ailleurs : je pourrai t'expliquer les points qui restent obscurs avant que tu en parles à Larry.

— Très bien. Mais je le lui dirai de toute façon vendredi.

— OK. Je te remercie beaucoup, Bambi. Tu as de quoi noter ?

— Vas-y.

— Je suis au 28 Barbary Lane, appartement 3. Si mon avion avait du retard, mon copain Brian te fera entrer. Mais s'il te plaît, ne prononce pas un mot d'ici là, OK ?

— OK.

Après avoir raccroché, Mary Ann appela Brian :

— C'est de nouveau moi, dit-elle d'un ton sinistre. J'ai un grand service à te demander.

Un prêtre faute

A peine eut-il reconnu la voix de Prue que le père Paddy étouffa un petit rire derrière la grille du confessionnal.

— Vraiment, ma chère, on ne peut plus continuer à se rencontrer comme ça !

Prue lui répondit très sérieusement :

— Je veux que ce soit... officiel, mon père.

— Vous voulez dire qu'il faut que je tienne ma langue, hein ?

— Il *faut* que cela reste confidentiel, chuchota Prue. J'ai promis à Frannie Halcyon que je n'en parlerais à personne. Apparemment, c'est une question de vie ou de mort.

— Mon Dieu, ma fille ! Qu'est-ce qui s'est passé sur ce bateau ? Je me disais bien aussi que vous étiez rentrée un peu tôt. Ne me dites pas que Luke et vous avez eu une sorte de...

— Luke est parti, mon père !

— Quoi ?

Prue entendit le prêtre se contorsionner sur son siège.

— Qu'est-ce que vous faites ? lui demanda-t-elle.

— Je prends une cigarette, répondit-il. Confiez-vous à moi, mon enfant.

Il y eut encore quelques bruits de tissu froissé, puis Prue entendit le déclic du briquet du père Paddy.

— Parfait, dit-il enfin en soufflant la fumée. Commençons depuis le début, ma chère.

Il fallut dix minutes à Prue pour lui donner les grandes lignes de la catastrophe. Quand elle en eut terminé, le père Paddy émit un petit grognement incrédule.

— Eh bien ? fit Prue.

— Est-ce qu'il a encore mes papiers ? s'enquit le prêtre.

— Je le crains. Je suis navrée, mon père, je...

— Ne vous excusez pas, ma chère enfant. C'est moi qui ai eu cette idée idiote. Et Frannie Halcyon ? Est-ce qu'elle a fait le rapprochement entre ce Sean Starr et moi ?

— Non, pas que je sache, dit Prue. Je ne crois pas qu'elle ait réfléchi au fait que vous vous appeliez Sean. Elle était trop bouleversée par ce qui est arrivé aux enfants pour raisonner d'une façon...

— Mary Ann risque de deviner, en revanche !

— Vous la *connaissez* ? demanda Prue.

— Nous travaillons sur la même chaîne. J'enregistre mon émission juste avant qu'elle s'occupe de la sienne au milieu du film de l'après-midi. Il a fallu que je la remplace mardi dernier quand elle est partie. Personne ne savait où elle se trouvait et je n'avais pas la moindre idée qu'elle était... Seigneur, cette histoire devient d'un scabreux !

— Ce qui m'embête le plus, dit Prue, c'est que DeDe semble... avoir connu Luke.

Cette simple pensée lui fit monter de nouveau les larmes aux yeux.

Le père Paddy dut l'entendre pleurnicher.

— Ma chère enfant... commença-t-il. Vous voulez dire... connu *bibliquement*?

— Oui! sanglota Prue.

— Oh, mon Dieu! s'exclama le prêtre. Elle vous a dit qu'ils avaient été amants?

— Pas exactement. Mais elle savait quelque chose sur lui qu'elle n'aurait pu connaître si elle n'avait pas été... intime avec lui.

Le prêtre claqua bruyamment de la langue.

— *Bigre!*

Prue hésita.

— Je ne vois pas en quoi c'est important, fit-elle observer. Elle le *savait,* c'est tout.

Long silence.

— Très bien... fit le prêtre. Dans ce cas, je pense qu'il est temps de passer au client suivant.

— Mais, mon père... Qu'est-ce que je dois *faire*?

— Vous l'avez déjà fait, mon enfant. Vous leur avez dit ce que vous saviez.

— Je ne leur ai pas parlé de la cabane dans le parc... ni des faux papiers. Je ne leur ai pas dit que je connaissais Luke avant cette croisière.

— C'est tout à fait à côté de la question, ma chère. Il est évident que vous avez interféré dans une liaison entre DeDe et Luke. Je sais que ce doit être très pénible à admettre, mais vous ne pouvez pas laisser vos émotions vous conduire à faire quelque chose d'inconsidéré. Si j'étais vous, je me ferais discrète pendant un petit...

— Mon père, il a enlevé les enfants, tout de même!

— Oui, bien sûr, c'est terrible... et la mère mérite nos prières... Mais votre petite escapade sentimentale avec Luke n'a pas grand-chose à voir avec son affaire.

287

Où a-t-elle bien pu le connaître, d'ailleurs ? Je croyais vous avoir entendue dire qu'elle se cachait chez Frannie, depuis son retour de Cuba.

— Je n'en suis pas sûre. Je crois qu'elle aurait pu... Vous ne pensez pas qu'elle aurait pu le connaître au Guyana ?... Si ?

— Je me demandais quand vous y songeriez enfin.

— Vous voulez dire qu'il pourrait avoir été... un membre du Temple ?

— C'est tout à fait possible, répondit le prêtre. Maintenant, pensez-vous que ce soit le genre de chose à quoi vous souhaitez être mêlée, ma chère enfant ?

— Mais j'y *suis* mêlée, mon père ! Si DeDe et Mary Ann ne le retrouvent pas et qu'on découvre qu'il a vos papiers sur lui...

— Je leur dirai la vérité.

— Mais...

— Je leur dirai que j'ai perdu mes papiers dans le parc il y a un mois environ. Et vous le confirmerez, parce que vous étiez avec moi à l'époque. Et ce sera terminé. Vous avez compris, mon enfant ?

— Je crois.

— Très bien. Maintenant, filez et soyez sage. Tout cela finira par se tasser... Je vous assure.

— Mais s'il leur explique, pour moi ?

— Eh bien, il faudra qu'ils choisissent entre la parole d'une chroniqueuse connue et celle d'un ravisseur. Ce ne devrait pas être trop compliqué. Allez, déguerpissez, maintenant ! J'ai des clients qui attendent. Et puis, aussi, Prue... laissez tout cela derrière vous, ma chère !

— Très bien.

— Ce que je suis en train de vous dire, c'est ceci : *ne vous approchez plus de cette cabane.*

— OK, concéda Prue, défaite.

— Dieu vous garde, conclut le père Paddy.

Tea for two

Elle arriva pile à l'heure, comme s'y attendait Brian.

— Vous êtes Bambi, dit-il le plus cordialement possible en tendant la main. Je suis Brian, le copain de Mary Ann. Je vous regarde à la télé tous les jours.

Elle lui serra à peine la main.

— Elle est pas là, hein?

Elle scruta la pièce tout en parlant, comme si elle avait pu repérer Mary Ann terrée sous une table ou accroupie derrière un rideau.

— J'ai pas des masses de temps, vous savez.

— Elle vient d'appeler de l'aéroport, expliqua Brian. Apparemment, elle a eu un problème en prenant sa correspondance à Denver, à cause de la grève des contrôleurs aériens. Tenez, laissez-moi prendre votre veste. Je suis sûr qu'elle ne va pas tarder.

Bambi laissa glisser son coupe-vent couleur bronze, mais conserva son sac à main en bandoulière. En posant la veste sur le dossier d'une chaise, Brian déclara de son air gamin le plus calculé :

— Vous êtes encore plus jolie en vrai.

— Merci, dit Bambi.

Il sourit de nouveau, penchant la tête sur le côté.

— Vous devez entendre ça tout le temps, non?

— C'est agréable à entendre, de toute façon.

Brian s'affala sur le sofa en écartant nonchalamment les cuisses.

— Au fait, mentit-il, j'ai adoré votre reportage sur la fuite de gaz. Beaucoup de sang-froid. Et très clair.

— Vous avez regardé ça?

— Oui. Trois reportages différents, d'ailleurs. Mais le vôtre était le seul vraiment compréhensible. Asseyez-vous. Autant vous mettre à votre aise.

Bambi prit une chaise et s'assit en gardant son sac sur ses genoux.

— Ils ont failli ne pas me laisser couvrir ça, dit-elle.

— Vraiment?

— Oui. Vous seriez surpris des préjugés que rencontre une femme quand il s'agit de traiter ce genre de catastrophes sur le terrain. Mais je lutte quand même.

Elle sourit bravement.

— Tant mieux pour vous, répliqua Brian. Dites... J'allais me faire un thé. Vous en voulez?

Bambi secoua la tête.

— Je ne supporte pas les excitants, lui opposa-t-elle.

— Ne vous inquiétez pas, dit Brian. C'est une tisane. Faite par notre logeuse! Et incroyablement délassante : vous devriez goûter.

— Ah? Bon, d'accord.

Il revint cinq minutes plus tard et lui tendit sa tasse en tremblant un peu. Elle en prit une petite gorgée, puis lui décocha son plus joli sourire.

— Mais c'est *délicieux*! Qu'est-ce qu'il y a dedans?

— Euh... des fleurs d'hibiscus, des écorces d'orange... des trucs comme ça.

— Et elle appelle ça comment?

— Oh... Crépuscule d'Alaska, je crois.

— Mmm, fit Bambi en prenant une autre gorgée.

Brian continua d'alimenter la conversation durant cinq minutes, jusqu'au moment où Bambi commença à avoir l'élocution difficile. Pendant un instant qui fut terrible, elle sembla se rendre compte de ce qui lui arrivait et le fixa, furieuse autant que surprise. Puis ses paupières tombèrent et elle s'effondra sur sa chaise.

— La vache!... jubila Brian.

Il se leva et alla vérifier : elle était un peu froide, mais elle respirait toujours. Quand il lui releva la tête, une perle de salive coula du coin de sa bouche.

— OK! s'écria-t-il.

La porte d'entrée s'ouvrit. Michael passa d'abord la tête dans l'entrebâillement, puis Mme Madrigal, qui fronça le sourcil et voulut savoir :

— Tu es sûr qu'elle est... ?

— Tout va bien, la rassura Brian. Qu'est-ce qu'il y a dans ce truc, au fait ?

— Ne te mets pas martel en tête, dit Mme Madrigal. Rien que des choses naturelles.

— Et l'effet dure un quart d'heure ?

— Plus ou moins, répondit la logeuse. Je ne tarderais pas, si j'étais vous. Michael, mon garçon, prends-la par les pieds, Brian se chargera des bras. Je m'assure que la voie est libre.

Michael s'agenouilla près du corps et saisit les chevilles de la présentatrice.

— On pourrait l'achever ! proposa-t-il.

— Michael !

Mme Madrigal n'était pas d'humeur à rigoler.

Soulevant leur proie, Brian et Michael la sortirent en titubant dans le couloir.

— *Crépuscule d'Alaska,* ricana Michael. Non, mais je rêve !...

La petite nouvelle

Le temps que Mme Madrigal rejoigne ses « garçons » sur le toit du 28 Barbary Lane, la nuit était tombée.

— Eh bien, fit-elle en se glissant entre eux et en leur pinçant la taille, elle est d'une humeur toujours aussi massacrante, mais elle a considérablement plus d'appétit.

— Un moment, j'ai cru qu'elle allait nous faire une grève de la faim, dit Brian, soulagé.

— Elle a arrêté de gueuler ? demanda Michael.

Mme Madrigal hocha la tête :

— Je crois que j'ai réussi à la convaincre que le sous-sol est insonorisé. Nous n'avons pas besoin de nous inquiéter des voisins, je vous assure. Même quand elle fait du bruit, on ne l'entend pas au-delà de l'entrée. Mais les visiteurs, c'est une autre paire de manches...

— On dirait le scénario de *L'Obsédé,* remarqua Michael en contemplant les lumières de la baie.

— Mais elle a tout ce qu'il lui faut! insista la logeuse. Un lit douillet, un radiateur et tous mes Agatha Christie. Je lui ai même descendu la vieille télé de Mona.

Elle se tourna vers Michael.

— Qu'est-ce que tu as fait de sa voiture?

— Je l'ai garée sur Leavenworth. A cinq ou six rues d'ici.

— C'est pas vraiment ce qui va brouiller les pistes, se rembrunit Brian.

— Si tu connais un marais pas trop loin... ironisa Michael en haussant les épaules.

— Leavenworth, ça ira très bien, dit Mme Madrigal. Je ne pense pas qu'on doive la garder plus de deux ou trois jours. J'espère que non, en tout cas. Elle dit qu'elle est attendue aux studios vendredi après-midi. Quelqu'un va forcément finir par avoir des soupçons.

— Mary Ann s'en est occupée, précisa Brian.

— Comment? demanda Michael.

— Elle a appelé son bureau et elle a raconté que Bambi et elle étaient sur la piste d'une grosse affaire et qu'elles ne seraient pas rentrées avant le week-end. Le directeur des infos était furax, mais il l'a crue. Il n'avait pas tellement le choix.

— Donc personne d'autre ne sait que DeDe et les mômes sont vivants?

— Personne, sauf le ravisseur, corrobora Brian.

— Et elles ne savent pas du tout qui ça pourrait être? s'enquit Michael.

— Un type que Mme Halcyon a rencontré sur le bateau, paraît-il. Mary Ann est convaincue qu'alerter la presse compromettrait gravement leurs chances de retrouver les enfants sains et saufs.

— Pour moi, c'est une raison suffisante, affirma Mme Madrigal.

— Elle ne nous aurait pas demandé de faire ça si la situation n'était pas désespérée, dit Brian. Vous avez récupéré les fiches de Mary Ann, au fait ?

— Oui, le rassura Mme Madrigal. Je les ai enfermées dans mon coffre !

— Bon. On devrait s'en sortir sans problème. Je veux dire : ce n'est pas comme si on la torturait ou si on demandait une rançon.

— Tu as raison, fit Michael, pince-sans-rire. Peut-être qu'on n'a pas assez d'ambition...

— Michael, enfin ! le gronda Mme Madrigal en lui faisant les gros yeux.

— Je trouve très sympa que vous ayez accepté de nous aider, lui confia Brian. Mary Ann dit qu'elle en endossera toute la responsabilité à son retour.

— Je ne l'ai pas fait que pour elle, vous savez, déclara Mme Madrigal.

— Qu'est-ce que vous voulez dire ?

— Ces enfants, expliqua la logeuse, j'ai pleuré pendant une semaine quand j'ai appris leur disparition au Guyana.

— Vous les *connaissiez* ? demanda Michael.

Mme Madrigal sourit tristement et secoua la tête.

— Je connaissais leur grand-père.

— L'ancien patron de Mary Ann ?

Un autre hochement de tête.

— Vous voulez dire que vous... ?

— Nous avons eu une petite histoire d'amour charmante, juste avant sa mort. Rien de grandiose mais... c'était très sympathique.

Les deux hommes la regardèrent, ébahis.

La logeuse prit un plaisir tout féminin à leur stupéfaction.

— Si je ne me trompe pas, l'un des enfants a été baptisé en mon honneur. La petite fille, j'imagine.

— C'est exact, confirma Brian en riant. Elle s'appelle Anna. Mary Ann me l'a dit. Mince, vous êtes un sacré numéro !

— Et le petit garçon, c'est Edgar, ajouta Mme Madrigal. Edgar et Anna. Vous ne trouvez pas ce symbolisme délicat ? Notre liaison immortalisée par deux enfants. Et je vous dis qu'ils vont rentrer sains et saufs chez eux, même si pour ça je dois *étrangler* cette bonne femme grotesque enfermée au sous-sol.

— Quel merveilleux mobile caché ! plaisanta Michael avec admiration.

— Et qu'est-ce que mes complices diraient, si je leur proposais des gâteaux magiques ? demanda-t-elle en leur donnant une petite tape désinvolte sur l'épaule.

— Mais *quand* est-ce que vous avez eu le temps de les faire ? demanda Michael.

— Eh bien... j'en ai fait pour notre invitée, et il en reste plein.

— Vous lui avez fait manger des gâteaux au shit ?

— Je voulais qu'elle se sente à l'aise, expliqua Mme Madrigal d'un air résolu.

— Cette femme sait comment traiter les prisonniers, constata Brian.

Les Diomède

Après plusieurs heures de recherches à Nome, Mary Ann et DeDe trouvèrent enfin un pilote eskimo qui répondait exactement à leurs exigences. Il s'appelait Willie Omiak, et son cousin Andy était depuis quatre ans en poste dans la garde nationale sur la Petite Diomède.

— Tant mieux si ça lui plaît, hurla Willie pour couvrir le bruit du moteur. Nome, c'est suffisamment petit pour moi. J'ai essayé de vivre à Wales pendant un moment et ça me rendait dingue.

— Vous voulez dire au pays de Galles, en Grande-Bretagne ? demanda Mary Ann.

Elle n'arrivait pas à imaginer ce jeune homme au visage rond et à la peau mate dans la campagne anglaise.

— Non : Wales, en Alaska ! corrigea l'Eskimo. La ville la plus proche des Diomède, sur le continent. On va s'y arrêter pour faire le plein et vérifier la météo. Vous êtes sûres que vous voulez passer la nuit sur la Petite Diomède ?

— On devra peut-être, soupira DeDe. Ça dépend.

— Il y a pas d'*Holiday Inn,* observa Willie.

— On fera sans.

— Sûrement. Peut-être que vous pourrez coucher chez Andy.

Il leur fit un clin d'œil, ayant apparemment deviné la première question qui était venue à l'esprit de Mary Ann.

— Vous inquiétez pas. Ils n'ont jamais vécu dans un igloo, mais généralement dans des cabanes sur pilotis. Le Bureau des affaires indiennes leur a construit des maisons neuves il y a six ou sept ans. Murs en polyuréthane... beaucoup plus chaud !

— J'imagine, dit Mary Ann, qui fut attristée de voir que même les Eskimos en avaient été réduits à utiliser le plastique.

— Et les défenses ? demanda DeDe tandis que le minuscule Cessna contournait la côte nord-ouest de Nome.

— Quoi, les défenses ?

— Eh bien, je veux dire... La Russie n'est qu'à quatre kilomètres, non ?

— D'après Andy, répondit Willie Omiak, ils disposent de trois fusils M-14, d'un lance-grenades et d'une grenade. Ça n'est pas exactement un job à plein temps, le métier de scout.

— De scout?

— Les Scouts eskimos, expliqua le pilote. C'est le nom officiel des gardes nationaux d'Alaska. Ils travaillent surtout l'hiver, je crois, quand on peut traverser en marchant sur la glace. Maintenant, ils sont plus cools. En 47, les Russes ont retenu le père d'Andy pendant presque deux mois parce qu'il avait traversé le détroit pour rendre visite à des cousins. Merde, c'était pourtant juste de la famille! Mais personne n'avait entendu parler de la guerre froide.

— Est-ce que les Russes ont des forces stationnées sur la Grande Diomède? demanda Mary Ann.

— Presque aussi redoutables que les nôtres, dit Willie avec un sourire ironique. Un mec dans une petite cabane sur la partie la plus haute de l'île.

— Et il fait quoi?

— Il surveille, répondit le pilote. Pendant que notre sentinelle en fait autant. Personne n'a plus beaucoup de raisons de se rendre sur la Grande Diomède. La plupart de nos cousins ont été expédiés sur le continent, en Sibérie, dans les années cinquante. Du même coup, plus personne ne va sur la Petite Diomède non plus. Pourquoi vous y intéressez-vous, *vous*?

— Nous recherchons quelqu'un, le renseigna DeDe.

— Un Eskimo?

— Non, un Américain! spécifia DeDe.

Willie Omiak regarda sa passagère, puis il se tourna vers Mary Ann et lui fit un clin d'œil.

— Je préfère faire comme si je n'avais pas entendu, fit-il.

On aurait dit qu'elles avaient surgi de nulle part : deux masses de granit unies par leur isolement, mais divisées par la politique. Sur la plus petite, on apercevait un village, ensemble de maisons en planches et en toile goudronnée blotties les unes contre les autres, au pied d'une falaise de cinq cents mètres de haut.

— C'est Ingaluk, annonça Willie en passant à basse altitude au-dessus de l'île. Ici, nous sommes jeudi. Là-bas, sur la Grande Diomède, c'est déjà vendredi.

Mary Ann jeta un coup d'œil en bas.

— Vous voulez dire... ?

— La ligne de changement de date passe pile entre les deux.

Il lui fit un petit sourire par-dessus son épaule.

— Ça va, c'est assez spécial pour vous, comme endroit ?

C'était effectivement très étrange. Deux continents, deux idéologies, deux pays, tout cela nettement réparti entre aujourd'hui et demain. Quel meilleur endroit pour chercher deux petits enfants terrorisés oscillant dangereusement entre deux destinées ?

Alors que le Cessna virait et descendait, Mary Ann distingua une école et une église. Puis la piste apparut : un rectangle goudronné près du rivage, délimité par des fûts et une demi-douzaine de personnes qui attendaient leur arrivée.

— Voilà Andy ! brailla Willie tandis que l'avion atterrissait en cahotant.

— Il a l'air enchanté de vous voir, observa Mary Ann.

Le pilote tapota la sacoche en cuir à côté de lui.

— J'ai le dernier numéro de *Playboy,* dit-il en souriant.

Mary Ann cessa de glousser en voyant la terreur qui emplissait les yeux de DeDe. Elles étaient venues traquer leur proie jusqu'au bout du monde, mais si jamais il était déjà trop tard ?...

Bouclage

Prue s'assit devant sa Coronamatic et se mit à pleurer discrètement. Sa bonne, sa secrétaire et son chauffeur étant tous les trois dans la maison, le moindre étalage (visible ou audible) de chagrin était absolument hors de question.

Elle glissa une feuille dans la machine. Elle resta plantée là, indifférente, comme un drapeau blanc qui signale la reddition, pensa-t-elle, symbole horrible du vide qu'elle éprouvait depuis que Luke était parti. Sur quoi allait-elle pouvoir écrire, en fait ? Lui restait-il une raison de vivre ?

Elle arrachait de nouveau la feuille de sa machine quand le téléphone sonna.

— Oui ?

— Allez, Prudy Sue : envoie !

— Envoyer quoi ?

Aller droit au but était l'ennuyeuse manière qu'avait Victoria Lynch de prouver toute la force de ses intuitions, et Prue, cette fois-ci, refusa de jouer le jeu.

— Tu sais très bien : des aveux complets ! Qu'est-ce qui se passe ? Tu es d'une humeur sinistre depuis que tu es revenue d'Alaska.

Silence.

— Tu faisais une tête d'enterrement, à la soirée « Placenta » !

Prue faillit se montrer plus que désagréable.

— Je *déteste* les soirées « Placenta », OK ?

Celle-là avait eu lieu dans le vaste jardin de John et Eugenia Stonecypher, à Pacific Heights. Selon la tradition sacrée de la famille, le couple avait enfoui les restes du placenta maternel dans un trou au pied d'un petit prunier fraîchement planté, rituel destiné à assurer une longue vie heureuse au bébé des Stonecypher, une petite fille. Prue avait failli vomir.

— Ce n'est pas vraiment mon idée d'un bon moment, ajouta-t-elle.

— Tu ne m'as même pas appelée, riposta son amie.

— Je suis un peu dépressive, avoua Prue. Qu'est-ce que tu veux que je te dise ?

— Tu pourrais me dire que tu vas m'appeler. Tu peux te reposer sur tes copines, Prudy Sue. Écoute, j'ai des nouvelles tout à fait merveilleuses. J'ai trouvé un endroit où on vend du Rioco !

— Qu'est-ce que c'est que ça ?

— Rappelle-toi : le soda brésilien dont Binky nous a parlé au printemps dernier !

— Elle ne m'en a pas parlé, à *moi*.

— Oui, bon ! C'est bourré d'amphétamines naturelles. La moitié de Rio en prend. C'est du guarana. Je sais, le mot fait penser à de la merde de chauve-souris, mais c'est un truc génial ! Ils en vendent à l'épicerie de Twin Peaks. Si on allait y faire un tour ?

— Je suis en bouclage, Vickie.

— On pourrait y aller cet après-midi.

— Vickie...

— D'accord, reste à te morfondre, alors !

— Tu es gentille de penser à moi.

— Je n'essaie pas d'être gentille, Prudy Sue. Je veux retrouver ma copine.

Un long silence, puis un soupir :

— Je fais de mon mieux, Vickie. Donne-moi un peu de temps, OK ?

— D'accord. Mais arrête de broyer du noir, Prudy Sue. Sors prendre l'air, au moins. Emmène promener Vuitton.

C'est ce qui la décida : le petit conseil de sa bonne vieille copine.

Malgré les avertissements répétés du père Paddy, elle savait que le moment viendrait. Comment aurait-elle pu l'éviter ? Comment ne pouvait-elle pas retourner, ne fût-ce qu'un instant, sur le lieu de ses plus grands moments de bonheur?

D'ailleurs, elle trouverait peut-être un indice, là-bas... Quelque chose qui aiderait DeDe à retrouver Luke et les enfants. Elle ne serait pas obligée de tout lui dévoiler — juste assez pour la mettre dans la bonne direction. Cela ne pouvait pas faire de mal, n'est-ce pas?

En outre, elle cherchait aussi des réponses à ses propres questions. Après tout, peut-être que la vérité, si douloureuse fût-elle, la libérerait de cette mélancolie qui la paralysait. Cela valait la peine d'essayer, de toute façon.

Et puis Vuitton avait besoin de se dégourdir les pattes.

Ingaluk

La première chose que Mary Ann remarqua sur la Petite Diomède, ce fut la rangée de caisses en bois posées sur les rochers, au-dessus du village. Elle demanda à Andy Omiak ce que c'était.

— Des cercueils, répondit-il d'un ton guilleret. La majeure partie de l'année, le sol est totalement gelé. On est obligé d'enterrer les gens au-dessus du sol.

Voyant la tête que faisait Mary Ann, il commenta:

— C'est pas aussi dramatique que ça en a l'air. C'est tellement sec ici que les caisses durent plus longtemps que... leur contenu. Les chiens éparpillent ce qui reste.

Les chiens furent la deuxième chose qu'elle remarqua. Il y en avait des dizaines, au pelage épais et aux yeux jaunes, qui rôdaient sur l'île en hordes inquiétantes.

— On est bien content de les avoir, insista Andy

Omiak. Ils nous servent de radar. Si quelqu'un vient de l'autre île, ils nous avertissent.

DeDe, qui était restée silencieuse pendant le trajet, au moins depuis la piste d'atterrissage, se tourna vers le garde.

— Et dans l'autre sens?

— Qu'est-ce que vous voulez dire?... demanda Andy en fronçant les sourcils.

— Si quelqu'un essaie de traverser en direction de l'île russe, vous avez un moyen de le savoir?

— Oh... Eh bien... Voilà : ça ne serait pas très difficile de *voir* quelqu'un qui essaie de traverser. A cette époque de l'année, il ne fait jamais nuit, alors... Pourquoi cette question, au fait?

DeDe continua de marcher, regardant droit devant elle.

— Nous pensons que quelqu'un pourrait essayer de traverser. Il l'a peut-être déjà fait, d'ailleurs.

— Depuis le continent?

— Oui. Un homme d'une cinquantaine d'années et deux enfants de quatre ans, un garçon et une fille. Ils sont eurasiens et ils portent des parkas, alors ils ont très bien pu passer pour des Eskimos.

— Pas par ici, la corrigea Andy. Tout le monde connaît tout le monde. On s'en apercevrait immédiatement.

— S'ils sont venus du continent, demanda Mary Ann, est-ce qu'ils auraient été obligés de prendre l'avion?

— Probablement. C'est ce que font habituellement les gens. J'imagine qu'il aurait pu prendre un bateau, aussi... Depuis Wales, par exemple. Cela dit, ça ne servirait pas à grand-chose de s'arrêter ici. Pourquoi n'irait-il pas directement sur la Grande Diomède?

C'était une bonne question — qui jetait une ombre sur l'utilité de leur quête. Si l'on en jugeait par la présence des gardes et des hordes de chiens, une escale sur la Petite Diomède, c'était presque de l'imprudence. Pourquoi ne pas aller directement sur la Grande Diomède, puisque de toute façon c'était la destination finale?

Willie Omiak, le pilote cousin d'Andy, les quitta à peine étaient-ils arrivés devant la maison de celui-ci, une solide baraque en bois et toile goudronnée, non loin du front de mer.

— Je retourne à la piste, dit Willie. Si vous avez besoin de moi, criez.

— Merci, lui répondit DeDe, qui avait l'air sincèrement reconnaissante. Vous avez été très gentil.

— De rien. Vous repartez demain, au fait?

— Je crois, lui répondit-elle. On peut vous dire plus tard ce qu'on a décidé?

— Bien sûr. Nana va bien s'occuper de vous.

Nana était la grand-mère, une vieille femme ronde et ridée qui rappela à Mary Ann les poupées en pommes séchées que l'on vendait à la *Renaissance Pleasure Faire*. Comme elle parlait à peine anglais, elle se contenta de leur offrir un sourire édenté en leur apportant des tasses de chocolat fumant.

Mary Ann s'inclina exagérément pour bien montrer qu'elle appréciait le geste.

— Comme c'est gentil! dit-elle à Andy Omiak.

— On ne reçoit pas beaucoup de visites, expliqua-t-il.

Il se tourna vers la grand-mère et lui parla dans leur langue. La vieille femme regarda Mary Ann, gloussa et sortit en courant.

— Alors...? fit Andy. Maintenant peut-être pourriez-vous me dire ce que c'est que toute cette affaire.

Un silence inconfortable s'ensuivit, puis:

— Quelqu'un a enlevé mes enfants, annonça enfin DeDe.

L'Eskimo fronça les sourcils.

— Quelqu'un que vous connaissez?

— Oui.

— Mais... Pourquoi?

— Il veut les avoir à lui tout seul. Il est fou. On pense qu'il a projeté de les emmener en Russie.

— Avez-vous averti la police du continent?

— Non, affirma DeDe. Personne.

— Pourquoi?

— C'est compliqué. S'il sait que nous avons averti la police, il risque de faire du mal aux enfants.

— Vous devez être très inquiète, dit Andy.

— Je suis au désespoir.

— Et vous voulez découvrir s'il les a emmenés sur la Grande Diomède?

— Oui.

L'Eskimo s'apprêta à répondre, puis il se reprit et se détourna :

— Ça risque de m'apporter de gros ennuis.

— Je ne...

— Si je vous aide, je veux dire... Il ne faudra en parler à *personne*.

— Je vous le promets, jura DeDe.

Andy Omiak se pencha en avant et baissa la voix.

— Je peux vous emmener, dit-il.

— A la...

Il hocha la tête :

— Je l'ai déjà fait.

Mary Ann leva le nez de son chocolat.

— Attendez, intervint-elle. Vous ne voulez pas dire que...?

— Si, confirma l'Eskimo. On peut le faire.

— *Sans se faire tirer dessus?*

— Oui, c'est faisable, assura Andy avec un large sourire.

Anna et Bambi

Mme Madrigal préparait le plateau de Bambi Kane-taka quand Michael fit irruption dans la cuisine.

— Qu'est-ce qu'il y a à bouffer? interrogea-t-il en soulevant un couvercle. Miam, de la perruche, tout ce que j'aime!

— C'est du poulet aux cinq-épices, Michael! répondit sèchement la logeuse. Et je te serais reconnaissante de ne pas te montrer aussi sans-gêne!

Michael baissa la tête d'un air penaud :

— Excusez-moi.

Mme Madrigal plaça une rose dans un petit vase sur le plateau.

— Cette fille m'inquiète, déclara-t-elle. Elle a l'air de... désespérer. Je lui ai répété cent fois que nous ne lui voulions aucun mal, mais elle refuse de se détendre.

— Je suis surpris que vos gâteaux magiques n'y soient pas parvenus.

— Elle veut s'en aller, continua Mme Madrigal. Un point, c'est tout. Elle a même promis de se taire à propos de DeDe si nous la libérons.

— Vous n'y croyez pas, quand même?

— Je ne peux pas me le permettre, répondit Mme Madrigal. Surtout s'il y a le moindre risque de mettre les enfants en danger. Par ailleurs, si je la relâche avant qu'il y ait la *moindre* solution, nous risquons encore plus d'ennuis. Il nous faut la preuve que nous avions de bonnes raisons de... de la garder prisonnière.

— C'est juste, reconnut Michael.

Mme Madrigal prit le plateau.

— Je suppose que tout va s'arranger tout seul, songea-t-elle à haute voix. C'est toujours comme ça. Mais je ne peux pas m'empêcher de me faire du souci, malgré tout.

Michael la regarda d'un air grave et répliqua :

— On est tous sur le même bateau, vous savez. Brian et moi, on en a parlé. Si vous vous retrouvez en taule, on ira aussi. Et on insistera pour être placés dans la même cellule.

La logeuse lui sourit, puis elle déposa un petit baiser sur sa joue.

— Je suis désolée de t'avoir parlé avec brusquerie, mon garçon. Tout ça est un peu nouveau pour moi. J'ai l'impression d'être une vraie *criminelle* !

— Mais vous en êtes une, Blanche Du Bois... Vous en êtes une ! répondit Michael avec un clin d'œil.

Un peu rassérénée, Mme Madrigal descendit l'escalier du sous-sol.

Elle s'arrêta un instant devant la porte pour écouter, puis elle posa le plateau sur le sol et ouvrit le cadenas. Bambi était assise dans le vieux fauteuil à ressorts que la logeuse avait descendu à la cave lorsque Mona avait déménagé à Seattle.

— C'est l'heure du souper ! chantonna-t-elle en essayant de se montrer aimable sans être condescendante.

Elle posa le plateau sur un panier à linge que Burke Andrew avait laissé en partant.

Bambi ne bougea pas.

— J'ai consulté le programme télé, dit Mme Madrigal. Il y a *Miss Barrett* ce soir. J'ai pensé que ça vous ferait plaisir de le regarder.

La présentatrice émit un grognement.

— Je sais que ce n'est pas facile, continua Mme Madrigal. Mais ça ne va plus durer très longtemps, à présent. Nous sommes vraiment désolés d'avoir été obligés d'en arriver à cette extrémité, mais...

Sans crier gare, Bambi bondit brusquement sur ses pieds et plongea sur sa geôlière qui tomba à la renverse et se cogna à la planchette où étaient accrochées les clés de la maison. Mme Madrigal poussa un cri de douleur lorsque son dos heurta les clous.

Alors qu'elle s'effondrait lentement, elle vit la grimace moqueuse et triomphante de Bambi lorsqu'elle lui donna un... deux... puis trois coups de pied dans le ventre. Au troisième, Mme Madrigal s'empara de la cheville de Bambi, la lui tordit d'un coup sec, et son adversaire poussa un hurlement à glacer le sang. Bambi tomba la tête la première sur le béton, puis elle se releva à quatre pattes et commença à courir vers la porte.

Suffoquant de douleur, Mme Madrigal s'agrippa au support du tuyau d'arrosage et grâce à lui réussit à se redresser. Quelque chose de chaud et d'humide — probablement du sang — lui coulait dans le dos et collait son kimono à sa peau. Sa main rencontra le manche d'une pelle dont elle s'empara pour assener un coup sur les épaules de Bambi.

Pendant un instant, un bref instant, la présentatrice resta étalée sur le sol comme une descente de lit. Puis elle se releva, courut vers la porte et s'engouffra dans l'escalier.

Mme Madrigal la suivit en titubant, brandissant toujours sa pelle. Et quand Bambi atteignit le haut de l'escalier, la logeuse lui porta à nouveau un coup qui l'atteignit juste derrière les genoux. Bambi piqua piteusement du nez, puis elle glissa au bas des marches jusqu'à ce que ses chevilles fussent à portée de main de Mme Madrigal.

La logeuse traîna la présentatrice dans la cave, lui attacha les chevilles à la va-vite avec un bout de fil électrique, puis elle sortit précipitamment et referma la porte derrière elle.

Hors d'haleine, elle s'appuya sur la porte une bonne minute. Bambi hurlait vengeance à l'intérieur. En haut, quelqu'un sonnait.

Priant le ciel que le visiteur n'eût pas entendu tout ce vacarme, Mme Madrigal remonta lentement l'escalier.

Quand elle vit qui était sur le seuil, elle faillit lui tomber dans les bras en pleurant.

C'était Jon Fielding.

Petite visite

Dans le salon, le médecin s'agenouilla auprès de sa patiente qui était allongée sur le canapé de velours rouge.

— OK. Maintenant, serrez les dents, madame M. Ça risque de piquer un peu.

Elle se raidit tandis qu'il tamponnait délicatement les blessures sur son dos.

— Bien, vous avez du courage! dit-il. Ça n'était pas aussi grave que ça en avait l'air. Comment vous êtes-vous fait ça, d'ailleurs?

— Bêtement, mentit Mme Madrigal. J'ai glissé et je me suis cognée à un clou.

— Où?

— Euh... Au sous-sol. Il va falloir des points de suture?

— Non. Un sparadrap suffira amplement. Vous en avez?

— Dans l'armoire à pharmacie, indiqua la logeuse. Pourquoi ne...?

— Restez couchée. Vous êtes blessée.

Il revint quelques instants plus tard et lui fit son pansement.

— Voilà, dit-il en se relevant. Je suis sûr que vous vous en tirerez très bien.

Mme Madrigal rajusta son kimono ensanglanté puis, se rasseyant, en noua la ceinture de soie.

— Eh bien, murmura-t-elle en souriant affectueusement à Jon, comment avons-nous pu vivre pendant tout ce temps sans médecin?

— J'espérais que vous me donneriez la réponse.

Mme Madrigal le considéra un moment, pour étudier à quel point avait changé le grand blond aux chemises Arrow qui avait vécu avec Michael pendant presque trois ans. Il avait l'air plus mince, à présent, un peu maigre, même, mais son visage classique de type scandinave était plus beau que jamais.

— Quel âge as-tu, maintenant? demanda-t-elle.

— Trente-trois ans, répondit-il en souriant.

— Tu ne les fais pas.

— Merci. Vous avez l'air en pleine forme, vous aussi. A part cette blessure, je veux dire.

Elle s'inclina avec grâce.

— Cela fait plaisir de te retrouver, Jon. Vraiment. Michael est là-haut, si tu veux le voir.

Elle se tapota les cheveux pour se recoiffer un peu.

— Je suis sûre que tu n'avais pas prévu de t'attarder chez moi.

— En fait, si! déclara Jon. C'est chez vous que j'ai sonné, n'oubliez pas.

— Dans ce cas, je suis très honorée.

— J'espérais que vous pourriez me dire comment se présente le terrain.

— Oh... Je vois, fit-elle en défrisant une mèche de ses cheveux sur sa tempe.

— Je n'ai pas eu de nouvelles de Michael depuis longtemps et je ne sais pas si...

Il s'interrompit et leva brusquement la tête, comme un chien qui flaire quelque chose.

— Qu'est-ce que c'est?

— Quoi donc?

— Je ne sais pas... Quelqu'un qui hurlait, non? Vous n'avez pas entendu?

— Ce sont peut-être les enfants, mentit Mme Madrigal.

— Les enfants?

— En bas, sur Leavenworth. Ils font du skate-board. C'est crispant, parfois.

— On aurait dit que c'était plus proche.

— Écoute, mon garçon... Si tu veux que nous ayons une petite conversation, pourquoi ne descendrions-nous pas tranquillement sur North Beach? C'est une soirée tellement douce! Et nous pourrions dîner ensemble quelque part...

— D'accord, dit Jon, mais c'est moi qui vous invite.

— Tu seras mon chevalier servant, plaisanta Mme Madrigal.

Une fois changée, elle s'empressa de le pousser dans l'entrée en parlant le plus fort possible. Les cris de Bambi semblaient s'être calmés, mais Mme Madrigal poussa intérieurement un soupir de soulagement quand ils furent enfin hors de portée de voix.

Ils dînèrent au *Washington Bar & Grill* à une table qui se trouvait près de la fenêtre.

— Alors, comment va-t-il? demanda Jon une fois leurs commandes prises.

Mme Madrigal fit une petite moue pensive.

— Il a un peu la bougeotte, à mon avis.

— C'est-à-dire?

— Eh bien, il nous fait tout un plat de son indépendance retrouvée, mais je ne crois pas qu'il l'apprécie tant que ça.

— Il a des amis? s'enquit le médecin.

— Oh, des tas!

— Tant mieux...

— Des amis, précisa la logeuse. Mais pas d'Ami avec un grand *A*. C'est ce que tu voulais savoir, n'est-ce pas?

— Je crois que oui, avoua Jon en rougissant.

— Ça n'est pas pour me déplaire.

— Mais de l'eau a coulé sous les ponts depuis... presque deux ans.

— Et tu penses que vous pourriez reprendre là où vous vous êtes arrêtés?

309

— Non, dit Jon. Je...

— Ne t'en fais pas, mon garçon. Je pense que vous le pouvez, moi aussi.

Il lui sourit presque timidement :

— Je ne sais pas si nous pourrions y arriver maintenant, tous les deux.

— Et pourquoi ?

— Les choses changent, répondit le médecin en haussant les épaules.

— Ah bon ? Tu sais ce que je crois, moi ?

— Non.

— Je crois que tu devrais arrêter de tourner autour du pot, parce que tu es revenu pour le retrouver.

— Vraiment ?

— Mmm, mmm. Et je crois que je vais t'y aider, conclut Mme Madrigal en plongeant son regard bleu dans le sien.

Gêné, le médecin baissa les yeux.

— Je suis une vieille mère poule. J'aime avoir tous mes œufs dans le même panier.

Bons baisers de Russie

Mary Ann trouva la proposition d'Andy Omiak extrêmement téméraire, et elle en fit part à DeDe dès qu'elles furent seules.

— Quel autre choix avons-nous ? argua DeDe.

— Eh bien... Nous pourrions avertir la police du continent et c'est *elle* qui dirigerait les recherches.

— En débarquant avec armes et bagages comme pour la chasse à l'ours ? Si on leur dit de qui il s'agit, la vie de mes enfants sera la dernière chose dont ils se soucieront.

— Alors on ne leur dira pas. On dira seulement... Eh bien, on pourrait leur raconter la vérité.

— Quelle vérité ?

— Qu'un passager du bateau a enlevé vos enfants à Sitka... et que nous pensons qu'il les a emmenés ici.

— Et tu crois sérieusement que *lui* pensera que c'est ce que nous avons dit à la police ?... Écoute... Tu n'as aucune raison de m'accompagner, je t'assure. Il y aura Andy avec son arme. Il n'est pas normal que je te demande...

— Laisse tomber. Je viens.

— Je m'en voudrais affreusement si...

— Non. Ma décision est prise.

DeDe lui saisit une main.

— Merci.

— Et puis, ajouta Mary Ann, je ne suis jamais allée en Russie.

Elles firent une longue sieste jusqu'au retour d'Andy.

— Vous avez eu le temps de réfléchir ? demanda-t-il.

— On est prêtes, annonça DeDe.

Mary Ann acquiesça.

— OK, dit Andy. On devrait partir d'ici une heure.

— En plein jour ? fit Mary Ann en grimaçant.

— C'est tout ce qu'on a en cette saison, s'excusa l'Eskimo.

— Ah... bon.

— De toute façon, continua Andy, ce sera presque aussi sûr qu'en pleine nuit. Entre huit et dix, toute la ville est à l'école.

— Tout le monde ? demanda DeDe.

— Les quatre-vingt-deux habitants, précisa-t-il.

— Ils prennent des cours ?

— Non, on reçoit un film du continent une fois par semaine.

— Ah.

311

— Ce soir, c'est *Superman II*. Je crois qu'on ne court aucun risque.

— Du moins en ce qui concerne Ingaluk.

— Que voulez-vous dire ? demanda Andy.

— Les *Russes,* expliqua DeDe. Ne me dites pas qu'ils regardent un film aussi ?

— Oh, fit Andy. Vous inquiétez pas pour *eux*.

Comme prévu, Ingaluk ressemblait à une ville fantôme lorsque le trio quitta le quai dans la barque à moteur d'Andy. Mary Ann leva les yeux, impressionnée par les sombres falaises qui dominaient le village et les cercueils blanchis qui constellaient les rochers comme des chiures de mouettes. Puis elle se tourna vers l'île russe qui n'était qu'à trois kilomètres de là.

— Et la sentinelle ? demanda-t-elle. Elle ne nous verra pas traverser le détroit ?

— Elle regarde généralement ailleurs, précisa Andy. Toutes les semaines, à cette heure-ci !

— Je ne comprends pas.

— Mon supérieur non plus ne comprendrait pas, plaisanta Andy. C'est pour ça que je serais content que vous gardiez ça pour vous.

— Bien sûr.

— Je connais quelqu'un sur la Grande Diomède.

— Je vois.

— En fait, c'est ma copine.

DeDe et Mary Ann échangèrent un regard. C'est Mary Ann qui demanda des précisions :

— Vous voulez dire qu'elle... ?

— C'est une technicienne radar. Le type qui fait le guet est son beau-frère. Tout est un peu familial, par ici. Si votre kidnappeur est arrivé à la Grande Diomède, Jane le saura.

Une demi-heure plus tard, Andy accostait de l'autre côté de l'île, hors de vue de la Petite Diomède.

— Attendez ici, lança-t-il aux deux femmes. Vous

ne risquez rien. Si j'apprends quelque chose, vous pourrez venir à terre avec moi plus tard.

Il sauta du bateau et remonta la jetée vers le rivage.

Un instant plus tard, une silhouette de femme apparut sur les rochers au-dessus du port, sautant de pierre en pierre jusqu'au sable. Puis Andy et Jane s'enlacèrent en tournoyant comme un couple dans une publicité ringarde.

Mary Ann éprouva une curieuse sympathie pour eux en les voyant. Elle avait l'impression de jouer le rôle de Deborah Kerr dans *Le Roi et moi*.

Serrez-vous l'un contre l'autre, ce soir. Moi aussi, j'ai connu l'amour. Comme vous.

Bien sûr, Brian était toujours là quand elle avait besoin de lui, lové douillettement dans son cœur.

Les deux Eskimos parlèrent pendant quelques minutes, mais ils étaient trop loin pour que Mary Ann et DeDe pussent les entendre. Quand Andy revint, il faisait une mine qui en disait long.

— Je suis désolé, annonça-t-il à DeDe.

— Rien ?

— Je crois bien que non. Ils ne sont tout simplement pas venus ici.

— Elle pourrait nous avertir, si... ?

— Bien sûr. Elle ouvrira l'œil.

Il y eut un long et pénible silence. Puis Mary Ann se tourna vers DeDe.

— Qu'est-ce qu'on fait, alors ?

Une larme coula sur la joue de DeDe.

— Je veux rentrer à la maison.

— Alors on rentre, décida Mary Ann.

Elle prit un Kleenex dans une poche de son coupe-vent et le tendit à DeDe.

— On ne va pas abandonner, DeDe. Je te promets qu'on les retrouvera.

Alors qu'ils quittaient le port, Mary Ann jeta un dernier regard aux rivages de l'Union soviétique.

Jane était toujours au même endroit. En voyant Mary Ann, elle sourit timidement, puis elle leva la main et leur fit un petit signe.

Bien sûr, Mary Ann en fit autant.

Retour au paradis

Le temps que Prue parvienne aux fougères géantes, une épaisse brume estivale était tombée sur le Golden Gate Park. Frissonnant légèrement devant ce spectacle étrangement familier, elle remonta le col de son trench-coat Montodoro et s'enfonça dans la jungle.

A la poursuite d'un écureuil, Vuitton détala sur le sentier au bord du ravin en fer à cheval. Elle l'appela, mais il décida de ne pas obéir.

— Vuitton! cria-t-elle. Reviens immédiatement!

Elle était terrifiée à l'idée de se retrouver toute seule.

Le barzoï se retourna, remua poliment la queue et bondit à nouveau dans les profondeurs vert sombre du vallon des rhododendrons.

Elle lui courut après en vociférant:

— Vuitton! Reviens immédiatement, bon sang!

Évidemment, elle s'époumonait en pure perte: Vuitton savait très bien où il voulait aller. Il savait tout aussi bien où *elle* voulait aller. Il y arriverait tout simplement avant. Pourquoi fallait-il que cela lui fît aussi peur?

Elle retrouva sans peine le sentier qui traversait les massifs en fleurs et continua d'un pas vif, apercevant de temps à autre le pelage beige de Vuitton entre les feuilles. Alors qu'elle cherchait le buisson qui signalait l'entrée du domaine secret de Luke, elle entendit une corne de brume dans le lointain.

Vuitton, comme d'habitude, avait pris les devants.

Aboyant frénétiquement, le barzoï accourut, jaillit d'un buisson et vint caracoler autour de sa maîtresse.

— Reste ici, ordonna-t-elle. Au pied! Vuitton! Au pied!

Mais il était déjà reparti et descendait la pente sablonneuse qui menait à la cabane. Lorsque Prue aperçut la petite cahute, elle ne fut plus très sûre de vouloir entreprendre la fouille. Elle se rappelait un été de son enfance à Grass Valley où elle avait fouiné dans le tiroir de la table de nuit de son père et y avait trouvé un paquet de préservatifs. Il y avait des mystères qu'il valait mieux ne pas déranger.

Cependant, Vuitton était devant la porte de la cabane et jappait comme un fou.

Comme personne ne répondait à ce vacarme, Prue descendit la pente et alla écouter à la porte. Elle souleva le loquet et se rendit compte qu'elle n'était pas verrouillée.

A l'intérieur, il semblait que rien n'avait bougé. Le gros morceau de mousse était toujours là. Ainsi que le lit de camp, le plan de la ville et la chère devise de Luke accrochée au mur.

Il n'y avait pas grand-chose à fouiller, en fait. Elle choisit de regarder dans la caisse en bois où Luke rangeait les affaires de Vuitton. Elle n'était plus posée par terre, mais sur une étagère, au-dessus du matelas de mousse.

Quand Prue y porta la main, elle toucha quelque chose de froid et de visqueux. Elle poussa un cri hystérique et laissa tomber la caisse, manquant d'écraser la grosse limace qui avait élu domicile dessus.

Elle resta là, tremblante, à s'essuyer frénétiquement les doigts sur son manteau. Vuitton se coucha à ses pieds et geignit avec elle.

— Tout va bien, mon bébé, murmura Prue. Nous allons partir dans une minute.

— *Je crois que c'est une bonne idée,* approuva une voix derrière elle.

315

Prue fit volte-face et vit sur le seuil un policier en uniforme qui la regardait, monté sur un grand cheval alezan.

— Oh, monsieur l'agent, dit-elle. Je... Euh, mon chien s'est enfui jusqu'ici et je...

— Beau chien! apprécia le policier.

— Oh... Eh bien, merci. Mais il est tellement agaçant, parfois!

L'officier se pencha en avant sur sa selle et scruta l'intérieur de la cabane.

— Drôle d'endroit, hein?

Prue hocha la tête sans rien dire. Depuis combien de temps l'observait-il?

— Avant, c'était une cabane à outils pour les jardiniers, jusqu'au jour où un clochard s'y est installé, il y a un an. Je surveille ses affaires, en quelque sorte.

Prue sortit précautionneusement de la cabane, Vuitton à ses côtés. Si elle était intimidée par le policier, le chien l'était encore plus par le cheval.

— Je m'excuse, monsieur l'agent, dit-elle. C'est tellement... fascinant.

— N'est-ce pas? répliqua le policier.

Maintenant qu'elle le voyait mieux, elle le trouvait beaucoup moins intimidant. Il était jeune, brun, beau garçon, latino probablement...

Et il portait un Walkman.

Un certain Mark

— C'est un drôle de bonhomme, reconnut le policier.

Prue resta un instant interdite, encore honteuse d'avoir été surprise en train de fouiller la cabane de Luke.

— Euh... Excusez-moi : vous disiez ?

Le policier lui concéda un sourire indulgent.

— Le type qui vit là, c'est quelqu'un ! Un personnage comme on n'en trouve qu'à San Francisco.

— Oui, vous avez raison, dit-elle.

— Vous le connaissez ?

— Non, répondit-elle précipitamment. Je veux dire... Je *suppose* que c'est un drôle de bonhomme... A en juger par cet endroit. C'est tellement... mignon. Et il a l'air de bien l'entretenir !

— Je suis surpris que ça n'ait pas été saccagé.

— Ah ?

— Il est parti depuis quelques semaines... C'est la première fois. Je suppose qu'il devrait revenir : il a laissé toutes ses affaires. Il était bizarre, mais attaché à son foyer, si vous voyez ce que je veux dire.

— Je crois, fit Prue.

— Peut-être que je ferais bien d'y jeter un coup d'œil.

Le policier descendit de cheval et attacha sa monture à un arbre. Comme l'animal remuait, Vuitton se mit à gémir, inquiet, en regardant sa maîtresse. Le policier se baissa et caressa le barzoï.

— Comment s'appelle-t-il ?

— Vuitton.

— Euh... C'est un mot français ?

— Mmm, mmm.

— Ça veut dire quoi ?

Prue ne vit pas l'intérêt d'expliquer :

— C'est juste un nom propre.

— On dirait le chien qui vivait avec Mark, dans le temps.

— Qui est Mark ? demanda Prue.

— Le type qui habite là. Je ne connais pas son nom de famille, avoua-t-il. Je crois qu'il ne le connaît pas lui-même.

Prue s'efforça de ne rien laisser voir de son trouble :

— Vous ne savez pas grand-chose de lui, si je comprends bien?

— Qu'est-ce qu'il y a à savoir? C'est un vagabond. Un type plutôt honnête. Il disait qu'il avait vécu à Hawaï. Il mangeait des mangues et il chipait des trucs, à droite ou à gauche. Comme ici.

— Ah bon?

— Oui... Il y a des tas de gars comme lui, à San Francisco. Ils dorment sous des cartons, fouillent dans les poubelles des restaurants. C'est comme ça depuis l'empereur Norton.

Prue fronça les sourcils.

— Mais cet homme... risqua-t-elle. Eh bien, il a l'air assez cultivé...

— Qu'est-ce qui vous fait dire ça?

— Eh bien... La devise sur le mur, déjà. Et puis ces crayons, et cette carte...

— Il essaie probablement de dominer le monde, ricana le policier.

— Vous croyez qu'il est fou?

— C'est peut-être bien nous qui sommes fous, commenta le policier en haussant les épaules.

— Oui, fit distraitement Prue. Peut-être.

— Il a de l'éducation, je le sais. Il a étudié à Harvard, avant de partir pour l'Australie.

— *L'Australie?*

Le policier fut ravi de son étonnement et continua :

— C'était avant Hawaï. Il s'occupait d'un élevage de moutons. Ensuite il est parti à Sydney et il a ouvert une agence de voyages. Il n'a pas raté son existence, finalement.

— Non, accorda Prue, je pense comme vous.

Le policier inspecta rapidement la cabane.

— Toutes ses affaires ont l'air d'être là, constata-t-il. Je crois que je ferais aussi bien de finir ma ronde. Très heureux de vous avoir parlé, mademoiselle Giroux.

Prue resta ébahie.

318

— Comment connaissez-vous mon nom?

— Allons, expliqua le policier avec un sourire. Vous êtes une star. Je vous ai vue à la télé, une fois.

— Oh, fit Prue d'une voix faible.

Le policier remonta à cheval, puis il se pencha et lui tendit la main.

— Je m'appelle Bill Rivera, au fait. Bonne journée!

Sur ce, le cavalier disparut.

Prue resta là un instant, un peu perplexe.

Une fois le silence revenu, elle rentra dans la cabane pour en inspecter enfin le contenu. Puisqu'elle en était là, décida-t-elle, autant boire le calice jusqu'à la lie.

La caisse sur laquelle logeait la limace était toujours par terre. Pour éviter de la toucher, Prue la retourna du bout du pied, mais le loquet était solidement fermé. Elle s'accroupit donc pour la forcer avec l'un des crayons de Luke jusqu'à ce que le couvercle saute.

A l'intérieur se trouvaient deux morceaux de fourrure grise.

Deux petites peaux de lapin.

Derrière, sans s'occuper de cette découverte, Vuitton, lui, avait déjà repéré un vieil ami qui arrivait dans les buissons et courut à travers la brume pour lui faire la fête.

Rattrapons le temps perdu

Quand Jon et Mme Madrigal retournèrent à Barbary Lane, ils s'assirent sur le banc de la cour et fumèrent un joint.

— Comme dans le bon vieux temps! soupira le médecin.

La logeuse lui adressa un sourire ensommeillé :

— Presque.

319

Il lui rendit son sourire, comprenant ce qu'elle voulait dire.

— Sa lumière est encore allumée, reprit-elle.

— Oui. J'ai vu.

Le joint était tellement résineux qu'il s'éteignit. Mme Madrigal le ralluma et le tendit à Jon.

— Je te pousse un peu trop ? demanda-t-elle.

— Un petit peu.

— Je suis désolée.

— J'imagine, la rassura-t-il.

Elle lui pinça gentiment l'oreille.

— Je veux ce qui est le mieux pour mes enfants.

Un long silence, puis :

— Je ne savais pas que je faisais encore partie de la famille.

— Écoute, mon garçon, gloussa la logeuse. Quand on a la vieille sur le dos, on l'a pour toute la vie.

— C'est bon à savoir, dit le médecin.

— C'est drôle, ajouta Mme Madrigal en désignant du menton la fenêtre allumée. Il est comme ça aussi.

Jon se tourna vers elle et la regarda sans rien dire.

— Si, j'en suis certaine. Sauf qu'il faut que... les gens qui l'aiment le lui rappellent de temps en temps... Si tu vois ce que je veux dire.

— Si je ne voyais pas, répliqua Jon avec un sourire, vous loueriez une sono pour le faire savoir à toute la ville.

Il se leva et l'embrassa sur la joue.

— Vous êtes sûre qu'il est tout seul ?

— Certaine, affirma Mme Madrigal.

— Rien ne vous échappe, hein ?

Elle secoua la tête en souriant :

— Rien du tout.

Michael resta sur le seuil, stupéfait.

— Jon... Mince ! Je ne t'ai pas entendu sonner.

— Je n'ai pas sonné. C'est Mme Madrigal qui m'a fait entrer. On vient de dîner ensemble.

— Oh... Génial.

— Je peux entrer ?

— Oui... Bien sûr. Ça fait plaisir de te voir.

— Merci. A moi aussi.

— Super... super.

— Bon, ça va, on a l'air d'être du même avis, plaisanta Jon.

Il s'approcha et prit maladroitement Michael dans ses bras.

— Désolé de débarquer comme ça sans prévenir.

— C'est pas grave. Ça fait plaisir de te voir.

Michael frémit et se donna une petite gifle.

— Je te promets que je vais améliorer le dialogue.

Jon éclata de rire et regarda la pièce.

— J'aime bien cette couleur.

— Tu veux quelque chose à boire ? Un Diet Pepsi ? J'ai plus d'herbe, mais je suis sûr que je peux en demander à...

— J'en sors, avoua Jon. Je suis défoncé jusqu'aux yeux.

— Pas étonnant que tu aimes cette couleur !

Un autre rire, un peu nerveux, cette fois, puis :

— Non, je t'assure.

— Tu vas détester la chambre, dit Michael. J'en avais marre du bordeaux.

Jon fit mine d'être furieux :

— Quoi ? Elle est de quelle couleur, maintenant ?

— Écrevisse.

— C'est-à-dire ?

— Euh... une sorte de couleur crème.

— Les écrevisses sont crème ?

Michael se mit à rire et lui désigna une chaise :

— Assieds-toi... Mince, par où on commence ?

— Eh bien, je suis au courant pour Mary Ann et Brian. Mme M. me l'a dit. Elle m'a invité au mariage, en fait.

— Formidable !

321

— Tu es sûr? Ce n'est plus exactement... chez moi, ici. Je ne veux pas te mettre mal à l'aise, Michael.

— J'ai *l'air* mal à l'aise? fit Michael en levant les yeux au ciel.

— Mais c'est une affaire de famille...

— Tu *fais partie* de la famille, Jon. Mary Ann serait malheureuse si elle savait que tu es en ville et que tu ne viens pas à son mariage. Combien de temps restes-tu?

— Entre une semaine et dix jours.

— Chouette! A quel hôtel?

Le médecin tendit le bras en direction de la fenêtre:

— On le voit d'ici, tiens.

— Tu es au bord de la mer?

— *Sur* la mer, en fait. Je suis médecin de bord, maintenant.

— Tu veux dire... Dans la marine?

— Oh, non! Sur un paquebot de croisière... norvégien.

Michael resta bouche bée, puis:

— Lequel?

— Le *Sagafjord*.

— J'y crois pas! s'écria Michael en se levant pour aller voir. Celui-là? Il est revenu? Alors ça, c'est incroyable!

— C'est un boulot comme un autre, assura Jon, manifestement surpris de la réaction de Michael.

— Mme Madrigal le sait?

— Non. Il faut lui dire? demanda Jon.

— Oui, affirma Michael. Je crois.

Camarades de bord

Michael laissa Jon chez lui et courut retrouver Mme Madrigal sous le prétexte de lui demander un joint.

— Dites, fit-il, qu'est-ce que vous lui avez raconté exactement, au fait ?

— A propos de quoi ?

— A propos de la geisha des médias qu'on a à la cave, pour commencer !

— Nous n'en avons pas parlé, dit la logeuse.

— Est-ce qu'il sait où est Mary Ann ? Est-ce qu'il est au courant pour DeDe et les jumeaux ? Il était sur le *Sagafjord,* madame Madrigal ! C'est lui, le médecin de bord !

— *Quoi ?*

— J'y crois pas non plus. Putain... Qu'est-ce qu'on va faire ?

Mme Madrigal le considéra un moment, puis répondit :

— Mais c'est à toi de voir, mon garçon.

— *A moi ?*

— Eh bien... S'il n'est plus membre de la famille, je ne crois pas que ce soit bien de l'impliquer dans nos petites manigances. Je pense que tu devrais faire en sorte qu'il parte le plus vite possible.

Silence.

— A moins, évidemment, que tu ne veuilles qu'il reste.

— Il prétend que vous l'avez invité au mariage, dit Michael avec un regard accusateur.

— Oui. Je suis sûre que Brian et Mary Ann seront contents. Où est Brian, au fait ? Est-ce que Jon lui a parlé ?

— Il travaille.

— Je pourrais loger Jon dans l'ancienne chambre de

Burke, proposa Mme Madrigal. Si tu n'y vois pas d'inconvénient, bien entendu?

— Qu'est-ce qui vous fait croire qu'il va *vouloir* loger dans une maison où est séquestrée dans la cave une présentatrice de télé?

— Nous pourrions lui poser la question.

Michael poussa un soupir résigné.

— Faites comme vous voulez, OK?

— Eh bien, conclut la logeuse, je crois que nous lui devons une petite explication. C'est lui qui a mis ces enfants au monde, n'oublie pas!

L'explication fut une tâche délicate. Quand Michael eut terminé, Jon resta manifestement perplexe.

— Mais attends, là! protesta-t-il. Ça n'a aucun sens!

— M'en parle pas! plaisanta Michael.

— Vous voulez dire que... ces deux gosses, c'étaient les enfants de DeDe?

Michael et la logeuse hochèrent la tête en chœur.

— Mais... Je croyais que c'étaient les petits-enfants adoptifs de Mme Halcyon?... Des orphelins vietnamiens?

— C'est ce que DeDe lui avait ordonné de raconter, expliqua Michael. Elles essayaient d'éviter la presse jusqu'à ce que Mary Ann ait pu dévoiler convenablement toute l'affaire.

— Mais ils n'ont *pas* été kidnappés! s'exclama Jon.

Les yeux de Mme Madrigal papillotèrent:

— Qu'est-ce que tu nous chantes là, Jon?

— Ils n'ont pas été kidnappés, répéta le médecin. J'ai vu un film avec eux hier.

— Où? demanda Michael.

— Sur le bateau. Et Sean Starr les accompagnait. Ils ont l'air de s'entendre à merveille, d'ailleurs.

Mme Madrigal se pencha en avant.

— Jon, mon cher... Tu es sûr que nous parlons bien des mêmes enfants?

— Il ne peut s'agir que d'eux. Je ne les avais même

pas vus à l'aller... J'imagine que Mme Halcyon ne voulait pas que je les rencontre... Mais je les ai croisés plusieurs fois pendant le retour. Il ne peut pas y avoir trente-six Eurasiens de quatre ans sur une croisière. Par ailleurs, Sean m'a expliqué lui-même qu'ils étaient les petits-enfants adoptifs de Mme Halcyon.

— Mon Dieu! murmura Michael.

— Pourquoi dis-tu ça?

— Eh bien, tu n'as pas trouvé drôle que Mme Halcyon ne soit pas avec eux?

— Un peu, mais Sean m'a raconté que Prue Giroux et elle avaient décidé de rester un peu plus longtemps à Sitka. Il a également dit qu'il était un vieil ami de la famille, alors j'ai pensé... Eh bien, je l'ai cru. C'était apparemment un type plutôt correct.

— Est-ce qu'il a précisé où il emmenait les enfants? demanda Michael.

— Non. Je me suis dit qu'il les ramenait à Halcyon Hill.

Michael secoua la tête en grognant. Mme Madrigal avait l'air catastrophée.

— Vous pensez ce que je pense? reprit Michael.

La logeuse hocha la tête.

— Bambi, souffla-t-elle.

— Qui c'est, Bambi? se renseigna Jon.

Michael le regarda un moment, puis il se tourna vers Mme Madrigal.

— A votre tour, lui lança-t-il.

Père de famille

Prue avait été tellement horrifiée à la vue des peaux de lapin qu'elle ne leva pas la tête jusqu'au moment où les aboiements de Vuitton l'alertèrent.

— Chut, Vuitton. On s'en va bientôt, c'est promis.

— J'espère bien que non, dit une voix venue de dehors.

Prue s'étrangla. Elle fit volte-face et vit Luke accroupi sur le seuil, en train de caresser le museau du barzoï. Il leva les yeux et lui décocha son sourire le plus radieux.

— Bienvenue à la maison, mon amour!

— Luke, je...

— Ne dis pas un mot, OK? Je me fiche de savoir d'où tu viens, je suis heureux que tu sois revenue.

Silence incrédule.

— Je savais que tu reviendrais, continua Luke en se levant. Je savais que tu viendrais me retrouver ici si je t'attendais suffisamment.

Il écarta les bras comme un crucifié.

— Papa n'a pas droit à un câlin?

Une sorte d'instinct confus conseilla à Prue de se laisser faire.

— Tu trembles, remarqua-t-il en la prenant dans ses bras. C'est la brume, hein?

Elle hocha la tête contre sa poitrine.

— Comment as-tu fait? demanda-t-il.

— De quoi parles-tu?

— Je veux dire: pour manquer le bateau.

Elle recula.

— Luke... commença-t-elle. Mais qu'est-ce que tu me racontes? C'est... c'est fou! J'ai failli faire une dépression nerveuse cette semaine. Je ne peux plus supporter ça, Luke, je ne peux plus. Où sont les enfants?

— Ils sont là. Ils vont bien.

— *Mais où?*

— Tss-tss. Réponds d'abord à ma question.

— Luke! Euh... Quelle question?

Il lui caressa un sourcil du bout de l'index.

— Je t'ai attendue, dit-il doucement. Au moins deux heures. J'étais terriblement inquiet, Prue.

326

— Quand? Où?

— A Sitka. Après notre petite... dispute dans le restaurant. J'ai reconduit les enfants jusqu'au bateau et je t'ai attendue dans ma cabine.

Son doigt glissa le long de sa joue et s'arrêta sur son menton.

— Mais pas de Prue. Le bateau est parti sans toi.

— Tu veux dire... *que tu étais sur le bateau*?

— Tu m'as abandonné, Prue. Personne ne m'a jamais fait ça. J'espère que tu t'en rends compte.

— *Moi,* je t'ai abandonné? Écoute, Luke... Tu t'es enfui avec ces enfants juste sous mon nez. Je t'ai vu!

— J'étais en colère, concéda Luke en haussant les épaules. Je ne voulais plus qu'ils restent en ta compagnie... Je ne parle pas de toi, mais de tes principes et de tes bavardages bourgeois. Ton univers ne *fonctionne* pas, Prue. Je l'ai compris à Sitka. Si je vis comme je vis, c'est pour une bonne raison. Je suis sûr que tu le réalises maintenant.

Elle se dégagea brusquement et s'empara de l'une des peaux de lapin.

— *Voilà* ce que j'ai vu, Luke! explosa-t-elle. J'ai vu ce que tu as fait à ces pauvres bêtes!

Il lui prit les fourrures des mains et les caressa doucement.

— Ton frère ne dépeçait pas les lapins, à Grass Valley?

— Ne raconte pas de bêtises!

— Réponds : il ne les dépeçait pas?

Prue se détourna.

— Mais pourquoi as-tu...?

Elle cherchait ses mots.

— Ces lapins n'étaient pas à toi, Luke! Tu n'avais pas le droit de... C'est insensé! Mais pourquoi je me fatigue à discuter de ça?

Sa main glissa le long de son cou et se posa sur son épaule.

— Tu ne m'as toujours pas expliqué pourquoi tu n'étais pas revenue sur le bateau.

— Mais je *suis* revenue. J'ai passé une demi-heure à te chercher à Sitka et puis je suis revenue dire à Frannie Halcyon que... que tu avais disparu avec les enfants.

— Tu n'es pas allée voir dans ma cabine ?

— Si, deux fois. Elle était fermée à clé.

— J'étais sûrement sorti avec les enfants. J'étais encore un peu fâché, pas tellement d'humeur à te chercher partout. Je n'ai absolument pas pensé que tu pourrais ne pas être à bord quand le bateau partirait. Quand je m'en suis aperçu, je n'ai même pas pu demander de l'aide, ni signaler ta disparition. Je voyageais sous une fausse identité, Prue. Et puis, pourquoi n'as-tu pas signalé ma disparition non plus ?

— Nous allions le faire, bafouilla Prue. Mais Frannie a appelé DeDe quand nous nous sommes rendu compte que le bateau allait partir... Et DeDe a été d'avis qu'on débarque immédiatement sans rien dire à...

— Attends un instant : elle a appelé qui ?

— DeDe. Sa fille.

— Je croyais que tu m'avais dit qu'elle était morte au Guyana.

— Non... Qu'elle avait disparu. Je t'ai dit qu'elle avait disparu. Elle est revenue. Oh, Luke... On pensait vraiment que tu étais à terre. Je n'aurais jamais cru que tu reviendrais au bateau après...

Elle se tut.

— Après quoi ? demanda Luke.

— Aucune importance. Je t'assure.

Il se pencha et l'embrassa doucement sur les lèvres.

— Ce qui importe, mon amour, susurra-t-il, c'est que nous soyons de nouveau ensemble.

— Luke, je ne...

— Nous sommes ensemble, corps et âme. Nous formons une unité.

Silence.

— Cette fois, ça va marcher, Prue. Je le sais. Tout est tellement plus facile quand on a une famille.

Pièce à quatre mains

— Maman?
— DeDe, Dieu merci! Où es-tu?
— A Nome. Écoute, maman...
— Tu les as trouvés?
— Non. Pas encore. Je rentre, maman. Je voulais juste que tu saches...
— C'est affreux! Oh, mon Dieu, c'est *affreux,* DeDe! Je croyais que tu avais dit que tu pourrais...
— J'ai *essayé,* maman. Je croyais que c'était possible...
— Tu es folle! J'appelle la police immédiatement. Nous ne devons pas continuer à nous occuper de ça nous-mêmes. Je me *fiche* de rendre cette affaire publique. Je ne...
— Il ne s'agit pas de publicité, maman, mais de M. Starr. Nous ne pouvons pas nous permettre la folie qui consisterait à ce qu'il soit mis au courant par la presse.
— Alors tu vas le laisser filer avec tes enfants! Je n'ai jamais entendu de telles sottises! Tu as perdu tout sens commun, DeDe. Quand on ne fait pas confiance à la police à ce point, c'est qu'on...
— Je fais confiance à la police, maman. Mais je connais M. Starr.
— Tu ne l'as jamais rencontré!
Silence.
— Je crois que je l'ai rencontré, maman.
— Mais enfin, qu'est-ce que tu me chantes, DeDe? Je t'en prie, ma chérie... Tu me fais peur!

329

— Excuse-moi, maman. J'ai essayé de te protéger, mais maintenant, j'ai besoin de ton aide. Je veux que tu sois très courageuse. Tu peux faire ça pour moi?

— Bien sûr que oui. De quoi parles-tu?

— Emma est là?

— Évidemment. Elle est toujours là.

— Tu n'es pas seule, donc. Te reste-t-il des Quaalude?

— DeDe...

— Je veux que tu en prennes un après avoir raccroché.

— DeDe, j'appelle la police immédiatement après ton coup de fil. Tu n'es plus responsable de tes actes, c'est tout à fait clair, et je *refuse* de...

— *Maman! Assieds-toi!*

— Je *suis* assise.

— Très bien. Maintenant écoute-moi, maman. Et s'il te plaît, ne pleure pas!

— Je ne peux pas m'en empêcher.

— Je reviens demain matin. Je veux que tu saches qui est M. Starr de façon que nous puissions en discuter rationnellement quand je serai revenue. Contente-toi d'écouter. Nous n'avons pas de temps à perdre.

— Mouse? C'est Mary Ann.

— Ah, enfin! Où es-tu?

— A Nome. On ne les a pas retrouvés. Nous avons fait tout ça pour rien.

— Ils sont *ici*, Babycakes! Quelque part par ici.

— Quoi?

— Jon les a vus sur le bateau au retour. Jon Fielding. C'est le médecin de bord du *Sagafjord*!

— Tu me fais marcher!

— J'aimerais bien! Personne n'a vérifié s'ils étaient à bord? Je veux dire: apparemment, ce n'est pas du tout un enlèvement. En attendant, on a une jeune dame pas contente du tout à la cave.

— Je sais. Je m'en occuperai. Jon en est *sûr*?

— Certain.

Silence.

— Alors on fait quoi, mon ange?

— Mon Dieu!

— Ce n'est pas une réponse, je le crains.

— Écoute, Mouse... Est-ce que Jon savait où ils allaient?

— Il a pensé qu'ils retournaient à Halcyon Hill.

— Tu parles!

— Il a dit à Jon qu'il était un ami de la famille.

— Eh bien *non,* Mouse. Il a menti. Ce type est fou à lier. Il a enlevé les enfants.

— Et ils sont revenus comme si de rien n'était sur un paquebot de croisière jusqu'à San Francisco.

— Mouse... Je sais que ça paraît dingue... Mais c'est parce qu'il *est* dingue. Il y a quelque chose qui cloche.

— Je ne vais pas discuter.

— En tout cas, les mômes sont sains et saufs.

— Mmm. Bambi sera soulagée d'apprendre ça, aussi.

— Mon Dieu, Mouse... Je suis vraiment désolée.

— On la libère, alors?

— Euh... Non. Je veux dire : les gosses n'ont toujours pas été retrouvés et... Mon Dieu, je n'arrive plus à raisonner. Autant la garder jusqu'à mon retour, demain. Je préfère m'expliquer sur place. Dis à Mme Madrigal de ne pas s'inquiéter, s'il te plaît... Et à Brian que je l'aime. J'ai essayé de le joindre chez *Perry,* mais c'est constamment occupé.

— Je lui dirai que tu as appelé. Ne fais pas de bêtises, Babycakes.

— Toi non plus. Tu me manques.

— A moi aussi, avoua Michael.

— Au fait, demande à Jon...

— Il reste pour le mariage, l'informa Michael.

— Super.

— Dans l'ancienne chambre de Burke.
— Moins super.
— Ah, ne t'y mets pas toi aussi !

Pendant que les enfants dorment

— Tu m'as demandé où étaient les enfants, dit Luke qui tenait toujours Prue serrée contre sa poitrine.
— Oui.
Il se recula et la considéra un moment, puis son visage s'éclaira comme celui d'un père un peu gâteux.
— Viens. Il commence à faire nuit. Allons les chercher.
Lui prenant le bras, il l'emmena en haut de la côte et la guida dans le labyrinthe des buissons de rhododendrons.
En sortant du vallon, ils suivirent le bord de l'à-pic jusqu'à ce qu'ils puissent apercevoir le marécage par une ouverture dans les taillis. Là-bas, deux minuscules silhouettes s'ébattaient au bord de l'eau.
— Edgar ! cria Luke. Anna ! Allons, les enfants, venez ! C'est l'heure d'aller au lit.
Les enfants levèrent la tête et protestèrent en piaillant.
— On ne discute pas, insista Luke. Il fait presque nuit.
Les enfants remontèrent la côte jusqu'en haut. En voyant Prue, ils crièrent joyeusement son prénom. Elle s'agenouilla auprès d'eux et les laissa l'embrasser en éprouvant un sentiment curieusement maternel.
— Ils ont l'air en pleine forme, dit-elle à Luke.
C'était vrai.
— Ils ne peuvent pas s'empêcher de jouer dans la gadoue, gronda-t-il en ébouriffant les cheveux d'Edgar. Pas vrai, petit dur ?

332

— Elles seront tellement soulagées! osa Prue en enlevant une brindille du pull d'Anna.

— Qui? demanda Luke.

— Frannie et DeDe.

Silence.

— Nous pouvons appeler un taxi depuis la cabine en face du De Young, continua Prue. Ils pourront être chez eux dans une heure. Oh, Luke... C'est comme si on m'ôtait un grand poids de...

Luke réagit soudain violemment :

— *Je ne veux pas que tu parles comme ça devant les enfants!*

L'éclair de fureur qui lui était si particulier étincelait de nouveau dans ses yeux.

— Je n'ai pas...

— Ils *sont* chez eux, Prue! Je pensais que toi, au moins, tu comprendrais ça!

— Luke...

— Tais-toi, Prue! Nous en parlerons plus tard. *Quand les gosses seront couchés.* Compris?

Une fois de retour à la cabane, elle regarda les jumeaux se pelotonner sur leurs paillasses à même le sol. Luke les borda et leur donna à chacun une peau de lapin. Puis il sortit sur la pointe des pieds dans le brouillard en emmenant Prue avec lui.

— Nous allons partir, chuchota-t-il.

— Mais nous ne pouvons pas les laisser...

— Non, nous quatre. La famille. Nous sommes réunis, maintenant. Nous avons tout ce qu'il nous faut. Nous allons partir en Amérique du Sud et recommencer une nouvelle vie, Prue. Mon Dieu, j'en suis si heureux!

— Luke... Ces enfants ne nous appartiennent pas.

— Et à qui appartiennent-ils, alors? A cette vieille dinde mondaine? Ils ne sont pas de son sang : elle les a eus par une agence, Prue. Elle te l'a dit elle-même.

— Je sais, mais...

— N'as-tu pas toujours désiré des enfants?

Silence.

— *Alors?*

— Luke, ça n'a rien à...

— Il est trop tard pour que tu en aies. Eh bien, maintenant, tu en as. Et tu as un amant qui t'adore plus que tout au monde. Tu ne vois pas que c'est justice? Nous avons obtenu exactement ce que nous méritions, Prue! Regarde-moi dans les yeux et contemple ton destin!

Elle le regarda dans les yeux et n'y vit de la folie.

— D'accord, déclara-t-elle enfin après un moment d'hésitation.

— D'accord quoi?

— Je viens avec toi. Cela me paraît si merveilleux, Luke!

Il faillit la broyer tellement il la serra fort.

— Dieu merci... Dieu merci!

— Nous pouvons partir demain matin, dit-elle. Il faudra que j'aille chercher quelques affaires... et des cartes de crédit. Nous pourrons louer un avion. Nous nous débrouillerons.

Il ravala ses larmes.

— Ce sera le paradis. Tu verras.

Prue avança tout doucement vers la côte.

— Merveilleux, oui, concéda-t-elle. Eh bien, je te retrouve ici vers...

— Non. Je veux que tu restes avec les enfants. Je dois m'absenter quelques heures.

— Ah.

— Ça ne prendra pas longtemps. Je vais te laisser bien au chaud avec les enfants. J'ai encore deux ou trois... détails à régler.

— Je vois.

Prue sentit un frisson la parcourir: était-ce une chance de pouvoir s'échapper? Et s'il verrouillait la porte en partant?

— Les enfants sont si persuasifs, continua Luke en caressant la nuque de Prue dans le noir.

— C'est-à-dire?

— Il veut sa voiture de pompier, bêtifia Luke.

— Le petit?

— Mmm, mmm. Elle est restée dans le jardin des Halcyon. Il la réclame depuis Sitka. Je lui ai promis d'aller la chercher. C'est le moins que puisse faire son papa.

Silence.

— Tu trouves ça idiot?

— Non. Pas du tout. Je trouve ça charmant.

— J'ai trouvé l'adresse sur ses bagages. J'espère que c'est la bonne.

— A Hillsborough?

— Mmm, mmm. Tu crois que la vieille sera là?

— Je ne sais pas.

— Et l'autre... Comment s'appelle-t-elle?... DeDe?

— C'est difficile à dire.

— Je ferai attention, alors.

— Tu sais y aller? demanda Prue. Tu as besoin d'argent pour le taxi? C'est assez loin.

Il lui caressa doucement la joue.

— Ne t'inquiète pas.

Puis il la raccompagna dans la hutte, la coucha et l'embrassa tendrement sur les paupières.

— A tout de suite, chuchota-t-il.

Quand il sortit en refermant la porte, elle tendit l'oreille, attendant le déclic du cadenas.

Il n'y eut pas de déclic.

Déjà, elle avait l'impression de l'avoir trahi.

Fuite

Prue resta recroquevillée dans l'obscurité, tandis que le bruit de son souffle résonnait à ses oreilles comme une tempête.

Les jumeaux étaient déjà profondément endormis, pelotonnés dans leur coin avec leurs peaux de lapin.

Le bruit des pas de Luke décrut dans la nuit.

Prue compta lentement jusqu'à soixante, puis elle posa l'oreille contre la porte de la cabane.

Rien.

Elle poussa légèrement la porte et scruta l'obscurité.

Elle ne vit pas grand-chose, hormis les empreintes récentes, sur le sable, qui indiquaient le départ de Luke. Au-dessus, dans les eucalyptus, le vent faisait courir une rumeur de papier de soie froissé.

Elle referma la porte dont le grincement la fit sursauter, puis elle s'agenouilla auprès des enfants et les secoua doucement.

— Anna... Edgar... Réveillez-vous, mes chéris.

La petite fille s'ébroua la première.

— Qu'est-ce qu'il y a? fit-elle à voix haute.

— Chut! murmura Prue. Il faut parler tout bas.

Edgar s'assit en se frottant les yeux.

— Où est papa? demanda-t-il.

— Euh, il est parti pour un moment.

Elle trouva le blouson du petit garçon et l'aida à l'enfiler.

— On va aller faire une promenade. Oh, on va bien s'amuser, hein?

— Où? voulut savoir Anna.

— Chez moi, dit Prue. Vous n'avez jamais vu ma maison.

— J' veux pas! J' veux dormir! commença à pleurnicher Edgar.

Prue tâtonna dans l'obscurité à la recherche du blou-

336

son d'Anna, en proie à une terreur croissante. A moins de bâillonner les enfants, elle ne pouvait pas tenter grand-chose de plus pour les exhorter au silence.

— Il ne faut pas faire de bruit, mon trésor. Tu veux bien être gentil avec Prue?

— Pourquoi on s'en va? insista Edgar.

— Eh bien... C'est pour faire une surprise... à papa.

— Quel genre de surprise?

— Vous verrez, chuchota Prue.

Les pleurnicheries continuèrent.

— Tu ne veux pas voir ta maman? demanda Prue.

Edgar se tut.

— Tu ne veux pas?

Ce fut Anna qui se montra la plus curieuse :

— Elle est chez toi?

— Oui, susurra Prue. Elle y sera très bientôt. Allez, maintenant, en silence : je veux voir de quoi vous êtes capables.

Elle les guida sur la pente, puis dans les rhododendrons, sursautant au moindre craquement de brindille sous leurs pieds. Une fois dans les massifs, Prue trouva l'obscurité si dense qu'elle fut contrainte de retrouver son chemin de mémoire.

— J'ai peur, fit Anna en se cramponnant à la main de Prue.

— Tout va bien, ma chérie. Il ne fera pas longtemps noir.

L'enfant se mit à pleurer bruyamment.

— Anna... Je t'en prie, ma chérie... Tout va bien. Edgar, dis à ta sœur de ne pas avoir peur.

Silence.

— Edgar?

Pas de réponse.

— *Edgar!* Mon Dieu, où es-tu?

Anna éclata en sanglots. Prue s'agenouilla et la prit dans ses bras en lui caressant les cheveux.

— Chut... Ce n'est rien, ma chérie... Ce n'est rien. On va juste chercher Edgar, c'est tout.

Elle se releva, serrant toujours l'enfant contre sa poitrine, et repartit sur ses pas en suivant le chemin invisible.

— Edgar! cria-t-elle à mi-voix.

— Où tu es? demanda une petite voix.

— Ici! répondit-elle, en se rendant compte que ce n'était pas une information très utile.

— Où? hurla l'enfant.

— Marche dans la direction de ma voix, mon chéri.

Elle fut soulagée d'entendre quelque chose remuer dans les taillis, jusqu'au moment où elle se rendit compte de la vitesse à laquelle cela approchait. Une branche craqua et lui cingla brutalement le visage. Anna et elle poussèrent un cri suraigu lorsqu'une forme surgissant de nulle part plongea sur Prue à travers les buissons, la renversa et lui glissa une langue énorme et humide dans l'oreille.

— Vuitton!

Le barzoï aboya, ravi de retrouver sa maîtresse. Dans le désarroi auquel Luke l'avait réduite, Prue avait totalement oublié l'animal.

— C'est juste mon chien, annonça-t-elle à Anna. Ça va, ma chérie?

— Je veux rentrer, sanglota l'enfant.

— Tout va bien se passer... Je te le promets. Edgar... C'est toi?

Une petite main s'était agrippée à sa jambe.

— C'est vraiment le tien? demanda Edgar.

— Oui, mon chéri. Il est très gentil.

Elle se releva comme elle put et prit les mains des enfants.

— Tout va bien se passer.

Où était le plus proche téléphone, au fait?

Au De Young?

Si Luke était en route pour Halcyon Hill, il fallait absolument que quelqu'un prévînt Frannie.

Sornettes

Il était presque neuf heures du soir lorsque Emma examina sa maîtresse et se rendit compte que quelque chose ne tournait pas rond.

— Miss Frances?

Frannie leva des yeux aux paupières lourdes, un symptôme qu'Emma avait appris à reconnaître depuis longtemps.

— Oui... Emma, c'est vous, ma chérie?

— Je vous ai apporté du lait chaud, gronda la bonne. Je pensais que ça vous ferait du bien pour vous aider à dormir.

— Oh... Non, merci, Emma.

La bonne posa le plateau sur la coiffeuse et s'approcha du lit.

— Vous avez encore repris de vos pilules?

Silence.

Emma avança une lippe pleine de reproche.

— Vous allez me répondre immédiatement, Miss Frances!

— C'est Miss DeDe qui m'a dit de le faire! se défendit Frannie en détournant les yeux.

— Où il est?

— Où est quoi?

— Le flacon. Combien vous en avez pris?

— Trois seulement... C'est comme de l'aspirine.

— C'est pas comme de l'aspirine, Miss Frances! Donnez-moi ce flacon, c'est compris?

Un geste vague indiqua la table de chevet.

— C'étaient les dernières. Ça va, je vous assure... Ne vous inquiétez pas, ma chérie, fit-elle avec un pauvre sourire démenti par les larmes qui coulaient sur ses joues.

Emma cligna des yeux, puis elle s'assit sur le bord du lit et prit la main de sa maîtresse.

— Qu'est-ce qu'il y a? demanda-t-elle doucement.

— Emma... Je ne peux pas...

— Si, vous pouvez. Vous pouvez tout dire à votre Emma. Si vous savez pas ça, vous savez rien du tout.

La bouche de la matriarche s'entrouvrit dans un sanglot muet. Puis elle porta les mains à son visage et se mit à se balancer d'avant en arrière, sans un bruit. C'est seulement lorsque la bonne se pencha et la prit dans ses bras que Frannie Halcyon laissa échapper un gémissement.

— Allez-y, la rassura Emma. Allez-y, pleurez.

Et Frannie pleura pendant de longues minutes, recroquevillée dans les bras de la vieille domestique.

— DeDe pense que Jim Jones les a pris, gémit-elle enfin.

Emma se recula et la fixa :

— Qu'est-ce que vous racontez ?

— Jim Jones, répéta Frannie. Du Guyana.

— C'est des sornettes, Miss Frances ! Jim Jones est mort !

Frannie secoua mollement la tête :

— Miss DeDe... croit... enfin, affirme qu'il n'est pas mort... Elle dit...

— Taisez-vous, maintenant. Il faut dormir.

— Non... Il faut que vous sachiez, Emma. C'est quelqu'un d'autre qui est mort au Guyana. M. Starr... *C'est* Jim Jones. Il...

— Chut !

— Les pauvres petits ! C'est moi qui les ai livrés à Jim Jones, Emma. C'est moi...

— Vous allez m'écouter, maintenant, Miss Frances ! Vous avez *vu* M. Starr, hein ? Il ressemblait à Jim Jones ? Le premier crétin venu reconnaîtrait tout de suite Jim Jones ! Jim Jones est *mort,* Miss Frances !

— Non, il a subi une opération...

— Taisez-vous, maintenant.

— ... Chirurgie esthétique... Il a eu... Emma...

Sur ce, Frannie perdit connaissance.

340

Vingt minutes plus tard, le téléphone sonna.

Emma décrocha dans la cuisine.

— Halcyon Hill, répondit-elle.

— Oh... C'est Edna?

— Emma.

— C'est Mme Giroux, Emma. Il faut absolument que je parle à Mme Halcyon, c'est urgent.

— Je suis navrée, madame Giroux, mais elle dort.

— *Emma, il faut que je parle...*

— Je lui transmettrai le message, madame Giroux. Elle est dans les pommes.

— Emma, je vous en prie... Il faut la réveiller *immédiatement* ! Dites-lui que les enfants sont sains et saufs et qu'ils sont chez moi.

— Loué soit le Seigneur !

— Mais il faut qu'elle quitte immédiatement la maison. M. Starr est en route.

— Pour *chez nous* ?

— Il peut arriver d'une minute à l'autre, Edna ! Il est fou... Il a complètement perdu la tête. J'ai bien peur qu'il... Partez de la maison, je vous en prie. Est-ce que Mme Halcyon a une voiture ?

— Oui, m'dame, mais je crois pas que...

— Dites-lui de ne même pas prendre le temps de s'habiller, rien de tout ça. Qu'elle *parte... Qu'elle quitte cette maison !* Vous comprenez, Edna ?

— Oui, m'dame.

Elle ne comprenait que trop bien.

Nous nous sommes tant aimés

Quand Jon et Michael rentrèrent à l'appartement peu après dix heures, ce dernier était considérablement plus détendu :

341

— Franchement, dit-il en se laissant tomber sur le sofa, je suis surpris que tu l'aies aussi bien pris.

— Quoi? demanda Jon, qui préféra prendre un fauteuil.

— Tu sais parfaitement... Bambi. A la cave.

— J'ai vécu ici, n'oublie pas.

— Rien n'a changé, hein? ironisa Michael.

— Pas tellement. J'étais prêt à pratiquement tout.

— C'est une attitude sensée.

Long silence.

— Alors, fit Jon, la jardinerie, ça se passe bien?

— Génial! Enfin super, quoi.

— Ça fait... combien de temps, au fait?

Michael réfléchit un instant.

— Plus de trois ans. Trois ans au même endroit! Mince, est-ce qu'il n'est pas temps d'appeler le *Guinness*?

— Ça me fait plaisir que ça te plaise. Cela compte.

— C'est la seule solution, convint Michael. Se farcir *n'importe quoi* tous les jours et recommencer, même si c'est chiant.

Le médecin l'observa un moment.

— N'importe quoi ou *n'importe qui*?

— Hé...

— Excuse-moi, c'était déplacé.

— Plutôt.

Michael avait été plus blessé qu'il ne l'aurait cru.

— Est-ce toujours Ned qui dirige le magasin? s'enquit Jon, tentant clairement de revenir sur un terrain neutre.

— Oui. Il est question que je devienne son associé.

— Tant mieux! C'est une bonne nouvelle. Tu devrais mettre de l'argent de côté.

— Je sais, dit Michael. Me fais pas la morale.

— C'est l'impression que je t'ai donnée? demanda Jon avec un sourire implorant.

Michael secoua la tête et lui sourit à son tour.

— C'est simplement un point... Tu sais bien : un point sensible.

— Ça l'a toujours été, observa le médecin.

Michael pianota sur le bras du sofa.

— Bon... fit-il. C'est plus quelque chose qui te préoccupe beaucoup, maintenant, hein ?

Jon ne répondit rien pendant un moment, puis il secoua la tête d'un air effaré :

— C'est tellement convaincant, bon sang !

— Quoi ?

— Toi et ton numéro de petit garçon perdu dans la tourmente. Le petit Michael seul contre le monde entier. Tu as même réussi à berner Mme Madrigal. Elle est convaincue que c'est *moi* qui t'ai quitté.

— Je ne lui ai pas dit ça, se défendit Michael.

— Ce n'était pas la peine. Tu as simplement baissé les yeux en prenant un air malheureux, comme d'habitude. *Un jour, mon prince viendra...* Je connais le refrain. Mais je vais t'apprendre quelque chose que tu ne sais pas, Michael. Ton prince est effectivement venu et tu l'as foutu dehors avec un coup de pied au cul parce que tu n'avais pas le courage d'en finir avec ton fantasme.

— *Quel* fantasme ? demanda Michael, interloqué.

— Qu'est-ce que j'en sais ? Le fantasme des hommes en blanc, peut-être ? Je ne sais pas... Quoi qu'il en soit, je n'étais plus capable de l'incarner et toi de supporter l'idée d'être aimé par quelqu'un de normal, comme toi. Tu es un dur, Michael — malgré tes comédies de romantique désabusé —, mais pas assez dur pour supporter ça !

Michael le dévisagea, stupéfait.

— Tu te trompes tellement, rétorqua-t-il, que c'est même pas...

— Ah oui ? Comment ça se passe avec le flic, au fait ?

Michael resta bouche bée.

— Mais qu'est-ce que Mme Madrigal ne t'a *pas* raconté?

— Elle m'a juste parlé du flic, répondit Jon. Et de la star de ciné. Et de l'ouvrier en bâtiment. Ce n'est pas une vie, que tu mènes, Michael: tu baises avec tout ce que San Francisco compte de pédés, les uns après les autres!

— Dis donc, attends une seconde, là!

— C'est la vérité, affirma Jon.

— En quoi ça te regarde si...?

— Ce ne sont pas mes affaires, c'est vrai. Ce ne sont plus mes affaires depuis longtemps... Et je n'aurais rien dû dire. Sauf que Mme M. m'a demandé de... Et je voulais... J'en ai marre d'entendre ces conneries sur le pauvre petit gars dont personne ne veut! Quelqu'un veut de toi, Michael... comme si tu ne le savais pas. Et il connaît les pires choses sur ton compte.

— Jon... Excuse-moi si...

Le médecin se leva:

— Il n'y a aucune raison de s'excuser, trancha-t-il.

Michael resta assis sans rien dire tandis que Jon se dirigeait vers la porte.

— Je resterai jusqu'au mariage. Je ne te ferai pas une deuxième scène, c'est promis.

— Est-ce que tu...? Tu es dans la chambre de Burke, c'est ça? Est-ce que tu as besoin de draps propres ou d'autre chose?...

— Merci. Mme M. s'en est occupée.

— Je t'aime, dit Michael.

— Je sais, répliqua Jon du tac au tac. C'est ça, le drame, hein?

Dans les pommes

En croyant à peine ses oreilles, Emma raccrocha et se précipita dans la chambre de sa maîtresse. Frannie Halcyon était totalement endormie et ronflait, l'un de ses bras pendant sans grâce sur le côté du lit à baldaquin.

— Miss Frances, chuchota la bonne en se penchant. Réveillez-vous, Miss Frances!

Aucune réaction.

— Allons, Miss Frances, *réveillez-vous à présent*!

Emma l'empoigna par les épaules et la secoua doucement.

— Il arrive, Miss Frances... Jim Jones arrive!

Toujours pas de réaction.

— Seigneur! murmura Emma.

Elle se rendit compte que ces cochonneries de pilules avaient bien fait leur boulot.

Elle alla chercher un verre d'eau dans la salle de bains et en jeta la moitié au visage de la dormeuse. Frannie Halcyon fit une grimace. Puis elle émit un vague grognement et se retourna à plat ventre.

— Je vous en prie... O Seigneur, *s'il Vous plaît,* Miss Frances... Il faut vous réveiller! Jim Jones arrive!

Arrachant les couvertures, Emma fit rouler la matriarche sur le dos et lui tira les pieds hors du lit. Puis elle la souleva pour la faire asseoir.

La tête de Frannie ballottait. Elle marmonna quelque chose d'inintelligible.

— Vous m'entendez? demanda Emma.

Elle n'obtint pour toute réponse que des borborygmes.

— Restez assise là, reprit Emma, haletante. Je vais vous faire sortir.

Elle se précipita vers l'armoire et chercha frénétiquement le long manteau de vison noir. L'ayant enfin trouvé, elle retourna au lit et entreprit de l'enfiler à Frannie.

— Allons... Allons, Miss Frances... Il faut marcher. Vous voulez bien être gentille avec Emma ? Allons...

Elle se plaça devant sa maîtresse, glissa les mains sous ses aisselles et la souleva de toutes ses forces.

Frannie gémissait.

— Aidez-moi, Miss Frances... Vous pouvez le faire. Mettez-vous debout sur vos pieds, faites ça pour moi...

Pendant un moment, celle à qui elle s'adressait si désespérément sembla bien se mettre debout.

— C'est parfait, dit Emma. Parfait. Maintenant, commencez à marcher. Bravo ! Emma vous tient.

Deux secondes plus tard, Frannie piquait du nez comme un ours frappé d'une balle et entraînait Emma dans sa chute sur le tapis chinois. La bonne parvint péniblement à s'extirper de dessous sa patronne.

— Miss Frances ! se lamenta-t-elle. Que Dieu nous vienne en aide !

Elle regarda Mme Halcyon avec désarroi, avant de prendre un oreiller du lit et de le glisser sous sa tête. La malheureuse inconsciente ronfla bruyamment et roula sur le côté.

Emma alla directement dans la salle de bains et prit la bouteille de rhum que sa maîtresse cachait dans la chasse d'eau. Elle en prit deux gorgées brûlantes, puis elle la remit dans sa cachette.

C'était la première fois qu'elle faisait cela, mais elle savait ce que les circonstances exigeraient bientôt d'elle.

Le seul revolver de la maison était rangé dans le tiroir du bas de la table de nuit. C'était une acquisition récente, Emma le savait : il n'avait été acheté que quelques jours après que Nancy Reagan avait déclaré à la presse qu'elle possédait un « tout petit pistolet ».

La bonne le prit maladroitement par le canon et sortit silencieusement de la chambre en refermant la porte derrière elle.

Puis elle passa de pièce en pièce et descendit tout en éteignant les lumières.

Elle vérifia que la porte d'entrée était bien fermée.

Puis celle de la cuisine.

Puis celle de la terrasse.

Alors qu'elle parcourait la terrasse pour entrer dans le salon, elle entendit un bruit dans le jardin.

Elle se tapit derrière un grand fauteuil en osier et jeta subrepticement un regard par-dessus pour apercevoir un homme qui sortait des buissons et traversait la pelouse.

Il resta au milieu du gazon et regarda la maison de gauche à droite.

Emma fila vers la cuisine puis passa dans le garage. Comme la porte en était encore ouverte, elle se glissa dans l'obscurité et longea l'allée de côté jusqu'au moment où elle aperçut de nouveau l'intrus.

Cette fois, elle était derrière lui.

L'homme s'approcha de la maison.

Puis il essaya d'ouvrir la porte-fenêtre.

— *Toi!* cria Emma. *Jim Jones!*

L'intrus fit volte-face et son regard plongea dans celui de la vieille femme décharnée qui braquait un revolver sur lui. Il leva les bras d'un geste suppliant et prononça ses dernières paroles d'un ton étonnamment calme.

— Ma sœur... lança-t-il.

Ce fut alors qu'Emma lui tira une balle juste entre les deux yeux.

En être ou pas

Quelques minutes après que Jon eut quitté l'appartement de Michael, Brian arriva.

— Comment va le mari de la reine des médias?

— Il est d'une humeur de chien, rétorqua Brian. Ça te dirait qu'on aille se balader ?

— Pourquoi pas ? répondit Michael. Mais seulement si ta misère veut bien de la mienne !

— Oh, non ?... Et de quoi s'agit-il, cette fois ?

— De la même chose que d'habitude, dit Michael en levant les yeux au ciel.

— Euh... Jon ?

— Tu as deviné.

— Je l'ai vu là-haut, avoua Brian. Il est revenu pour de bon ?

— Juste pour le mariage... apparemment.

— Tu veux qu'il reste ?

— Tu serais pas un espion à la solde de Mme Madrigal, par hasard ? soupira Michael avec exaspération.

— Je me disais simplement que les choses allaient peut-être se compliquer.

— Se compliquer ?

— Oui... Avec Bambi et le reste.

— Oh, zut ! s'exclama Michael, qui venait de se rappeler. Les choses se sont *déjà* compliquées. T'as pas entendu la dernière !

Tandis qu'ils marchaient le long de Marina Green, Michael raconta à Brian que Jon avait aperçu les jumeaux « kidnappés ».

— Mary Ann est au courant ? s'enquit Brian.

— Oui. Elle a appelé pendant que tu bossais. Elle rentre demain matin, au fait.

— Heureusement. Qu'est-ce qu'on va faire de Bambi ?

— Là, je sèche ! D'après Jon, Mme Madrigal et elle se sont déjà salement crêpé le chignon.

— Quand ?

— Tout à l'heure.

— Mince, on vit dans un asile de fous !

— C'est ce qu'a dit Jon, plaisanta Michael.

Un long silence s'ensuivit. Puis Brian demanda :

— Il est revenu pour toi ?

— Oui, je crois.

— Et c'est ce que tu veux ?

Michael se tourna et le regarda.

— Je peux utiliser mon joker, pour celle-là ?

— Si tu veux, concéda Brian en lui passant un bras autour des épaules. Moi, je pense que *c'est* ce que tu veux : n'écarte pas cette possibilité sous prétexte qu'il a un tout petit plus besoin de toi que toi de lui.

Silence.

— C'est ça, n'est-ce pas ? C'était pareil entre Mary Ann et moi... et *elle* n'a pas écarté cette même possibilité, Dieu merci.

— Brian... Elle t'aime énormément.

Brian lui serra fraternellement l'épaule.

— Avoir besoin de quelqu'un et l'aimer, ça fait deux ! fit-il valoir.

Un autre long silence s'installa tandis qu'ils contournaient le sombre rectangle de pelouse récemment rebaptisé *Moscone Playground*. Une grosse voiture les dépassa, puis pila, et fit marche arrière pour revenir à leur hauteur.

Un type, côté passager, tapa bruyamment sur la portière.

— Hé, les pédés ? Vous sucez ?

Brian laissa son bras sur les épaules de Michael. Il attaqua :

— Ça te regarde, mec ?

— Hé, chuchota Michael. Tu es censé répondre : « Oui, merci ! » et sourire.

Le type se pencha par la portière tandis que la voiture continuait d'avancer lentement.

— Qu'est-ce que tu m'as dit, enculé ?

— Continue de marcher, murmura Michael.

— Hé, pédé... Hé ! Tu veux me sucer la bite, hein, enculé ? C'est ça que tu veux ?

Michael remarqua que ce trait d'esprit avait suscité des rires gras sur la banquette arrière. Il y avait au moins quatre personnes dans la voiture, dont une femme.

— Bon, intervint Michael, je crois que le moment est venu de filer.

— Qu'ils aillent se faire foutre ! cracha Brian.

— *Qu'est-ce que t'as dit, pédale ?*

Brian fit volte-face et adressa un bras d'honneur à leur agresseur, en explosant :

— Je t'ai dit d'aller te faire foutre, mec. Casse-toi !

La voiture pila. Ses passagers en sortirent comme des diables de leur boîte. Le premier fonça sur Michael et lui donna un coup de pied à l'entrejambe. Michael tomba à la renverse et sa tête heurta le trottoir avec un bruit sourd.

Il ouvrit les yeux et vit des mains plonger sur sa gorge. L'homme le souleva presque doucement... puis lui cogna de nouveau la tête contre le trottoir. Cette fois, le bruit fut étouffé, quasi liquide.

— Hé ! cria quelqu'un. Par là !

L'homme lâcha le cou de Michael et alla rejoindre les deux autres. L'un d'eux était à califourchon sur la poitrine de Brian, l'autre lui tenait les chevilles.

— OK ! s'exclama le type qui avait frappé Michael. Tu es prêt à crever, pédale ?

Quand Michael vit l'éclair de métal, il s'écria avec une sorte d'incrédulité horrifiée :

— Arrêtez... Non, pas lui... Il n'est pas pédé ! *Il n'est pas pédé !*

Mais le couteau s'abattit, encore et encore.

Retour à la maison

Quand Mary Ann repéra sa R5 Le Car sur le parking longue durée de l'aéroport de San Francisco, elle éprouva un brusque sursaut d'optimisme.

— Tu veux que je te dise? commença-t-elle en prenant DeDe par le bras. Je ne sais pas pourquoi, mais j'ai l'impression que le pire est passé.

L'expression de DeDe était désespérée.

— Je t'en prie, n'essaie pas de me réconforter, dit-elle. Tu en as déjà assez fait. Vraiment.

— Je n'essaie pas de te réconforter. J'ai vraiment l'impression que les choses vont s'arranger. S'il est revenu avec eux sur le bateau, au vu et au su de tout le monde, c'est qu'il n'avait pas l'intention de les kidnapper! Je veux dire : pas au sens fort du terme, en tout cas. Il est peut-être fou, mais il n'a pas l'air dangereux.

— C'est ça! fit DeDe. C'est ce que tout le monde disait en 78.

— Mais, poursuivit prudemment Mary Ann, nous ne sommes pas non plus tout à fait certaines que ce Starr était vraiment...

— Arrête de dire ça. Je le sais, *moi*. Je sais que c'est lui. Il a bien fait ce que raconte la berceuse, oui ou non? Et la description de Prue me semble coller parfaitement à...

Elle laissa sa phrase en suspens.

— A quoi? demanda Mary Ann.

— A... l'apparence que je lui connais.

— Qu'est-ce qu'elle t'a raconté, au fait?

— Qui?

— Prue.

— Ce n'est pas le moment, répliqua DeDe en se détournant.

Mary Ann ouvrit la portière, monta et ouvrit celle de sa passagère.

DeDe s'installa sans rien dire.

— Et ce sera *quand,* le moment ? insista Mary Ann.

DeDe hésita, puis elle regarda Mary Ann droit dans les yeux :

— Plus tard, d'accord ?

— D'accord, admit Mary Ann.

C'est simplement la fatigue qui les fit rester silencieuses durant le trajet d'Hillsborough. Il leur fallait du temps pour se remettre, songea Mary Ann. Du temps pour se sortir de la crise... et se libérer l'une de l'autre. Quand elles s'arrêtèrent sur l'allée circulaire d'Halcyon Hill, Mary Ann aborda directement le sujet.

— Je crois qu'on a besoin d'un petit répit, dit-elle. Et de sommeil. Pourquoi ne laisses-tu pas ta mère te dorloter un petit peu ? Je te rappellerai dans la matinée pour discuter.

— Tu as été super, s'épancha DeDe en la serrant dans ses bras. Je ne connais personne qui en aurait fait autant.

— Ce n'est rien, fit Mary Ann.

— J'espère qu'ils ne vont pas te tomber dessus.

— Qui ?

— Les gens de la télé. Pour être partie sans prévenir.

— Oh...

Elle ne l'avait pas mise au courant, pour Bambi Kanetaka, et ce n'était pas le moment de le faire.

— Je crois qu'on pourra s'arranger.

— J'espère, lança DeDe en descendant de voiture. Dors bien. Je te rappelle demain.

— DeDe ?

— Oui ?

— Je crois qu'il est temps de prévenir la police.

— Je le crois, moi aussi, reconnut DeDe, qui restait étonnamment calme.

— Dieu merci !

— Je pense qu'on n'a plus qu'à s'en remettre à Lui, en effet. On décidera de la suite demain.

— Tu es sûre que ta mère est là? demanda Mary Ann en scrutant la façade de la maison.

— Sa voiture est là.

— Tu veux que j'attende, le temps que tu ailles voir?

— Non, ça ira. Rentre, Mary Ann. Va retrouver Brian dans ton lit.

Mary Ann consulta sa montre : huit heures moins le quart !

— Il n'est peut-être pas trop tard, plaisanta-t-elle.

— Il n'est jamais trop tard pour ça, fit DeDe avec un petit clin d'œil.

Tandis qu'elle redescendait l'allée, Mary Ann observa DeDe dans le rétroviseur jusqu'à ce qu'elle vît Emma apparaître sur le pas de la porte. Cette partie du problème étant résolue, elle commença à réfléchir à l'explication qu'elle fournirait à Bambi.

Elle songea que c'était le troisième jour de captivité de la présentatrice.

A moins, évidemment, que Mme Madrigal n'ait pas pu — ou pas voulu — la détenir aussi longtemps.

Elle n'avait pas regardé les journaux, à l'aéroport. Il était tout à fait possible que Bambi eût *déjà* dévoilé toute l'affaire. Et si Bambi avait porté plainte contre Mme Madrigal et les autres?

Elle avait presque atteint les grilles d'Halcyon Hill lorsqu'elle entendit du bruit derrière elle. Elle regarda de nouveau dans le rétroviseur et vit DeDe qui courait sur l'allée en hurlant à pleins poumons :

— Arrête ! Reviens, Mary Ann ! *Reviens !*

Le corps du délit

La bonne était assise sur une chaise, les mains royalement posées sur les genoux, tandis que DeDe et Mary Ann tournaient comme des folles autour d'elle.

— Où est-il? demanda DeDe.

— Là-bas, derrière! répondit Emma. Je l'ai traîné derrière le garage.

Elle vit Mary Ann se rembrunir, et se sentit obligée de se montrer plus claire.

— Il était là à rôder dans le noir, Miss DeDe. Et puis Mme Giroux... elle avait appelé pour me prévenir qu'il arrivait. Et votre maman m'avait déjà dit que c'était Jim Jones... Et je pouvais pas la réveiller.

— Les enfants n'étaient pas...?

— C'est Mme Giroux qui les a.

— Ils sont...?

— Il a pas touché un cheveu de leurs têtes, Miss DeDe!

DeDe ferma les yeux et déglutit. Elle prit la main de Mary Ann pour partager ce moment avec elle. Emma les regarda toutes les deux, les larmes aux yeux.

— Le Seigneur nous protège, déclara-t-elle.

DeDe se précipita et s'agenouilla aux pieds de la vieille femme et la prit affectueusement dans ses bras.

— Ce n'est pas le Seigneur, Emma : c'est *toi*. Dieu te bénisse, Emma! Dieu bénisse ma merveilleuse Emma!

La bonne caressa la joue de DeDe.

— Il voulait faire du mal à ma famille, gronda-t-elle.

DeDe éclata de rire et la serra de nouveau dans ses bras.

— Maman va bien?

— Elle dort toujours, la renseigna Emma en haussant les épaules.

— Tu veux dire qu'elle... ne sait pas?

— Rien du tout, garantit Emma. Elle a pris trois cachets hier soir.

— Mon Dieu, murmura DeDe. Je lui avais recommandé de n'en prendre qu'un.

— J'ai essayé de la réveiller, raconta Emma. Quand Mme Giroux a appelé, j'ai...

— Est-ce qu'elle sait ?

— Elle a pas rappelé.

— Et tu n'as pas prévenu la police ?

— Non. Je savais que vous reveniez. J'ai pensé que vous voudriez le faire vous-même... une fois que vous seriez sûre que les petits étaient sains et saufs.

— Tu avais raison, la rassura DeDe avant de se tourner vers Mary Ann. Je vais au garage. Tu veux bien rester là pour tenir compagnie à Emma ?

Mary Ann préférait effectivement rester, mais elle se dit qu'il fallait protester pour la forme.

— Tu ne veux pas que je vienne avec toi ?

— En fait, répliqua DeDe, je préfère pas.

Lorsqu'elle revint dix minutes plus tard, son visage était quasiment sans expression.

— Je peux te parler ? demanda-t-elle calmement à Mary Ann.

Elles s'isolèrent dans la bibliothèque après avoir laissé Emma dans le salon.

— Il faut que je sache quelque chose, commença DeDe.

— Quoi donc ? demanda Mary Ann, affreusement mal à l'aise.

— Qu'est-ce que tu as l'intention de faire de tout ça ?

— Tu veux dire... de ton histoire ?

DeDe acquiesça.

— Eh bien... Je n'avais pas vraiment... DeDe, c'est bien *lui* ?

— Laissons ça de côté une minute. Nous avons à prendre quelques décisions rapidement. Emma l'a descendu de sang-froid, Mary Ann. Jones n'était même pas dans la maison et il n'était pas armé. Cette pauvre vieille sera accusée de meurtre et elle va sacrément en baver...

— Oui, mais s'il est celui que tu penses...

— Dans ce cas, Emma, maman et les enfants, nous tous, nous serons l'objet de la curiosité la plus abjecte ! J'en ai soupé, Mary Ann. Je suis fatiguée de torturer ma famille. Nous avons presque atteint une conclusion heureuse et je ferai n'importe quoi pour m'y tenir.

— DeDe... Qu'est-ce que tu veux dire ?

— Je veux que tu ne divulgues qu'une partie de l'histoire. Tu peux raconter tout ce qu'il te plaira sur ma fuite... et l'épisode à Cuba. Je veux simplement que tu ne parles pas du reste. Tu m'as déjà proposé d'en rester là. Il faut que je sache si cette proposition tient toujours.

— DeDe... Tu sais bien que j'accepterais, mais...

— Mais quoi ?

— Eh bien... Il y a d'autres personnes au courant.

— Juste maman, en fait. Et elle dormait quand le pire a eu lieu.

— Qu'est-ce que tu fais de Prue ? objecta Mary Ann.

— Tu rigoles ? Elle couchait avec lui, Mary Ann ! Elle ne sera que trop contente d'oublier ce qui est arrivé. Elle n'a même pas rappelé après avoir averti Emma. Laisse tomber cette conne !

— DeDe... Nous ne pouvons pas faire une croix sur le cadavre derrière le garage. Nous ne pouvons pas faire comme si rien ne s'était passé.

DeDe la regarda longuement.

— Et pourquoi pas ? demanda-t-elle.

— Tu veux dire que... ?

— Oui. Si on se dépêche, on pourra avoir fini avant que maman se réveille.

Nœud gordien

Mary Ann remarqua avec une certaine consternation qu'il y avait encore des traces de terre sur ses chaussures quand elle arriva avec DeDe chez Prue Giroux à Nob Hill.

— Zut... fit-elle avec une grimace. Moi qui étais sûre d'avoir tout nettoyé...

DeDe sonna et la tranquillisa en disant :

— Elle ne verra rien du tout. Ce n'est jamais qu'un petit peu de terre, de toute façon. Ça peut arriver à n'importe qui. Tu as toujours mal au dos, au fait ?

— Non, ça va mieux.

— Bon.

— Je ne suis pas très habituée à ce genre d'exercice.

— Je suis bien contente de l'entendre, ironisa DeDe.

Mary Ann ne put que lui rendre son sourire.

— Qu'est-ce que tu lui as raconté ?

— A qui ?

— A Prue.

— Juste qu'on venait chercher les gosses, dit-elle en haussant les épaules.

Puis, entendant la porte s'ouvrir, elle pressa le bras de Mary Ann et chuchota :

— Ne t'inquiète pas. C'est moi qui parlerai.

Cependant, il n'y eut guère besoin de paroles lorsque DeDe aperçut les enfants. Elle tomba à genoux et les prit dans ses bras en pleurant abondamment.

Mary Ann et Prue la regardaient sans rien dire, en larmoyant aussi.

Il n'y avait encore que les enfants pour ne pas pleurer : ces retrouvailles étaient pour eux un événement évident et joyeux. Une fois que leur mère les eut relâchés, ils se mirent à gambader comme des fous en essayant de raconter leurs aventures pendant l'absence de DeDe.

— Allons, allons, fit Prue. Maman est fatiguée, pourquoi ne...?

— Ça ne fait rien, les excusa DeDe, ravie. Laissez-les brailler autant qu'ils veulent.

Elle attrapa Edgar et le prit dans ses bras.

— C'est une vraie musique, pour moi. Alors... Racontez-moi comment ça s'est passé.

— Il... Eh bien, c'est complètement idiot, répondit Prue avec confusion. Il est rentré avec le bateau.

— Ça, nous le savions, répliqua DeDe en se relevant.

Prue fut manifestement prise de court.

— *Comment?* fit-elle.

— Un ami de Mary Ann les a vus.

— Oh... Alors, vous...?

— Comment est-il arrivé ici? demanda DeDe. C'est ça qui m'intéresse.

— Oh... Eh bien, il les a déposés chez moi.

— *Quand?* fit DeDe d'un air soupçonneux.

— Euh... hier soir. J'ai immédiatement appelé votre mère. C'est Emma qui a décroché.

DeDe fronça les sourcils.

— Mais le bateau est arrivé hier matin!

— Ah bon?

— Oui, lâcha DeDe avec dureté.

Elle fixa la chroniqueuse droit dans les yeux:

— Il ne vous a pas laissé entendre où il avait passé toute la journée?

— Non, mentit Prue. Il n'a rien dit.

— Pourquoi avez-vous raconté à Emma qu'il avait perdu la tête?

Prue se détourna.

— Je ne crois pas que je me sois exprimée ainsi, protesta-t-elle. Il était en colère, bien sûr, surtout parce qu'il avait été obligé de s'occuper tout le temps des enfants pendant le voyage du retour. Il avait attendu notre réapparition toute la journée sur le *Sagafjord*. Comme nous ne revenions pas, il s'est fâché. Et inquiété.

358

— Mais ça ne lui est pas venu à l'esprit d'en parler à quelqu'un? Aux autorités du bateau, par exemple?

Silence.

— Prue... Pourquoi avez-vous raconté à Emma que M. Starr avait perdu la tête?

— Je vous l'ai dit... Je...

— *Vous lui avez dit de déguerpir sur-le-champ!*

— Eh bien... Il était très en colère. Je suis désolée si je lui ai donné l'impression que...

— Pourquoi n'a-t-il pas ramené les enfants directement à Halcyon Hill?

— Euh... Eh bien, il ne connaissait pas l'adresse. Il connaissait *la mienne,* alors il les a amenés ici.

— Et ensuite vous avez appelé Halcyon Hill et conseillé à Emma de quitter immédiatement la maison avec ma mère. Vous trouvez ça logique, Prue?

— Eh bien, il était furieux contre votre mère et je ne voulais pas qu'elle subisse...

DeDe leva les yeux au ciel, agacée:

— S'il allait à Halcyon Hill, pourquoi n'a-t-il pas emmené les enfants avec lui?

Prue avait les yeux embués de larmes.

— DeDe... Je vous en prie... supplia-t-elle. Je ne sais pas... Son comportement n'était pas rationnel. Je pensais que vous me seriez au moins reconnaissante d'avoir retrouvé les enfants.

DeDe se radoucit:

— J'essaie simplement de connaître la vérité. Vous pouvez tout de même comprendre ça.

Prue hocha la tête et s'essuya les yeux.

— Il se comportait bizarrement, reprit-elle. C'est tout ce que je peux vous dire. J'ai seulement eu une intuition. Si votre mère était restée à Halcyon Hill, elle aurait très bien vu.

— Elle y est restée, Prue, soupira DeDe.

— Quoi?

— Elle dormait à poings fermés.

— Alors peut-être qu'Emma...

— Emma n'a pas fermé l'œil de la nuit. Pour surveiller la maison.

— Et elle ne l'a pas vu?

— Exactement! Il n'est *jamais* venu!

Des bisons à Londres

Ayant quitté l'appartement de Prue, DeDe et Mary Ann emmenèrent les enfants prendre le petit déjeuner au *Mama's,* aux Gramercy Towers. Un repas chaud et les rires des enfants firent un bien fou à Mary Ann dont le moral était au plus bas.

L'épreuve, songeait-elle, était enfin terminée.

— C'est un sujet fantastique, dit-elle. Même sans... sans lui.

DeDe essuya une trace de confiture sur le menton d'Edgar.

— Je ferai tout ce que je peux pour t'aider. Donnenous quelques jours, OK?

— OK.

— Tu veux toujours faire ça pendant ton émission?

— Je ne sais plus trop, bafouilla Mary Ann. Est-ce que ça t'ennuierait d'amener les enfants, au fait?

DeDe hésita, puis elle sourit :

— Bien sûr que non. Pas après tout ce que tu as fait.

Elle se tourna vers les jumeaux.

— Alors, les petits... Vous voulez passer à la télé avec Mary Ann?

Les enfants prirent un air enthousiaste.

— Voilà la réponse! s'exclama DeDe.

— Génial! conclut Mary Ann.

Edgar tira sa mère par la manche.

— Est-ce que papa y sera aussi? demanda-t-il.

Après un silence lourd de sens, DeDe répondit :

— Papa?

— Oui, renchérit Anna. Il viendra?

Le regard de DeDe alla de l'un à l'autre, puis :

— Vous voulez dire M. Starr? précisa-t-elle tranquillement.

Les deux enfants hochèrent la tête, les yeux plus grands que jamais. Mary Ann se tourna elle aussi vers DeDe, attendant sa réponse.

— Mais, mes chéris, inventa DeDe, M. Starr est reparti à Londres! Nous ne le verrons pas pendant un certain temps.

— *Pourquoi?* interrogea Anna.

— Eh bien... Parce que c'est là qu'il habite. Il était en vacances, quand vous l'avez rencontré sur le bateau. Sa maison se trouve à Londres.

— Sa maison, elle est *super*! déclara Anna.

— *Pardon,* ma chérie? fit DeDe en fixant l'enfant.

— Même qu'il a des étureuils, affirma-t-elle.

— Des *écureuils,* corrigea Edgar.

Anna tira la langue à son frère.

— Et puis des bisons! ajouta-t-elle d'un air de défi.

— Et puis un grand moulin! continua Edgar.

— C'est au Japon, révéla Anna. Dans son jardin, il a un pont qui monte tout en haut du ciel et...

— Je vois, intervint DeDe en jetant un regard consterné à Mary Ann. On ne saura jamais ce que ce salaud leur a raconté.

Elle se retourna vers les enfants.

— Alors, les affreux, on rentre à la maison?

— Où ça? demanda Edgar.

« Bonne question », songea Mary Ann.

— Chez Magnie, répondit leur mère.

Les enfants acquiescèrent.

Elles se quittèrent dans le parking près de *L'Étoile.* DeDe attendait sa Mercedes et Mary Ann sa R5 Le Car.

— Tu as été un ange, lança DeDe.

On aurait dit une vieille mondaine. Mais Mary Ann la remercia d'un petit sourire :

— Ravie de t'avoir aidée !

La Mercedes arriva. DeDe tint la portière pendant que les enfants grimpaient à quatre pattes sur le siège avant. Elle se glissa au volant et Mary Ann se pencha par sa vitre ouverte.

— Alors, tu ne vas pas me le dire, hein ? accusa-t-elle.

— Quoi ?

— Tu sais bien : si c'est le *vrai* qu'Emma a tué ?

DeDe secoua la tête.

— Ce n'était pas le vrai ? se récria Mary Ann.

— Si ce n'est pas le vrai, je ne veux pas que tu en souffres. Tu en as déjà assez fait comme ça.

— Et si c'est le vrai ?

— Je ne veux pas que tu sois tentée.

— Tentée ? Tentée par quoi ?

— Tu sais bien : par le scoop !

— DeDe... Je suis ton amie. Je ne trahirais jamais ta confiance...

— Je sais. Et tu ne te le pardonnerais jamais non plus. Comment pourrais-tu ? Tu es journaliste...

— Ah bon ?

DeDe lui prit une main et l'embrassa.

— Oui, l'assura-t-elle.

— Merci, dit Mary Ann.

— De rien, répliqua DeDe.

Il était presque midi lorsque Mary Ann monta péniblement l'escalier qui menait au 28 Barbary Lane. Alors qu'elle glissait sa clé dans la serrure, elle reconnut le bruit caractéristique des pas de Mme Madrigal derrière elle.

— Ma chère enfant... C'est toi ? appela sa voix.

— C'est moi, confirma Mary Ann.

La logeuse avait les yeux rouges.

— Mon Dieu ! dit Mary Ann. Est-ce que quelque chose... ?

— Je suis désolée, commença Mme Madrigal. J'ai quelque chose de très désagréable à t'annoncer.

Coup de bol

Une sensation de déjà-vu qui se mêlait à une nausée envahit Mary Ann lorsqu'elle traversa avec Mme Madrigal le hall de l'hôpital St Sebastian.

C'était là que Michael avait été soigné pour son syndrome de Guillain et Barré cinq ans plus tôt ; là, également, que se trouvait la sinistre boutique de fleurs où l'homme aux implants dissimulait ses morceaux de cadavres destinés à approvisionner la secte cannibale de la Grace Cathedral.

Le souvenir le plus macabre de Mary Ann, cependant, était l'emblème même de l'hôpital : un portrait ancien de saint Sébastien transpercé de flèches, qui était accroché fièrement au-dessus du bureau d'accueil.

Mme Madrigal prit le bras de Mary Ann et la détourna de la vision du saint :

— Allons, ma chérie. Je connais le chemin. Cet endroit empeste le catholicisme.

Elles prirent l'ascenseur jusqu'au troisième. Quand elles en sortirent, Jon les attendait. Le simple fait de le voir fit craquer le masque impassible que Mary Ann s'était efforcée d'arborer pendant tout le trajet. Elle lui tomba dans les bras, en pleurs.

— Drôle de réception, hein ? fit-il en lui caressant doucement la tête.

— Ils sont réveillés ? demanda-t-elle.

— Brian l'est, l'informa le médecin. Michael s'est

endormi il y a une petite heure. Vous lui avez tout raconté en détail ?

La question s'adressait à Mme Madrigal, qui répondit :

— J'ai fait de mon mieux...

— Il a eu le poumon perforé, confia Jon à Mary Ann. C'était le plus grave. C'est un trou étonnamment petit... tout bien considéré.

Mary Ann trouva cette précision épouvantable :

— Ils l'ont opéré ?

— Non, ce n'était pas si sérieux que ça. Ça devrait se refermer tout seul. On l'a intubé pour que ça se fasse plus facilement. Ça n'est pas aussi dramatique que ça en a l'air, Mary Ann. C'est ce qu'il fallait surtout que tu saches.

— Mais je croyais qu'il avait été... touché trois fois ?

Elle n'arrivait pas à prononcer le mot fatal.

— Deux des coups ont été déviés par les côtes, précisa le médecin. Il a eu beaucoup de points de suture, mais ils sont tous sur la cage thoracique. Il respire normalement, maintenant... Mais ça va changer dès qu'il te verra, j'en suis sûr.

— Et Michael ?

— Une grosse bosse, une demi-douzaine de points de suture... Il va bien... En tout cas, il se remettra très vite.

Il regarda gravement Mary Ann.

— On a eu du bol, hein ?

— Si on peut dire.

— On peut. On doit, même.

Brian avait la tête tournée vers la fenêtre lorsque Mary Ann entra dans la chambre. Sa poitrine n'était qu'un vaste pansement. Les tubes qui sortaient du trou sur le côté étaient reliés à une sorte de pompe-réservoir installée à côté du lit.

Chaque fois qu'il expirait, un objet qui ressemblait à

une balle de ping-pong rebondissait follement dans le réservoir. Un autre tuyau (une perfusion, sans doute) était fiché dans son bras.

Michael dormait dans le lit voisin, la tête empaquetée dans un énorme bandage.

— C'est moi, dit Mary Ann en arrivant au chevet de Brian.

Celui-ci roula la tête vers elle et sourit :

— Bonjour, ma chérie.

Mary Ann s'approcha plus près encore, souffrant pour lui dans sa propre chair.

— Il y a un endroit qu'on peut embrasser ? demanda-t-elle.

Une grosse larme coula sur la joue de Brian.

— Reste là et laisse-moi te regarder, souffla-t-il.

Elle ne bougea plus, les bras le long du corps.

— Comme ça, ça va ?

— C'est parfait.

— Tu veux que je te montre un peu mes cuisses ?

Elle n'avait jamais vu un adulte rire et pleurer tout à la fois.

— Bon sang ! sanglota-t-il. Je t'aime tellement !

— Brian, enfin !... Si tu pleures, je vais m'y mettre aussi...

— Je ne peux pas m'en empêcher. Je n'ai jamais été aussi heureux de voir quelqu'un. De toute ma vie !

Elle prit un Kleenex sur la table de chevet et lui tamponna les joues.

— Calme-toi, maintenant... Je suis revenue. Je suis tellement désolée de n'avoir pas été là, Brian.

— Qu'est-ce que tu racontes ? Comment aurais-tu pu savoir ?

— D'accord, mais tu avais besoin de moi et...

— Laisse pisser ! Tu as retrouvé les gosses ?

— On les a retrouvés, oui.

— Ils vont bien ?

— Ils vont très bien.

— Alors tu as très bien agi.

Mary Ann reprit le Kleenex et se moucha.

— Combien de temps dois-tu rester ici? demanda-t-elle.

— Deux semaines. Peut-être trois.

— Alors on le fera ici.

— Quoi?

— Le mariage. Tu avais oublié?

— Non... Mais...

— C'est oui?

— Mais tu voulais une célébration en plein air...

— Tant pis pour le jardin. Je veux t'épouser, moi. Et toi, tu veux m'épouser?

— C'est tout ce que je désire!

— Je vais l'annoncer à Mme Madrigal, décida Mary Ann.

Le médecin de Michael

Michael se glissa dans le couloir et trouva Jon en train de lire un magazine près du bureau des infirmières.

— Hé, fit le médecin, tu es censé rester couché, bon-homme!

Michael s'assit à côté de lui, vêtu simplement de sa chemise de nuit d'hôpital.

— Argh! glapit-il en se raidissant lorsque ses fesses nues touchèrent le plastique froid de la chaise.

— Ce n'est pas pour les malades, lui fit remarquer Jon.

— Quoi? Les chaises ou la nuisette?

Le médecin lui désigna sa chambre avec un regard réprobateur.

— J'y retourne dans une seconde, promit Michael. Je me suis dit que les amoureux avaient besoin de quelques minutes d'intimité. Et puis arrête de jouer les toubibs.

— Je ne suis pas en blanc, si?

— Non, mais c'est tout comme... Je le sens. Pourquoi ne rentres-tu pas te coucher, Jon? Ça fait combien de temps que tu es ici, au fait?

— Je vais bien, rétorqua Jon. Je rentrerai avec Mary Ann quand elle partira.

— Mme Madrigal est déjà partie?

— Oui. Elle était en retard pour le déjeuner de Bambi.

— Zut, grogna Michael. J'avais complètement oublié ce petit détail désagréable.

— On l'a tous oublié.

— Mary Ann reconnaît que c'est la prochaine chose dont elle doit s'occuper, maintenant que les gosses sont revenus. Tu as eu des nouvelles de la police, au fait? Rien de neuf, je veux dire?

Jon secoua la tête:

— Je ne crois pas qu'il y en aura. Pas de numéro de plaque, pas de signalement assez précis. Les gens qui vous ont trouvés n'ont appelé la police qu'une demiheure après l'agression. Je crois qu'on peut faire une croix dessus.

Michael avait les yeux vitreux.

— Hé, fit Jon. Tu m'écoutes?

— Ouais.

— Ç'a été horrible, Michael, mais il ne faut pas te laisser abattre. Ne laisse pas ces salauds changer ta façon de vivre. Dis, banane, tu me regardes?

Michael avait la lèvre inférieure qui tremblait sans qu'il puisse s'en empêcher. Des larmes lui inondèrent le visage.

— Je sais, Jon... C'est pas ça... expliqua-t-il. Il y a seulement que...

— Que quoi?

— Tu crois qu'ils pensent que c'est ma faute?

Jon cligna des yeux sans comprendre :

— Qui ?

— Mary Ann et Brian.

— Michael... Mais qu'est-ce que tu racontes ?

— Eh bien, balbutia Michael d'une voix tremblante, les mecs qui nous ont agressés... Ils croyaient qu'on était tous les deux pédés... Et... si je n'avais pas été là...

— Mon Dieu, murmura Jon.

— Non, écoute... Ils se trompaient, concernant Brian. Ils avaient encore moins de raisons de l'agresser, *lui*. Mais c'est lui qui a presque tout pris. Il...

— Encore *moins* de raisons, hein ? Tu veux sans doute dire qu'ils avaient au moins un mobile pour t'agresser ? C'est ça que tu penses, Michael ? Tu crois vraiment que tu méritais de dérouiller plus que Brian ?

— Jon... Je ne...

— Merde, Michael ! Comment oses-tu parler comme ça ? Brian ne le pense pas. Et encore moins Mary Ann. Tu es le pire homophobe de la famille. En quoi le fait d'être pédé a-t-il quelque chose à voir avec ça ?

Michael le regarda d'un air implorant, les yeux remplis de larmes :

— Jon... Je t'en prie... Je suis venu pour que tu me fasses un câlin.

Ce à quoi il eut droit.

— Écoute, lui chuchota Jon à l'oreille. C'est toi qui m'as appris tout ce que je sais pour être heureux de ce que je suis. Alors maintenant c'est pas le moment de craquer, petit bonhomme.

— Jon, c'est juste que je peux pas garder...

— Si, tu peux, le corrigea le médecin. Tu es le petit con le plus dur que je connaisse. Tu es toujours le premier sur la brèche... Et c'est comme ça que je t'aime. Mince, Michael... C'est moi qui refusais que tu m'embrasses dans les aéroports.

Silence.

— Je suis différent, à présent ! poursuivit Jon. C'est toi qui m'as fait changer.

Michael se dégagea et le regarda dans les yeux :

— Qui as-tu embrassé dans les aéroports à part moi ?

— Oh, des tas de gens... répondit Jon d'un ton faussement détaché.

— Je parie que c'est vrai !

— Tu veux essayer dans un hôpital ?

Leur baiser dura presque une minute, jusqu'à ce que l'infirmière-chef arrive.

Elle se racla bruyamment la gorge.

— Messieurs, si ça ne vous ennuie pas...

Jon leva le nez et sourit.

— Ne vous inquiétez pas, dit-il. Je suis médecin.

Options

Quand Mary Ann descendit l'escalier de la cave, elle trouva Bambi pelotonnée — non, *recroquevillée* — sur le vieux canapé que Mme Madrigal lui avait apporté pour qu'elle se sentît plus à l'aise.

Elle leva un visage maussade barré d'une ombre.

— Tu vas payer pour ça ! lança-t-elle à Mary Ann d'un ton menaçant.

— Je suppose.

— Et je ne te parle pas de boulot, cocotte. Je te parle de justice. Tu vas en chier, Mary Ann !

Il était affreux de constater à quel point Bambi avait fait siennes les pires expressions ordurières de Larry Kenan.

Mary Ann tira une chaise à bonne distance.

— Je crois, commença-t-elle, que nous devrions... discuter un peu, auparavant.

— Va raconter ça à la police, gronda Bambi.

— Vas-y toi-même, rétorqua Mary Ann. La porte est grande ouverte.

La présentatrice jeta un coup d'œil en direction de l'escalier.

— Tu es libre de t'en aller, insista Mary Ann.

Bambi plissa les yeux d'un air soupçonneux :

— C'est quand même un enlèvement, tu sais. C'est pas parce que tu me laisses partir que...

— Je sais.

— Et c'est pas non plus parce que c'est quelqu'un d'autre qui a agi à ta place...

— Je sais ça aussi, reconnut Mary Ann avec un sourire suave. Alors bouge ton cul, ma belle, fit-elle en désignant l'escalier du menton. Et tu embrasseras Larry pour moi, pendant que tu y seras. Ce pauvre con s'imagine que tu es sur un coup fumant. Ça m'embêterait de le décevoir.

— Ça t'embêtera encore plus quand... Qu'est-ce que tu lui as dit ?

— Que toi et moi nous étions sur le scoop de l'année, répliqua Mary Ann avec désinvolture.

— DeDe Day ?

Mary Ann hocha la tête en souriant.

— J'ai photocopié tes fiches, tu sais, l'avertit Bambi avec un sourire presque obscène. Cette affaire ne regarde encore que nous, Mary Ann. Mais il suffirait simplement d'un coup de fil à la chaîne...

— Quelle coïncidence ! fit Mary Ann. C'est exactement ce que j'ai raconté à DeDe.

Silence.

— Sauf que je parlais d'une autre chaîne, évidemment ! ajouta-t-elle.

Bambi lui décocha un regard assassin :

— Tu ne ferais pas ça ?

— Je me gênerais ! déclara Mary Ann d'un ton enjoué. Je suis virée à coups de pied au cul, pas vrai ? On ne m'en recevra qu'avec bien plus d'égards à Channel 5. Et puis, voyons les choses en face... Sans DeDe et les gosses, il n'y a plus de scoop. Je me trompe ?

370

Silence.

— C'est pour ça que je me suis dit que nous devions avoir d'abord une petite conversation. Je voulais te parler des options qui s'offrent à toi... avant que tu ne foutes le bordel.

Mary Ann lui adressa un autre sourire, encore plus suave.

— Vas-y, murmura Bambi.

— Eh bien, tu peux porter plainte, comme tu l'as dit. Ça me forcera tout simplement à expliquer publiquement que nous avons considéré de notre devoir moral de te retenir ici tant que DeDe n'était pas certaine que ses enfants étaient en sécurité. Ça ne sera pas joli-joli, Bambi. Et puis, pour commencer, le scoop n'était pas le tien. Et ça, c'est facile à prouver.

— Un scoop, c'est un scoop ! gronda la présentatrice.

— Absolument, concéda Mary Ann. Et je suis prête à le partager avec toi.

Bambi la considéra longuement d'un air dubitatif.

— Ah bon ? fit-elle.

— Oui, avec toi ou avec Wendy Tokuda. Tu choisis.

La petite chose recroquevillée dans son coin de canapé se raidit.

— Je veux savoir ce que signifie « en sécurité ».

Mary Ann la regarda en clignant des yeux.

— Mmm ?

— Tu as dit : « Tant que DeDe n'était pas certaine que ses enfants étaient en sécurité. » Quelle menace pouvait justifier qu'on m'enferme dans une cave pendant trois jours ?

— La menace, c'était *toi* ! La presse ! DeDe est mon amie. Elle a fait des sottises, mais c'est une fille bien et je l'apprécie. Elle avait besoin de temps pour souffler un peu, c'est tout. Un mois de calme avec sa mère et ses enfants. C'est trop demander, pour une femme qui a fui le Guyana dans de telles conditions ?

— Et cette histoire de sosie, alors ?

— Quoi, cette histoire de sosie ? DeDe m'a confié qu'un sosie était formé à Jonestown pendant qu'elle était là-bas... mais elle est partie des jours avant le massacre. Ça vaut tout à fait la peine d'en parler. Cependant, ça pourrait se révéler dangereux.

— Pourquoi ?

Mary Ann lui jeta un regard glacial, puis lui demanda :

— Tu crois que Jim Jones est encore vivant, *toi* ?

Bambi se renfrogna et détourna les yeux.

— Alors, tu veux faire quoi ? demanda-t-elle.

— Eh bien, voilà : je veux que tu signes une déclaration certifiant que tu as séjourné de ton plein gré au 28 Barbary Lane, ces derniers jours...

— Attends un peu !

— Je n'ai pas terminé. Comme il est évident que toi et moi nous avons passé ces derniers jours à interviewer DeDe — pigé ? —, il est parfaitement impossible que tu sois restée enfermée dans le sous-sol du 28 Barbary Lane. C'était simplement ton quartier général. Je trouve d'ailleurs ça d'un romantisme tout à fait échevelé.

— Et le temps d'antenne ?

— On se le partagera, dit Mary Ann. Ça m'est égal si c'est toi qui annonces. Tu peux m'interviewer.

— Je suis éperdue de reconnaissance.

— Tu peux. J'ai pris des contacts avec Wendy, dernièrement. Au fait, les droits du livre m'appartiennent ! casa Mary Ann. Je ne dis pas ça parce que tu pourrais me concurrencer sur ce terrain, mais pour t'informer.

— Donc... Tu n'étais pas à Cleveland, alors ?

— Mais bien sûr que si ! se récria Mary Ann en feignant héroïquement l'indignation. Tu ne crois tout de même pas que je mentirais au sujet de ma propre grand-mère ?

Mariage dans le jardin

Après avoir dormi pendant presque quinze heures, Mary Ann se réveilla vers neuf heures et se précipita chez Mme Madrigal. La logeuse était dans sa cuisine en train de préparer un gâteau.

Le gâteau.

Mary Ann déposa un petit baiser sur sa joue.

— Vous êtes tellement gentille de faire ça ! Qu'est-ce que c'est, ces petits machins marron dans la pâte ?

— Des morceaux de carotte, mentit Mme Madrigal.

— Vous me racontez des histoires.

— Alors ne pose pas de questions impertinentes. Je suppose que tu as tout arrangé avec Bambi ?

— Tout à fait.

— Brave fille... Tu as appelé ta mère ?

— Non. Je le ferai après la cérémonie. Je veux que ce soit seulement la famille. Je veux dire : ma famille d'ici.

Mme Madrigal sourit affectueusement.

— J'avais compris, confia-t-elle en lui tendant une cuiller pour qu'elle goûte.

— Miam ! fit Mary Ann. Des carottes !...

DeDe appela à onze heures.

— Je viens de voir les journaux, commença-t-elle d'une voix essoufflée. Je suis désolée de ce qui est arrivé à Brian.

— Merci.

— Ma pauvre chérie ! Tu dois te dire que cette semaine ne va *jamais* finir !

— Surtout pas ! Pas avant ce soir, en tout cas.

— Mon Dieu, je n'ose pas te demander pourquoi.

— Non, la rassura Mary Ann en riant, c'est agréable, cette fois. Nous nous marions ce soir. A l'hôpital. Je serais ravie si tu pouvais venir.

— Bien sûr ! Quelle bonne idée ! Je peux amener les enfants ?

— Ce serait merveilleux !

— Et l'émission ?

— Tu veux parler de nos débuts à l'écran ?

— C'est cela, s'esclaffa DeDe.

— Lundi te convient ?

— Bien sûr. C'est parfait.

— On dirait qu'on vient de prendre rendez-vous pour un déjeuner, gloussa Mary Ann.

— Eh bien... On peut aussi faire ça.

L'après-midi, Mary Ann retourna à l'hôpital. Quand elle ouvrit la porte de la chambre de Brian et de Michael, le spectacle lui coupa le souffle.

— Je rêve ! s'écria-t-elle.

Michael lui fit un grand sourire depuis son lit.

— Pas mal, hein ? lança-t-il.

La chambre était transformée en une véritable jungle de verdure et de fleurs dont la plupart ne provenaient manifestement pas de chez le fleuriste de l'hôpital. Les deux lits étaient encadrés de buis, des vignes vierges couraient le long des fenêtres et un fuchsia rose vif dégringolait en cascade au-dessus de Brian, depuis les supports du système de perfusion.

— On a tout emprunté, dit Brian. C'est Ned et un ami à lui qui viennent de nous livrer.

Mary Ann resta stupéfaite :

— Comme c'est gentil !

— Tu l'as, ton mariage dans le jardin, finalement !

— Où est-il ?

— Qui ?

— Ned. Je veux le remercier.

— Ils reviennent dans une minute, ils sont partis prendre un café.

— De toute façon, on a des questions à te poser, fit Michael.

— Si c'est à propos de Bambi, je m'en suis occupée.

— Qu'est-ce que tu lui as raconté? Que vous aviez fait toute cette expédition pour rien?

— Elle n'est pas au courant de l'enlèvement, dit Mary Ann. Elle n'est même pas au courant de mon voyage en Alaska. Elle croit qu'on l'a retenue prisonnière pour empêcher que le scoop soit dévoilé trop tôt.

Elle regarda gravement les deux hommes.

— Je ne veux pas qu'elle — ou quelqu'un d'autre — sache qui était M. Starr.

— Pourquoi?

— Parce que toute cette histoire a fini en eau de boudin. C'est gênant. DeDe et moi, on a l'air de deux idiotes.

— Qu'est-ce que vous fichiez là-haut, d'ailleurs? interrogea Brian en souriant. Du traîneau? Vous chassiez les Eskimos sur la banquise?

— Brian...

— Et ce type, Starr? demanda Michael. Tu ne sais pas où il est allé, après avoir déposé les enfants chez Prue Giroux?

— Absolument pas, affirma Mary Ann.

— En d'autres termes, c'est simplement Mme Halcyon qui s'est bêtement trompée. Il n'y a jamais eu d'enlèvement. Il n'y a jamais eu la moindre menace. Le rideau tombe... Fin.

— C'est à peu près ça, oui, concéda distraitement Mary Ann.

— Pourquoi ai-je tant de mal à croire ça? demanda Michael à Brian.

— Oh, moi, je la crois! déclara Brian en regardant amoureusement Mary Ann. Elle ne nous ment jamais sur les trucs importants.

Un crâne chauve apparut dans l'entrebâillement de la porte.

— Ned! s'exclama Mary Ann, soulagée de cette diversion. C'est la chose la plus gentille que tu pouvais

faire ! Il faut *absolument* qu'on fasse venir un photographe ! Ces fuchsias sont les plus magnifiques que...

Elle s'arrêta tout net dans son élan quand elle vit
l'homme qui entrait avec Ned.

— Mary Ann, je te présente ***, fit Brian.

— Oui, je le reconnais ! bafouilla-t-elle.

— Ned et lui restent pour le mariage, annonça Brian
avec un clin d'œil. Je me suis dit que ça te plairait.

Il faut cultiver notre jardin

Frannie Halcyon reprenait un toast à la cannelle
lorsque sa fille la rejoignit pour le petit déjeuner sur la
terrasse d'Halcyon Hill.

— Comment était le mariage, ma chérie ? Tout s'est
bien passé ?

DeDe s'assit et se servit une tasse de café.

— Tout à fait charmant, répondit-elle. D'une certaine manière, ça ressemblait beaucoup au mien. Le
prêtre a même lu des passages de Khalil Gibran.

Sa mère plissa le front.

— Mon Dieu... s'étonna-t-elle. Ils font *encore* ça ?

— Il y avait ***, au fait ! fit valoir DeDe.

— Ah bon ? Mais pourquoi donc ?

— C'est un ami de la famille...

— Ah.

— Et Mary Ann te fait parvenir un morceau du
gâteau... avec son souvenir affectueux.

— C'est très gentil, dit Frannie. Elle en a vraiment
vu de toutes les couleurs, n'est-ce pas ? D'abord, votre
expédition insensée... Et puis son fiancé qu'on prend
pour un homosexuel !

DeDe fit la grimace :

— Ça n'a pas vraiment de rapport, maman.

376

— Eh bien, tenta de conclure Frannie d'un ton enjoué, tout est bien qui finit bien, comme je dis toujours. Il suffit de regarder mes petits-enfants pour s'en convaincre.

— Ils sont déjà levés ? demanda DeDe.

— Ils sont là-bas avec Emma, la renseigna sa mère en désignant le fond du jardin.

Elle eut un sourire bienveillant pour les lointaines silhouettes, puis elle se retourna en poussant un soupir.

— Tu sais... Je me sens affreusement bête, à cause de tout ça.

— De tout quoi ? demanda DeDe en beurrant un toast.

— Eh bien... De ne pas avoir vérifié si M. Starr était revenu sur le bateau. Nous l'avons accusé de tous les maux... quand on y pense.

DeDe croqua son toast.

— C'était une réaction parfaitement naturelle, jugea-t-elle.

— Je sais. Mais quand même, j'aimerais pouvoir lui écrire une lettre pour le remercier. Penses-tu qu'il ait laissé son adresse à Prue ?

DeDe secoua la tête et continua à grignoter.

— Il a dû nous trouver terriblement sottes, ajouta Frannie. Je veux dire : d'abandonner les enfants comme ça ! Songe à ce qu'il a pu penser.

— A ta place, je ne me ferais pas tant de soucis, lui conseilla DeDe.

— C'était un tel gentleman, énonça Frannie en refermant le chapitre une bonne fois pour toutes.

Elle se retourna vers le jardin et secoua la tête, admirative.

— Emma est merveilleuse, n'est-ce pas ? Regarde-la ! Elle est complètement obsédée par son nouveau massif d'azalées !

— Mmm, mmm, fit DeDe.

— On ne peut pas s'empêcher de l'admirer ! gazouilla Frannie. Se mettre au jardinage, à son âge !

DeDe hocha la tête.

— Elle adore notre famille, expliqua-t-elle.

— On dira ce qu'on voudra, déclara l'heureuse grand-mère, mais on ne trouve plus de domestiques de sa trempe!

Quand le téléphone sonna, DeDe décrocha dans la cuisine.

— Halcyon Hill, annonça-t-elle.

— Euh... Emma?

— Non, c'est DeDe.

Enfin, elle pouvait le dire!

— Tout va bien alors! Dieu merci!

— Mais qui est-ce?

— Qui veux-tu que ce soit? Le Péril rouge!

— D'or! Où es-tu? Tu as une drôle de voix.

— Ça doit être l'ambiance. Je suis à Miami.

— Quoi?

— Au *Fontainebleau,* ni plus ni moins. Quand je me vends au grand capital, je ne fais pas les choses à moitié!

DeDe se mit à rire.

— Tu m'as tellement manqué! confia-t-elle.

— C'est vrai? Tu veux me voir?

— Tu penses! Dans combien de temps peux-tu être là?

— Donne-moi un jour ou deux. Mais dis donc, ma chérie, et ta mère?

— Je m'en occupe! déclara DeDe.

Cinq minutes après, elle raccrochait et s'en occupait.

Six semaines plus tard

Mary Ann et Brian choisirent le Golden Gate Park comme site pour leur « lune de miel » officieuse : un copieux pique-nique qui marquait leur première escapade depuis l'épisode des coups de couteau. A la dernière minute, ils avaient demandé à Michael de se joindre à eux.

— Tu sais, fit Mary Ann en étalant du brie sur un morceau de pain de seigle, il nous manque juste quelqu'un, aujourd'hui.

— Qui ? demanda Michael.

Mary Ann sourit et lui tendit la tartine.

— Jon.

Michael avala une bouchée et se tourna vers Brian :

— Pourrais-tu dire à bobonne de laisser tomber ? Ça nous ferait des vacances... Elle a fermement décidé de voir en nous Lucy & Ricky & Fred & Ethel, on dirait !

Brian répondit en riant :

— Et je suis qui, moi, dans tout ça ? Fred ou Ricky ?

— Tente pas le diable, plaisanta Michael. Tu pourrais bien être Ethel.

— Quand revient le bateau de Jon ? s'enquit Mary Ann.

— Demain, fit Michael. Passe-moi le cheddar fumé, s'il te plaît.

Brian fit glisser le plateau de fromages vers Michael.

— Tu te rappelles la dernière fois qu'on est venus ici, toi et moi ?

— Oui, mais... ?

— Tu m'as conseillé de me dépêcher d'épouser Mary Ann.

— Il a dit *ça* ?

Mary Ann leva le nez de sa tartine.

— C'est tellement mignon, Mouse !

— Eh bien, moi, continua Brian, je pense que le moment est venu pour toi d'épouser Jon.

Michael prit une fraise.

— C'est déjà fait, fit-il observer.

— Alors épouse-le une *deuxième* fois, répliqua Mary Ann, ajoutant son grain de sel.

Michael les regarda tour à tour.

— Mais vous voulez que *tout le monde* se marie, vous deux !

— Ce serait tellement merveilleux, Mouse ! Nous pourrions partir tous ensemble à Yosemite... faire des trucs en famille. Tu as cherché pendant deux ans, Mouse ! Est-ce que tu as trouvé ne serait-ce qu'un seul mec qui soit mieux que Jon ?

Michael fit mine de chercher une autre fraise.

— Tout le monde le voit, sauf toi. Jon, c'est le mec idéal pour les arbres de Noël.

— *Quoi ?*

— C'est toi qui m'as expliqué ça, un jour. Avant de rencontrer Jon. Tu disais que tu n'attendais pas tant de choses que ça d'une relation... Juste le bonheur de pouvoir acheter avec quelqu'un de bien ton arbre de Noël chaque année. C'est Jon, ce *quelqu'un de bien* ! En plus, ça lui est égal que tu couches à droite à gauche.

— Oh ?

— Il me l'a dit lui-même ! assura Mary Ann. Il t'aime.

— Lui aussi, il couche à droite à gauche ! protesta Michael. A ton avis, pourquoi bosse-t-il sur ce bateau ?

— Alors, vous êtes *faits* l'un pour l'autre ! Comme Brian et moi !

Brian regarda sa femme d'un drôle d'air et elle lui pinça une cuisse pour le rassurer.

— Tu vas le chercher au bateau ? demanda-t-elle à Michael.

Un long silence, puis il consentit à répondre :

— Voui...

Mary Ann regarda Brian d'un air triomphal et lui secoua vigoureusement le genou.

— Tu vois?...

— Qu'est-ce qu'il devrait voir? s'enquit Michael.

— Rien, fit Mary Ann avec malice.

— Tu es impossible, grommela Michael. Où as-tu mis la moutarde?

Mais son sourire l'avait encore une fois trahi.

Au-dessus d'eux, tout en haut de l'à-pic, Prue Giroux avançait avec précautions parmi les rhododendrons, désobéissant une fois de plus aux conseils de son prêtre.

Elle n'avait pas remis les pieds dans la cabane de Luke depuis sa fuite avec les enfants.

Quelque chose qui ressemblait étrangement à du remords l'envahit lorsqu'elle poussa la porte de la petite cabane et considéra son contenu éparpillé partout.

Les murs avaient été couverts de graffitis à la bombe aérosol. Le « sofa » en mousse, naguère le lieu de ses plus grands moments de bonheur, était jonché de préservatifs.

— De vraies bêtes! murmura-t-elle.

Il ne restait plus grand-chose, hormis la plaque de bois, désormais souillée de peinture rouge :

CEUX QUI NE SE RAPPELLENT PAS
LE PASSÉ
SONT CONDAMNÉS
À LE RÉPÉTER.

Comme elle ne supportait guère l'idée d'abandonner cette relique derrière elle, elle décrocha la plaque du mur et la glissa amoureusement dans son fourre-tout. Et avant que les larmes ne lui montent aux yeux, elle se dépêcha de ressortir au soleil et longea la côte jusqu'aux rhododendrons.

Elle était à mi-chemin lorsqu'elle repéra une silhouette familière qui sortait de l'un des buissons.

— Oh... Euh... Prue, ma chérie!

C'était le père Paddy, qui avait l'air curieusement

nerveux. Prue essaya de prendre un air dégagé en espérant qu'il n'avait pas deviné la raison de sa visite au vallon fleuri.

— Quelle journée magnifique, n'est-ce pas, mon père ?

— Oui, vraiment ! C'est précisément la réflexion que je me faisais tout à l'heure : Dieu nous gâte aujourd'hui !

— Mmm.

— Que... euh... fabriquiez-vous dans les bois ?

— Je promenais tout bêtement Vuitton, mon père ! dit Prue.

— Ah... Eh bien, c'est une splendide journée pour...

Mais avant qu'il eût pu finir, un autre homme surgit des buissons. Il salua Prue très précipitamment et fit un clin d'œil appuyé au père Paddy, avant de partir d'un pas guilleret sur le sentier, en sifflotant.

— Je ne savais pas que vous connaissiez l'agent Rivera, s'étonna Prue.

Le père Paddy hésita, et avoua en rougissant :

— En fait... nous venons juste de faire connaissance.

— Il est vrai qu'il est tellement consciencieux ! observa la chroniqueuse mondaine. C'est réconfortant de savoir qu'il y a des policiers comme lui.

— Oh, oui ! acquiesça le prêtre. Ça, vraiment !

Il prit brusquement le bras de Prue.

— Je ne sais pas ce qu'il en est pour vous, ma chère, mais je suis subitement *affamé*. Si nous allions déjeuner quelque part ?

— J'en serais ravie, déclara Prue. Mais aidez-moi à retrouver Vuitton d'abord.

Le père Paddy lui décocha un regard noir :

— Ne me dites pas que vous l'avez encore perdu ?

— Non, bien sûr que non ! se défendit Prue. Il ne doit pas être très loin. Vuitton ! Au pied, mon trésor ! *Vuiiitton !...*

IMPRIMÉ EN FRANCE PAR BRODARD ET TAUPIN
3368 - La Flèche (Sarthe)
N° d'édition : 3168
Dépôt légal : septembre 2000

of inter 28 viii 00

→ Le Réconfort
37, rue du Tabou 3ᵉ
01 42 76 06 36
01 49 96 09 60
Mazurka